In the Welsh-English part of the dictionary, the use of the word *see* refers the reader from an irregular plural form to the singular (noun), where gender and meaning will be found, and *from* references give examples of changes to the root of verbs, adjectives and prepositions. While it would be impossible to list all the forms in which these changes occur, it is hoped that such examples will give the reader a possible clue to the meaning of otherwise inexplicable forms he or she might encounter.

If you are using a Welsh dictionary for the first time, there are one or two things of which you need to be aware:

1 The Welsh alphabet does not follow exactly the same order as the English alphabet:

a b c d e f g h i j k l m n o p q r s t u v w x y z
a b c **ch** d **dd** e f **ff** g **ng** h i j l **ll** m n o p **ph** r **rh** s t **th** u w y

The most significant difference is that 'ng' follows 'g' in the Welsh alphabet not 'n'. Welsh words containing the highlighted letters may not appear in the alphabetical sequence you would expect in English.

2 Certain letters in Welsh mutate (i.e change, as in English *wife* changes to *wives*). However, in Welsh these mutations may take place at the beginning of a word, thus *cath* ('cat') may appear as *y gath* ('the cat'), *ei chath* ('her cat'), *fy nghath* ('my cat'). Words in the dictionary are listed in their unmutated form. If you fail to find a word beginning with the following letters, it may be the mutated form of a word, which starts with the listed letter.

If the word starts with:

a	it could be a mutation of	**g**
b	it could be a mutation of	**p**
ch	it could be a mutation of	**c**

d	it could be a mutation of	**t**
dd	it is a mutation of	**d**
e	it could be a mutation of	**g**
f	it could be a mutation of	**b**
	or it could be a mutation of	**m**
g	it could be a mutation of	**c**
ng	it is a mutation of	**g**
ngh	it is a mutation of	**c**
h	can appear before any of the vowels (**a e i o u w y**) in Welsh	
l	it could be a mutation of	**ll**
	or it could be a mutation of	**g**
m	it could be a mutation of	**b**
mh	it is a mutation of	**p**
n	it could be a mutation of	**d**
nh	it is a mutation of	**t**
o	it could be a mutation of	**g**
ph	it is a mutation of	**p**
r	it could be a mutation of	**rh**
	or it could be a mutation of	**g**
th	it could be a mutation of	**t**
w	it could be a mutation of	**g**
y	it could be a mutation of	**g**

3 In Welsh, there is a great variety of standard word forms. There are far more ways of forming the plural for example than adding -s; adjectives and numerals have masculine and feminine forms, and verbs too conjugate through a variety of changing forms. It has not been possible to list all possible variations, but one feature of this dictionary is that it includes examples of the main changes, which should give the user a clue as to the likely derivation (and therefore meaning) of a particular word form.

Welsh-English Dictionary

A

a *rel pron* that, which. • *interrogative particle.*

a, ac *conj* and.

â, ag *conj* as. • *prep* with.

â *from* **mynd.**

ab, ap *m* son of.

abad *m* (**·au**) abbot.

abades *f* (**·au**) abbess.

abat·y *m* (**·ai**) abbey.

aber *m* (**·oedd**) mouth of river.

aberth *m/f* (**ebyrth**) sacrifice.

aberthged *f* ceremonial wreath.

aberthu *v* to sacrifice.

abl *adj* able; rich.

absen *m* slander.

absennol *adj* absent.

absenoldeb *m* absence.

abwyd *m* (**·od**) bait.

abwyd·yn *m* (**·od**) worm.

abwydyn y cefn *m* spinal chord.

ac *conj* and.

academaidd *adj* academic.

academ·i *f* (**·ïau**) academy.

acen *f* (**·nau**, **·ion**) accent.

acennu *v* to accentuate.

acer, acr *f* (**aceri**) acre.

act *f* (**·au**) act.

actio *v* to act.

actores *f* (**·au**) actress.

acw *adv* there.

acwsteg *f* acoustics.

ach *f* (**·au**) pedigree.

achles *m* manure.

achlod *m* shame.

achlysur *m* (**·on**) occasion.

achlysurol *adj* occasional.

achos *m* (**·ion**) cause; case. • *conj* because.

achosi *v* to cause.

achub *v* to save.

achubiaeth *f* salvation.

achub·wr, achub·ydd *m* (**·wyr**) saviour.

achwyn *v* to complain.

achwyniad *m* (**·au**) complaint.

achwyn·wr, achwyn·ydd *m* (**·wyr**) moaner; plaintiff.

adain *f* (**adenydd**) wing.

adar *see* **aderyn.**

adareg *f* ornithology.

adargraffiad *m* (**·au**) reprint.

adarydd *m* (**·ion**) ornithologist.

adborth *m* (**·ion**) feedback.

ad-daliad *m* (**·au**) repayment.

ad-drefnu *v* to reorganise.

adeilad *m/f* (**·au**) building.

adeiladol *adj* constructive.

adeiladu *v* to build.

adeilad·wr *m* (**·wyr**) builder.

adeiledd *m* (**·au**) structure.

adeiniog *adj* winged.

adennill *v* to regain.

adenydd *see* **adain.**

aderyn *m* (**adar**) bird.

adfach *m* barb.

adfail *m* (**adfeilion**) ruin.

adfeilio *v* to decay.

adfer *v* to restore.

adferf *f* (**·au**) adverb.

adferiad *m* recovery.

adfyd *m* adversity.

adfywiad *m* (**·au**) revival.

adfywio *v* to revive.

adio *v* to add.

adiol·yn *m* (**·ion**) additive.

adladd *m* aftermath.

adlais *m* (**adleisiau**) echo.

adlam *m* rebound.

adlamu *v* to rebound.

adleisio *v* to resound.

adlen *f* (**·ni**) awning.
adlewyrch, adlewyrchiad *m* reflection.
adlewyrchu *v* to reflect.
adlewyrchydd *m* reflector.
adloniadol *adj* entertaining.
adloniant *m* entertainment.
adlunio *v* to remodel.
adlyn *m* (**·ion**) adhesive.
adlynol *adj* adhesive.
adnabod *v* to know.
adnabyddiaeth *f* knowledge.
adnabyddus *adj* well-known.
adnau *m* (**adneuon**) deposit.
adnebydd *from* **adnabod**.
adnewyddu *v* to renovate.
adnod *f* (**·au**) (Bible) verse.
adnodd *m* (**·au**) a resource.
adolygiad *m* (**·au**) review.
adolygu *v* to review.
adolyg·ydd *m* (**·wyr**) reviewer.
adran *f* (**·nau**) department.
adref *adv* homewards.
adrodd *v* to recite.
adroddiad *m* (**·au**) report.
adrodd·wr *m* (**·wyr**) elocutionist, narrator.
aduniad *m* (**·au**) reunion.
aduno *v* to reunite.
adwaen *from* **adnabod**.
adwaith *m* (**adweithiau**) reaction.
adweinir, adweinid *from* **adnabod**.
adweithio *v* to react.
adweithiol *adj* reactionary.
adweithydd *m* (**·ion**) reagent.
adwerthu *v* to retail.
adwy *f* (**·au**, **·on**) gap.
adyn *m* scoundrel.
addas *adj* suitable.
addasiad *m* (**·au**) adaptation.
addasrwydd, addaster *m* suitability.
addasu *v* to adapt.
addasydd *m* (**·ion**) adaptor.
addaw(af) *from* **addo**.
addawol *adj* auspicious.

addef *v* to admit.
addew(ais) *from* **addo**.
addewid *m/f* (**·ion**) promise.
addfwyn *adj* gentle, meek.
addfwynder *m* gentleness.
addo *v* to promise.
addod *m* treasure; **wy addod** (*china*) nest-egg.
addol·dy *m* (**·dai**) place of worship.
addolgar *adj* devout.
addoli *v* to worship.
addoliad *m* (**·au**) service.
addol·wr *m* (**·wyr**) worshipper.
adduned *f* (**·au**) vow.
addunedu *v* to vow.
addurn, addurniad *m* decoration.
addurnedig *adj* decorated.
addurniadol *adj* decorative.
addurno *v* to adorn.
addwyn *adj* fine.
addysg *f* education.
addysgiadol *adj* educational.
addysgu *v* to teach, to educate.
aeddfed *adj* mature.
aeddfedrwydd *m* maturity.
aeddfedu *v* to mature.
ael *m* (**·iau**) eyebrow.
aelod *m/f* (**·au**) member.
aelodaeth *f* membership.
aelwyd *f* (**·ydd**) hearth; branch of Urdd.
AEM *abb* HMI.
aer *m* air; heir.
aer-dynn, aerglos *adj* airtight.
aeres *f* (**·au**) heiress.
aeron *pl* berries.
aerwy *m* (**·au**, **·on**) yoke.
aeth *from* **mynd**.
aethus *adj* poignant.
af *from* **mynd**.
afal *m* (**·au**) apple.
afallen *f* (**·nau**) apple tree.
afan *pl* raspberries.
afanc *m* (**·od**) beaver.
afiach *adj* unhealthy.

afiaith *m* glee.

afiechyd *m* (·**on**) illness.

afieithus *adj* exuberant.

aflafar *adj* harsh (sound).

aflan *adj* unclean.

aflednais *adj* coarse.

aflem *adj* obtuse (angle).

aflêr *adj* untidy.

aflonydd *adj* restless.

aflonyddu *v* to disturb.

afloyw *adj* opaque.

aflunio *v* to distort.

aflwyddiannus *adj* unsuccessful.

aflywodraethus *adj* uncontrollable.

aflwyddiannus *adj* unsuccessful.

aflwyddian·t *m* (·**nau**) misfortune.

afon *f* (·**ydd**) river.

afonig *f* rivulet.

afradlon *adj* prodigal.

afradu *v* to waste.

afreal *adj* unreal.

afreolaidd *adj* irregular.

afreolus *adj* uncontrollable.

afresymol *adj* unreasonable.

afrifed *adj* innumerable.

afrllanen *f* (·**nau**) wafer (in Mass).

afrosgo *adj* ungainly.

afu *m/f* liver.

afwyn *f* (·**au**) rein.

affliw *m* particle.

affwysol *adj* abysmal.

ag *see* **â, ag.**

agen *f* (·**nau**) gap.

agendor, gagendor *m/f* gap.

ager *m* steam.

agor *v* to open.

agoriad *m* (·**au**) opening; key.

agos *adj* near.

agosatrwydd *m* intimacy.

agosáu *v* to draw near.

agwedd *m/f* (·**au**) attitude.

angau *m* death.

angel *m* (**angylion, engyl**) angel.

angen *m* (**anghenion**) need.

angenfilod *see* **anghenfil.**

angenrheidiau *see* **anghenraid.**

angenrheidiol *adj* necessary.

angerdd *m/f* passion.

angerddol *adj* passionate.

anghaffael *m* mishap.

angharedig *adj* unkind.

anghelfydd *adj* clumsy.

anghenfil *m* (**angenfilod**) monster.

anghenion *see* **angen.**

anghenraid *m* (**angenrheidiau**) necessity.

anghenus *adj* needy.

angheuol *adj* fatal.

anghlywadwy *adj* inaudible.

anghofiedig *adj* forgotten.

anghofio *v* to forget.

anghofus *adj* forgetful.

anghredadun *m* (**anghredinwyr**) infidel.

anghredadwy *adj* incredible.

anghrediniaeth *f* unbelief.

anghwrtais *adj* discourteous.

anghwrteisi *m* discourtesy.

anghydfod *m* disagreement.

anghydffurfiol *adj* nonconformist.

anghydrif *m* (·**au**) odd number.

anghydweld *v* to disagree.

anghyfannedd *adj* uninhabited.

anghyfartal *adj* unequal.

anghyfartaledd *adj* inequality.

anghyfarwydd *adj* unaccustomed.

anghyfeb *adj* barren.

anghyfiaith *adj* alien.

anghyfiawn *adj* unjust.

anghyfiawnder *m* injustice.

anghyflawn *adj* incomplete.

anghyfleus *adj* inconvenient.

anghyfreithlon *adj* illegal, unlawful.

anghyfrifol *adj* irresponsible.

anghyfforddus, anghyffyrddus *adj* uncomfortable.

anghyffredin *adj* uncommon.

anghymedrol *adj* immoderate.

anghymeradwy *adj* unacceptable.

anghymesur *adj* assymetrical.

anghymharol *adj* incomparable.
anghymharus *adj* ill-matched.
anghymwys *adj* unsuitable.
anghynefin *adj* unfamiliar.
anghynnes *adj* odious; cold.
anghysbell *adj* remote.
anghyson *adj* inconsistent.
anghysondeb, anghysonder *m* (·au) inconsistency.
anghysurus *adj* uncomfortable.
anghytbwys *adj* unbalanced.
anghytûn *adj* at odds.
anghytundeb *m* disagreement.
anghytuno *v* to disagree.
anghywir *adj* incorrect.
angladd *m/f* (·au) funeral.
angladdol *adj* funereal.
angof *m* oblivion.
angor *m/f* (·au) anchor.
angorf·a *f* (·eydd) anchorage.
angori *v* to anchor.
angyles *f* angel.
angylion *see* **angel**.
ai *conj* is it; either . . . or.
âi *from* **mynd**.
aidd *m* ardour.
aiff *from* **mynd**.
aig *f* shoal.
ail *adj* second.
ail isradd *m* square root.
ailadrodd *v* to repeat.
ailafael *v* to take up again.
aileni *v* to regenerate.
ailennyn *v* to rekindle.
ailgylchu, ailgylchynu *v* to recycle.
ail-law *adj* second-hand.
ailwampio *v* to refashion.
ais *see* **asen**.
ait *from* **mynd**.
alaeth *m* sorrow.
alarch *m* (**elyrch**) swan.
alaru *v* to have a surfeit of.
alaw *f* (·on) tune.
alcal·i *m* (·ïau) alkali.
alcam *m* tinplate.

alch *f* (**eilch**) grate, grill.
alegor·i *f* (·ïau) allegory.
alergedd *m* allergy.
alinio *v* to align.
almon *f* almond.
aloi *m* (·on) alloy.
allan *adv* out.
allan·fa *f* (·feydd) exit.
allanol *adj* external.
allblyg *adj* extrovert.
allbrint *m* (·iau) printout.
allbwn *m* (**allbynnau**) output.
allt, gallt *f* (**elltydd, gelltydd**) slope (wooded).
am *prep* at; for; on.
amaeth *m* agriculture.
amaeth·dy *m* (·dai) farmhouse.
amaethu *v* to farm.
amaeth·wr *m* (·wyr) farmer.
amaethyddiaeth *f* agriculture.
amaethyddol *adj* agricultural.
amarch *m* disrespect.
amau *v* to doubt.
ambarél *m* umbrella.
ambell *adj* some.
amcan *m/f* (·ion) intention; notion.
amcangyfrif *m* (·on) estimate. • *v* to estimate.
amcanu *v* to estimate.
amdan(af) *from* **am**.
amd·o *m* (·oeau) shroud.
amddifad *adj* destitute.
amddifadu *v* to deprive.
amddiffyn *v* to defend.
amddiffyn·fa *f* (·feydd) fortress.
amddiffyniad *m* defence.
amddiffynnol *adj* defensive.
amddiffynnwr *m* (**amddiffynwyr**) defender.
amfesur *m* perimeter.
amffib·iad *m* (·iaid) amphibian.
amffibiaidd *adj* amphibious.
amgae(af) *from* **amgáu**.
amgaeedig *adj* enclosed.
amgant *m* periphery.

amgáu *v* to enclose.

amgen, amgenach *adj* other; better.

amgrwm *adj* convex.

amguedd·fa *f* (·feydd) museum.

amgyffred *v* to comprehend.

amgylch *m*: o amgylch around.

amgylchedd *m/f* environment.

amgylchiad *m* (·au) circumstance.

amgylchynu *v* to surround.

amharchu *v* to dishonour.

amharod *adj* not prepared.

amharu *v* to spoil.

amhendant *adj* vague.

amhenodol *adj* indeterminate.

amhêr *adj* bitter.

amherffaith *adj* imperfect.

amhersonol *adj* impersonal.

amherthnasol *adj* irrelevant.

amheuaeth *f* (amheuon) suspicion.

amheu(af) *from* amau.

amheus *adj* doubtful.

amheuthun *adj* rare.

amhleidiol *adj* impartial.

amhosibl *adj* impossible.

amhriodol *adj* inappropriate.

amhrisiadwy *adj* priceless.

amhrofiadol *adj* inexperienced.

amhûr *adj* impure.

amhuredd *m* impurity.

aml *adv* often.

amlbwrpas *adj* multi-purpose.

amlder, amldra *m* abundance.

amledd *m* frequency.

amleiriog *adj* verbose.

amlen *f* (·nau, ·ni) envelope.

amlhau *v* to increase.

amlinelliad *m* outline.

amlinellu *v* to outline.

aml-lawr *adj* multi-storey.

amlochrog *adj* many-sided.

amlosg·fa *f* (·feydd) crematorium.

amlwg *adj* obvious.

amlwreigiaeth *f* polygamy.

amlygrwydd *m* prominence.

amlygu *v* to reveal.

amn·aid *f* (·eidiau) nod.

amneidio *v* to beckon.

amnest *m* amnesty.

amod *m/f* (·au) condition.

amodol *adj* conditional.

amran·t *m* (·nau) eyelid.

amrantiad *m* twinkling of an eye.

amrediad *m* range.

amrwd *adj* raw, crude.

amryddawn *adj* versatile.

amryfal *adj* various.

amryfusedd *m* error.

amryliw *adj* multi-coloured.

amryw *adj* various.

amrywiad *m* (·au) variant.

amrywiaeth *m/f* (·au) variation.

amrywio *v* to differ.

amrywiol *adj* variable.

amser *m* (·au) time.

amseriad *m* tempo, timing.

amserlen *f* (·ni) timetable.

amserol *adj* timely.

amseru *v* to time.

amsugno *v* to absorb.

amwynderau *pl* amenities.

amwys *adj* ambiguous.

amwysedd *m* ambiguity.

amynedd *m* patience.

amyneddgar *adj* patient.

anabl *adj* disabled.

anabledd *m* disability.

anad *adj*: yn anad above all.

anadl *m/f* breath.

anadlu *v* to breathe.

anadnabyddus *adj* unknown.

anaddas *adj* unknown.

anaeddfed *adj* immature, unripe.

anaele *adj* dire.

anaf, anafiad *m* (·iadau, ·au) wound, blemish.

anafu *v* to injure.

anallu *m* inability.

analluog *adj* incapable.

anamddiffynadwy *adj* indefensible.

anaml *adj* infrequent.

anamlwg *adj* indistinct.

anap, anhap *m* mishap.

anarchiaeth *m* anarchy.

anarchydd *m* anarchist.

anarferol *adj* unusual.

anatomegol *adj* anatomical.

anawsterau *see* **anhawster**.

andwyo *v* to spoil.

andwyol *adj* injurious.

anedifeiriol *adj* impenitent.

aneffeithiol *adj* ineffectual.

aneglur *adj* unclear.

aneiri, aneirod *see* **anner**.

aneirif *adj* innumerable.

anelau, anelion *see* **annel**.

anelu *v* to aim.

anenwog *adj* unrenowned.

anerch(af) *see* **annerch**.

anerchiad *m* (·**au**) address, speech.

anesboniadwy *adj* inexplicable.

anesmwyth *adj* restless.

anesmwythder, anesmwythyd *m* uneasiness.

anfad *adj* wicked.

anfadwaith *m* villainy.

anfaddeuol *adj* unpardonable.

anfant·ais *f* (·**eision**) disadvantage.

anfarwol *adj* immortal.

anfarwoli *v* to immortalise.

anfedrus *adj* unskilful.

anfeidrol *adj* infinite.

anfeidroldeb *m* infinity.

anferth *adj* huge.

anfesuradwy *adj* immeasurable.

anfodlon *adj* unwilling.

anfodlonrwydd *m* discontent.

anfodd *m* unwillingness.

anfoddhaol *adj* unsatisfactory.

anfoddog *adj* dissatisfied.

anfoesgar *adj* impolite.

anfoesol *adj* immoral.

anfoesoldeb *m* immorality.

anfon *v* to send.

anfoneddigaidd *adj* ungentlemanly.

anfri *m* disgrace.

anfuddiol *adj* useless.

anfwriadol *adj* unintentional.

anfwytadwy *adj* inedible.

anfynych *adj* infrequent.

anffaeledig *adj* infallible.

anffafriol *adj* unfavourable.

anffasiynol *adj* unfashionable.

anffawd *f* (**anffodion**) misfortune.

anffodus, anffortunus *adj* unfortunate.

anffurfiol *adj* informal.

anffyddiaeth *f* atheism.

anffydd·iwr *m* (·**wyr**) atheist.

anffyddlon *adj* unfaithful.

anh- *pref* un-. *See also* **annh-**.

anhaeddiannol *adj* unmerited.

anhapus *adj* unhappy.

anhawsed *from* **anodd**.

anhawster *m* (**anawsterau**) difficulty.

anheddau *see* **annedd**.

anhepgor, anhepgorol *adj* essential.

anhraethol *adj* unutterable.

anhrefn *m* anarchy.

anhrefnus *adj* disorganised.

anhreuliedig *adj* undigested.

anhrugarog *adj* merciless.

anhrwyddedig *adj* uncertified.

anhuddo, enhuddo *v* to bank up.

anhunanol *adj* unselfish.

anhunedd *m* insomnia.

anhwyldeb, anhwylder *m* illness.

anhwylus *adj* unwell.

anhwylustod *m* inconvenience.

anhyblyg *adj* inflexible.

anhydawdd *adj* insoluble.

anhyderus *adj* diffident.

anhydraidd *adj* impermeable.

anhydrin *adj* unmanageable.

anhydyn *adj* obstinate.

anhyfrydwch *m* unpleasantness.

anhyglyw *adj* inaudible.

anhygoel *adj* incredible.

anhygyrch *adj* inaccessible.

anhylaw *adj* awkward.

anhysbys *adj* unknown.
anhywaith *adj* intractable.
anial *adj* desolate.
anialwch *m* wilderness.
anian *m/f* (·au) nature, temperament.
anifail *m* (anifeiliaid) animal.
anifeilaidd *adj* brutish.
anlwc *m* misfortune.
anlwcus *adj* unlucky.
anllad *adj* wanton.
anlladrwydd *m* wantonness.
anllygredig *adj* incorrupt.
anllythrennog *adj* illiterate.
annaearol *adj* eerie.
annarllenadwy *adj* illegible.
annatodadwy *adj* inextricable.
annaturiol *adj* unnatural.
annealladwy *adj* incomprehensible.
annedwydd *adj* discontented.
annedd *f* (anheddau) dwelling.
annel *m/f* (anelau, anelion) aim.
annelwig *adj* vague.
anner *f* (aneiri, aneirod) heifer.
annerbyniol *adj* unacceptable.
annerch *v* to address (speak).
annhebyg *adj* unlike.
annhebygol *adj* unlikely.
annheg *adj* unfair.
annhegwch *m* unfairness.
annheilwng *adj* unworthy.
annherfynol *adj* infinite.
annheyrngar *adj* disloyal.
annhymig *adj* premature.
anniben *adj* untidy.
annibendod *m* untidiness.
annibyniaeth *f* independence.
annibynnol *adj* independent.
Annibynnwr *m* (Annibynwyr) Congregationalist.
annichon *adj* impossible.
anniddig *adj* irritable.
anniddigrwydd *m* irritability.
anniddorol *adj* uninteresting.
anniddos *adj* unsheltered.
annifyr *adj* disagreeable.

anniffoddadwy *adj* inextinguishable.
annigonol *adj* inadequate.
annileadwy *adj* indelible.
annilys *adj* invalid.
annillyn *adj* ugly.
annioddefol *adj* unbearable.
anniolchgar *adj* ungrateful.
annirnadwy *adj* incomprehensible.
annisgwyl *adj* unexpected.
anniwair *adj* unfaithful.
anniwall *adj* insatiable.
annoeth *adj* unwise.
annog, annos *v* to urge.
annuwiol *adj* ungodly.
annwfn, annwn *m* fairyland; underworld.
annwyd *m* (anwydau) a cold.
annwyl *adj* dear; beloved.
annymunol *adj* unpleasant.
annynol *adj* inhuman.
annysgedig *adj* unlettered.
anobaith *adj* despair.
anobeithio *v* to despair.
anobeithiol *adj* hopeless.
anochel, anocheladwy *adj* inevitable.
anodd *adj* difficult.
anoddefgar *adj* intolerant.
anogaeth *f* exhortation.
anogaf *from* annog.
anonest *adj* dishonest.
anonestrwydd *m* dishonesty.
anorchfygol *adj* invincible.
anorfod *adj* inevitable.
anorffenedig *adj* incomplete.
anorthrech *adj* invincible.
anos *from* anodd.
anrhaith *f* (anrheithiau) destruction; booty.
anrheg *f* (·ion) present, gift.
anrheithio *v* to plunder.
anrhydedd *m/f* (·au) honour.
anrhydeddu *v* to honour.
anrhydeddus *adj* honourable.
ansad *adj* unsteady.

ansathredig *adj* unfrequented.
ansawdd *m* (**ansoddau**) quality.
ansefydlog *adj* unsettled.
ansicr *adj* uncertain.
ansicrwydd *m* uncertainty.
ansodd·air *m* (**·eiriau**) adjective.
ansoddau *see* **ansawdd**.
answyddogol *adj* unofficial.
ansymudol *adj* immovable.
ânt *from* **mynd**.
anterliwt *m/f* (**·iau**) interlude.
anterth *m* prime.
antur *m* venture.
anturiaeth *f* (**·au**) adventure.
anturiaethus *adj* adventurous.
anturio *v* to venture.
anturus *adj* adventurous.
anudon *m* perjury.
anufudd *adj* disobedient.
anufudd-dod *m* disobedience.
anufuddhau *v* to disobey.
anuniongyrchol *adj* indirect.
anwadadwy *adj* undeniable.
anwadal *adj* fickle.
anwahanadwy *adj* inseparable.
anwar, anwaraidd *adj* uncivilised.
anwariaid *pl* savages.
anwastad *adj* uneven.
anwe *f* woof, weft.
anwedd *m* steam, vapour.
anweddu *v* to evaporate.
anweddus *adj* unseemly.
anweledig *adj* invisible.
anwes *m* fondness.
anwesu *v* to fondle.
anwiredd *m* (**·au**) untruth.
anwybodaeth *m/f* ignorance.
anwybodus *adj* ignorant.
anwybyddu *v* to ignore.
anwydau *see* **annwyd**.
anwydog *adj* chilly.
anwyldeb *m* dearness; fondness.
anwyled *from* **annwyl**.
anwyliaid *pl* loved ones.
anwylo *v* to fondle.

anwylyd *m/f* darling.
anwyl·yn *m* (**·iaid**) favourite.
anymarferol *adj* impracticable.
anymwybodol *adj* unconscious.
anymwybyddiaeth *f* unconsciousness.
anynad *adj* peevish.
anysbrydoledig *adj* uninspired.
anysgrifenedig *adj* unwritten.
anysgrythurol *adj* unscriptural.
anystwyth *adj* inflexible.
anystyriol *adj* thoughtless.
anystywallt *adj* intractable.
ap *see* **ab**.
apêl *m/f* (**apelau, apeliau**) appeal.
apelio *v* to appeal.
apig *m* (**·au**) apex.
apostol *m* (**·ion**) apostle.
apwyntiad *m* (**·au**) appointment.
apwyntio *v* to appoint.
âr *m* tilth.
ar *prep* on, upon.
arabedd *m* wit.
aradr *m/f* (**erydr**) plough.
arad·wr *m* (**·wyr**) ploughman.
araf *adj* slow.
arafu *v* to slow.
arafwch *m* slowness.
araith *f* (**areithiau**) a speech.
arall *adj* (**eraill**) other.
aralleiriad *m* paraphrase.
aralleirio *v* to paraphrase.
araul *adj* sunny.
arbed *v* to save.
arbelydru *v* to irradiate.
arbenigo *v* to specialise.
arbenigrwydd *m* distinction.
arbenig·wr *m* (**·wyr**) specialist.
arbenigwraig *f* expert.
arbennig *adj* special.
arbrawf *m* (**arbrofion**) experiment.
abrofi *v* to experiment.
arbrofol *adj* experimental.
arch *f* (**eirch**) coffin; ark.
arch(af) *from* **erchi**.
archdderwydd *m* archdruid.

archeb f (·ion) order.
archebu v to order.
archesgob m (·ion) archbishop.
archfarchnad f (·oedd) supermarket.
archiad m bidding.
archif m (·au) archive.
archif·dy m (·dai) records office.
archifydd m archivist.
archoffeir·iad m (·iaid) high priest.
archoll m/f (·ion) wound.
archolli v to wound.
archwaeth m/f appetite.
archwiliad m (·au) audit.
archwilio v to inspect.
ardal f (·oedd) region.
ardalydd m (·ion) marquis.
ardd(af) from **aredig**.
arddangos v to exhibit.
arddangos·fa f (·feydd) exhibition.
arddegau pl teens.
arddel v to own to.
arddeliad m conviction.
ardderchog adj excellent.
arddod·iad m (·iaid) preposition.
arddull f (·iau) style.
ar-ddweud v to dictate.
ardd·wr m (·wyr) ploughman.
arddwrn, garddwrn m (**arddyrnau, garddyrnau**) wrist.
aredig v to plough.
areithiau see **araith**.
areithio v to make a speech.
areith·iwr m (·wyr) public speaker.
aren f (·nau) kidney.
arf m/f (·au) weapon; tool.
arfaeth f intention.
arfbais f (**arfbeisiau**) coat of arms.
arfer m/f (·ion) custom. • v to accustom.
arferiad m (·au) custom.
arferol adj customary.
arfog adj armed.
arfogaeth m armour.
arfogi v to arm.
arfordir m (·oedd) coast.

arfwisg f (·oedd) suit of armour.
arffed f lap.
argae m (·au) dam.
argel adj hidden.
arglwydd m (·i) lord.
arglwyddes f lady.
arglwyddiaethu v to govern.
argoel f (·ion) sign.
argoeli v to portend.
argraff f (·au) impression.
argraffiad m (·au) print.
argraffu v to print.
argraff·wr m (·wyr) printer.
argraffydd m (·ion) printer (machine).
argyfwng m (**argyfyngau**) emergency.
argyhoeddi v to convince.
argyhoeddiad m (·au) conviction.
argymell v to recommend.
argymhell·iad m (·ion) recommendation.
arholi v to interrogate.
arholiad m (·au) examination.
arhol·wr m (·wyr) examiner.
arhos(af) from **aros**.
arhosfan m/f (**arosfannau**) lay-by.
arhosiad m (**arosiadau**) a stay.
arhosol adj lasting.
arial m/f vigour.
arian m silver.
ariangar adj covetous.
ariannaid adj silver.
ariannaidd adj silvery.
ariannog adj wealthy.
ariannu v to fund.
arlais f (**arleisiau**) temple (head).
arloesi v to pioneer.
arloesol adj pioneering.
arloes·wr m (·wyr) pioneer.
arlunio v to paint.
arlun·ydd m (·wyr) artist.
arlwy m/f (·on) feast.
arlwyo v to cater.
arlywydd m (·ion) president.
arlliw m (·iau) vestige.
arllwys v to pour.

arn(af) *from* **ar.**
arnofio *v* to float.
arobryn *adj* prize-winning.
arofal *m* (·**on**) maintenance.
arogl, aroglau *m* (·**au, arogleuon**) smell.
arogldarth *m* incense.
arogli, arogleuo *v* to smell.
arolwg *m* (**arolygon**) survey.
arolygu *v* to supervise.
arolyg·wr *m* (·**wyr**) inspector.
arolygydd *m* (·**ion**) superintendent.
aros *v* to wait.
arosfannau *see* **arhosfan.**
arosiadau *see* **arhosiad.**
arswyd *m* terror.
arswydo *v* to dread.
arswydus *adj* terrible.
arsylwi *v* to observe.
arsyll·fa *f* (·**feydd**) observatory.
artaith *f* (**arteithiau**) torture.
arteithio *v* to torture.
arteithiol *adj* excruciating.
artist *m* (·**iaid**) artist.
arth *f* (**eirth**) bear.
arthio *v* to growl.
aruchel *adj* sublime.
aruthredd *m* amazement.
aruthrol *adj* terrific.
arwain *v* to lead.
arwedd *f* aspect.
arweiniad *m* guidance.
arweinydd *m* (·**ion**) conductor, leader.
arweinyddiaeth *f* leadership.
arwerthian·t *m* (·**nau**) auction.
arwerth·wr *m* (·**wyr**) auctioneer.
arwisgiad *m* investiture.
arwisgo *v* to enrobe.
arwr *m* (**arwyr**) hero.
arwres *f* (·**au**) heroine.
arwriaeth *f* heroism.
arwrol *adj* heroic.
arwydd *m/f* (·**ion**) sign.
arwydd·air *m* (·**eiriau**) motto.
arwyddlun *m* (·**iau**) emblem.

arwyddo *v* to sign.
arwyddocâd *m* significance.
arwyddocaol *adj* significant.
arwyddocáu *v* to signify.
arwynebedd *m* (·**au**) area.
arwynebol *adj* superficial.
arwyr *see* **arwr.**
arysgrif, arysgrif·en *f* (·**au**) inscription.
AS *abb* MP.
as *f* ace.
asbri *m* zest.
asen *f* (·**nau, ais, eis**) rib; (·**nod**) she-ass.
asesu *v* to assess.
asgell *f* (**esgyll**) wing.
asgell·wr *m* (·**wyr**) winger.
asgwrn *m* (**esgyrn**) bone.
asiad *m* (·**au**) joint.
asiant *m* (·**iaid**) agent.
asio *v* to join.
astell *f* (**estyll**) plank.
astrus *adj* complicated.
astud *adj* diligent.
astudiaeth *f* (·**au**) study.
astudio *v* to study.
aswy *f* left-hand side.
asyn *m* (·**nod**) ass.
at *prep* towards.
atafaelu *v* to sequester.
atal *v* to restrain. • *m* stammer.
ataliad *m* (·**au**) stoppage.
atalnod *m* (·**au**) punctuation mark.
atalnodi *v* to punctuate.
atalwats *m/f* stopwatch.
atblygol *adj* reflexive.
ateb *v* to answer. • *m* (·**ion**) answer.
atebol *adj* responsible.
ategiad *m* support.
ategol *adj* corroborative.
ategu *v* to confirm.
ateli(ais) *from* **atal.**
atgas *adj* hateful.
atgasedd *m* hatred.
atgasrwydd *m* hatefulness.

atgno *m* remorse.
atgof *m* reminiscence.
atgoffa *v* to remind.
atgyfnerthu *v* to reinforce.
atgyfodi *v* to resurrect.
atgyfodiad *m* resurrection.
atgynhyrchu *v* to reproduce.
atgyrch *m* (·**ion**) reflex.
atgyweirio *v* to repair.
atgyweir·iwr *m* (·**wyr**) restorer.
atodi *v* to append.
atodiad *m* (·**au**) supplement.
atod·yn *m* (·**ion**) attachment.
atolwg *exclam* prithee!
atom·fa *f* (·**feydd**) nuclear power station.
atomig *adj* atomic.
atsain *f* (**atseiniau**) echo.
atseinio *v* to resound.
atyn·fa *f* (·**feydd**) attraction.
atyniad *m* (·**au**) attraction.
atyniadol *adj* attractive.
athletaidd *adj* athletic.
athletau *pl* athletics.
athrawes *f* (·**au**) teacher (female).
athrawiaeth *f* doctrine.
athrist *adj* sorrowful.
athr·o *m* (·**awon**) teacher.
athrod *m* (·**ion**) slander.
athrof·a *f* (·**âu**) college.
athroniaeth *f* philosophy.

athron·ydd *m* (·**wyr**) philosopher.
athronyddu *v* to philosophise.
athrylith *f* (·**oedd**) genius.
athrylithgar *adj* highly talented.
aur *m* gold.
awch *m* keenness.
awchus *adj* sharp, eager.
awdl *f* (·**au**) ode.
awdur *m* (·**on**) author.
awdurdod *m/f* (·**au**) authority.
awdurdodedig *adj* authorised.
awdurdodi *v* to authorise.
awdurdodol *adj* authoritative.
awdures *f* author (female).
awel *f* (·**on**) breeze.
awen *f* (·**au**) muse; rein.
awenyddol *adj* poetical.
awgrym *m* (·**iadau**) suggestion.
awgrymog *adj* suggestive.
awgrymu *v* to suggest.
awn *from* **mynd**.
awr *f* (**oriau**) hour.
awydd *m* desire.
awyddus *adj* eager.
awyr *f* air; sky.
awyren *f* (·**nau**) aeroplane.
awyren·dy *m* (·**dai**) hangar.
awyrgylch *m/f* atmosphere.
awyru *v* to ventilate.
ayb, ayyb *abb* etc.

B

baban *m* (·**od**) baby.
babandod *m* infancy.
babi *m* (·**s**) baby.
babïaidd *adj* childish.
babŵn *m* (**babwnod**) baboon.
bacas *f see* **bacsau**.
bacio, bagio *v* to back.
bacsau *pl* leg warmers; fetlocks.
bach *adj* small; dear (loved). • *m* (·**au**)
hook.

bachgen *m* (**bechgyn**) boy.
bachgendod *m* boyhood.
bachgennaidd *adj* boyish.
bachgennyn *m* young boy.
bachog *adj* hooked.
bachu *v* to hook.
bach·wr *m* (·**wyr**) hooker (rugby).
bach·yn *m* (·**ion**) hook.
bad *m* (·**au**) boat: **bad achub** lifeboat.
bae *m* (·**au**) bay.

baedd *m* (**·od**) boar.
baeddu *v* to soil.
bag *m* (**·iau**) bag.
bagl *f* (**·au**) crutch.
baglu *v* to trip.
bai *m* (**beiau**) fault. • *v from* **bod**.
baich *m* (**beichiau**) burden
baidd *from* **beiddio**.
balaon *see* **bele**.
balch *adj* proud.
balchder *m* (**·au**) pride.
baldorddi *v* to babble.
bale, ballet *m* ballet.
baled *f* (**·i**) ballad.
baled·wr *m* (**·wyr**) ballad-monger.
balm *m* balm.
balŵn *m/f* (**balwnau**) balloon.
balwn·ydd *m* (**·wyr**) balloonist.
bambŵ *m* bamboo.
ban *m/f* (**·nau**) peak.
banadl *pl* broom (flowers).
banana *f* (**·s**) banana.
banc *m* (**·iau**) bank: **gŵyl banc** bank
  holiday.
bancio *v* to bank.
band *m* (**·iau**) band.
bando *m* (old Welsh game).
baner *f* (**·i**) flag.
banerog *adj* bannered.
baner·wr *m* (**·wyr**) standard-bearer.
banhadlen *f see* **banadl** *pl*.
banjô *m* banjo.
banllef *f* (**·au**) shout.
bannau *see* **ban**.
bannod *f* the definite article (**y**).
bannog *adj* horned.
bar *m* (**·rau**) bar.
bâr *m* anger; greed.
bara *m* bread.
barbaraidd *adj* barbarous.
barbar·iad *m* (**·iaid**) barbarian.
barb·wr *m* (**·wyr**) barber.
barclod *m* (**·iau**) apron.
barcud *m* (**barcutiaid**) kite.
barcuta *v* to hang-glide.

bardd *m* (**beirdd**) poet.
barddol *adj* bardic.
barddoni *v* to compose poetry.
barddoniaeth *f* poetry.
barddonol *v* poetic.
barf *f* (**·au**) beard.
barfog *adj* bearded.
bargeinio *v* to bargain.
bargen *f* (**bargeinion**) bargain.
bargod *m* (**·ion**) eaves.
bargyfreith·iwr *m* (**·wyr**) barrister.
baril *m/f* barrel.
bario *v* to bar.
bariton *adj* baritone.
bariwns *m* barrier.
barlad, barlat *m* drake.
barlys *pl* barley.
barlysen *f see* **barlys** *pl*.
barlysyn *m see* **barlys** *pl*.
barn *f* (**·au**) judgement.
barnedigaeth *f* (**·au**) judgment.
barnol *adj* annoying.
barnu *v* to judge.
barn·wr *m* (**·wyr**) judge.
baromedr *m* barometer.
barrau *see* **bar**.
barrug *m* hoar frost.
barugo *v* to frost over.
barugog *adj* frosted.
barus *adj* greedy.
barwn *m* (**·iaid, baryniaid**) baron.
barwnes *f* (**·au**) baroness.
bas *adj* shallow; bass.
basâr *m* (**basarau, ·s**) bazaar.
basged *m/f* (**·i**) basket.
basged·aid *f* (**·eidiau**) basketful.
basgedu *v* to place in a basket.
basged·wr *m* (**·wyr**) basket-maker.
basn, basin *m* (**·au, basnys**) basin.
basnaid *m/f* (**basneidiau**) basinful.
baswn *m* (**baswnau**) bassoon.
bas·wr *m* (**·wyr**) bass.
bat *m* (**·iau**) bat.
batali·wn *m/f* (**·ynau**) battalion.
batiad *m* (**·au**) innings.

batio *v* to bat.

bat·iwr *m* (**·wyr**) batsman.

batr·i *m* (**·ïau**) battery.

bath¹, bàth *m* bath.

bath² *adj* minted.

bath·dy *m* (**·dai**) mint.

bathodyn *m* (**·nau**) badge.

bathu *v* to coin.

bath·wr *m* (**·wyr**) coiner.

baw *m* dirt.

bawd *m* (**bodiau**) thumb.

bawdd *from* **boddi**.

bawlyd *adj* dirty.

becsio, becso *v* to worry.

bechan *adj* (*f*) small.

bechgyn *see* **bachgen**.

bechingalw *m* thingummybob.

beddargraff *m* (**·iadau**) epitaph.

beiau *see* **bai**.

beichiau *see* **baich**.

beiddio *v* to dare.

beil·i *m* (**·ïau**) bailey; (**·ïaid**) bailiff.

beirdd *see* **bardd**.

beirn·iad *m* (**·iaid**) critic.

beirniadaeth *f* (**·au**) criticism.

beirniadol *adj* critical.

beirniadu *v* to criticise.

bele *m* (**balaon, beleod**) pine marten.

bendigedig *adj* blessed.

bendith *f* (**·ion**) blessing.

bendithio *v* to bless.

bendithiol *adj* beneficent.

benthyg *v* to lend. • *m* (**benthycion**) a loan.

benyw *adj* female. • *f* (**·od**) woman.

benywaidd *adj* feminine.

ber *adj* (*f*) short.

berdasen *f* (**berdys**) shrimp.

berdys *see* **berdasen; berdysyn**.

berdysyn *m* (**berdys**) shrimp.

berf *f* (**·au**) verb.

berf·a *f* (**·âu**) wheelbarrow.

berfâid *f* (**berfeidiau**) barrowful.

berfenw *m* (**·au**) infinitive (of verb).

bern(ais) *from* **barnu**.

berw *adj* boiled.

berwbwynt *m* boiling point.

berwedig *adj* boiling.

berwi *v* to boil.

berwr, berw *m* cress.

beryn *m* (**·nau**) bearing.

betgwn *m/f* night-dress.

betws *m* oratory.

betys *pl* beet.

beth *pn* what.

beu·dy *m* (**·dái**) cowshed.

beunos *adj* nightly.

beunyddiol *adv* daily.

bid *from* **bod**.

bidog *m/f* (**·au**) bayonet.

bing *m* (**·oedd**) alley.

bilidowcar *m* cormorant.

biliwn *m* (**biliynau**) billion.

bilwg *m* (**bilygau**) billhook.

bioleg *f* biology.

bioleg·ydd *m* (**·wyr**) biologist.

bisgïen *f* (**bisgedi**) biscuit.

biwrô *m/f* bureau.

biwrocrat *m* (**·iaid**) bureaucrat.

biwrocratiaeth *f* bureaucracy.

blacmêl *m* blackmail.

blaen *adj* front.

blaendal *m* (**·iadau**) deposit.

blaenddan·t *m* (**·nedd**) incisor.

blaenasgell·wr *m* (**·wyr**) wing forward.

blaengar *adj* progressive.

blaenllaw *adj* prominent.

blaenor *m* (**·iaid**) deacon.

blaenorol *adj* previous.

blaenoriaeth *m/f* (**·au**) priority.

blaen·wr *m* (**·wyr**) forward; leader.

blaguro *v* to sprout.

blaguryn *m* (**blagur**) shoot (bud).

blaidd *m* (**bleiddiaid**) wolf.

blas *m* (**·au**) taste.

blasu *v* to savour.

blasus *adj* tasty.

blawd *m* flour.

ble *adv* where.

bleidd·ast, bleiddi·ast *f* (**-eist**) she-wolf.

bleiddiaid *see* **blaidd**.

blêr *adj* untidy.

blewog *adj* hairy.

blewyn *m* (**blew**) hair.

blingo *v* to skin.

blin *adj* cross.

blinder *m* (**·au**) fatigue.

blinderog *adj* weary.

blinedig *adj* tiring.

blino *v* to tire.

blith draphlith *adj* topsy-turvy.

blodau *see* **blodyn**.

blodeugerdd *f* (**·i**) anthology.

blodeuo *v* to flower.

blodeuog *adj* florid.

blodfresychen *f* (**blodfresych**) cauliflower.

blodyn, blodeuyn *m* (**blodau**) flower.

bloedd *f* (**·iadau**) shout.

bloeddio *v* to shout.

bloesg *adj* husky.

blong *adj* (*f*) surly.

bloneg *m* fat, lard.

blwch *m* (**blychau**) box.

blwng *adj* surly.

blwydd *f* year old.

blwydd-dal *m* annuity.

blwyddlyfr *m* (**·au**) yearbook.

blwyddyn *f* (**blynedd, blynyddoedd**) year.

blych·aid *m* (**·eidiau**) boxful.

blychau *see* **blwch**.

blynedd *pl* years.

blynyddol *adj* annual.

blys *m* craving.

Bnr *abb* Mr.

Bns *abb* Mrs, Miss, Ms.

bo, byddo *from* **bod**.

bocsaid *m* (**bocseidi, bocseidiau**) boxful.

boch *f* (**·au**) cheek.

bochgoch *adj* red-cheeked.

bod *v* to be (*see* Appendix). • *m* (**·au**) being.

boda *m* (**·od**) buzzard.

bodan *f* girl.

bodiaid *f* pinch.

bodiau *see* **bawd**.

bodio *v* to thumb.

bodlon, boddlon *adj* content, willing.

bodloni *v* to satisfy.

bodlonrwydd *m* satisfaction.

bodo *f* auntie.

bodolaeth *f* existence.

bodoli *v* to exist.

bodd *m* (**·au**) consent.

boddfa *f* drenching.

boddhad *m* satisfaction.

boddhaol *adj* satisfactory.

boddhau *v* to satisfy.

boddi *v* to drown.

boddlon *see* **bodlon**.

boed *from* **bod**.

bogail *m/f* (**bogeiliau**) navel.

bol, bola *m* belly.

bolaheulo, bolheulo *v* to sunbathe.

bol·gi *m* (**·gwn**) glutton.

bolgodog *adj* marsupial.

bolgodogion *pl* marsupials.

bolheulo *see* **bolaheulo**.

boliaid *m* (**bolieidiau**) bellyful.

boliog *adj* pot-bellied.

bollt, bollten *f* (**byllt, bolltau**) bolt.

bolltio *v* to bolt.

bom *m/f* bomb.

bôm *from* **bod**.

bomio *v* to bomb.

bôn *m* (**bonion**) base.

boncath *m* (**·od**) buzzard.

bonclust *m* clout.

boncyff *m* (**·ion**) stump.

bondo *m* eaves.

boned, bonet *m/f* (**·au**) bonnet.

bonedd *m* gentry.

boneddigaidd *adj* polite.

boneddigeiddrwydd *m* courtesy.

boneddiges *f* (**·au**) lady.

boneddigion *see* **bonheddwr**.

bonesig *f* Miss; Lady.

bonet *see* boned.

bonheddig *adj* courteous.

bonheddwr *m* (boneddigion) gentleman.

bonllef *f* (·au) shout.

bônt *from* bod.

bonwr *m* Mister.

bonws *m* bonus.

bon·yn *m* (·ion) stub.

bopa *f* auntie.

bord *f* (·ydd) table.

bord·aid *f* (·eidiau) tableful.

bore *m* (·au, ·uau) morning. • *adj* early.

boreddydd *m* early morning.

boreol, boreuol *adj* morning.

bost *f* boast.

bostio *v* to boast.

botaneg *f* botany.

botaneg·ydd *m* (·wyr) botanist.

botasen, botysen *f* (botas, botias, botys) wellington boot.

botwm, botwn, bwtwm, bwtwn *m* (botymau, botynau) button.

botymog *adj* studded.

botymu *v* to button.

both *f* (·au) hub, boss.

bowlen *f* (·ni) bowl.

bowlen·naid *f* (·eidiau) bowlful.

bowlio *v* to bowl.

bowl·iwr *m* (·wyr) bowler.

braced *f* (·i) brackets.

bracsan, bracso *v* to wade.

bracty *see* bragdy.

brad *m* treachery.

brad·wr *m* (·wyr) traitor.

bradwrus *adj* treacherous.

bradychu *v* to betray.

braenar *m* fallow land.

braenaru *v* to fallow.

braf *adj* ample; fine.

brag *m* malt.

brag·dy, brac·ty *m* (·dai, ·tai) brewery.

bragu *v* to brew.

braich *f* (breichiau) arm.

braidd *adv* rather.

brain *see* brân.

braint *m/f* (breiniau, breintiau) privilege.

braith *adj* (*f*) speckled: siaced fraith coat of many colours.

brân *f* (brain) crow.

bras *adj* coarse; fat; general.

brasamcan *m* (·ion) approximation.

brasbwytho *v* to tack.

brasgamu *v* to stride.

braslun *m* (·iau) sketch.

braslunio *v* to sketch.

braster *m* (·au) fat.

brat *m* (·iau) apron.

bratiaith *f* poor language.

bratiog *adj* tattered.

brath, brathiad *m* bite.

brathu *v* to bite.

brau *adj* brittle.

braw *m* (·iau) terror.

brawd *m* (brodyr) brother; *f* (brodiau) judgement.

brawdgarol *adj* brotherly.

brawdgarwch *m* brotherly love.

brawdlys *m/f* (·oedd) assizes.

brawdol *adj* fraternal.

brawdoliaeth *f* brotherhood.

brawddeg *f* (·au) sentence.

brawddegu *v* to phrase; to enunciate.

brawychu *v* to terrify.

brawychus *adj* terrifying.

brêc *m* (breciau) brake.

brecwast *m* (·au) breakfast.

brech *f* (·au) pox. • *adj* (*f*) speckled.

brechdan *f* (·au) sandwich.

brechiad *m* (·au) vaccination.

brechu *v* to vaccinate.

bref *f* (·iadau) bleat.

brefu *v* to bleat.

bregedd *m/f* frailty.

bregliach *v* to jabber.

bregus *adj* frail.

breichiau *see* braich.

breichio v to dance arm in arm.
breichled f (·au) bracelet.
breindal m royalty fee.
breiniau, breintiau see **braint**.
breinio, breintio v to favour.
breiniog, breiniol adj privileged.
breinlen f charter.
breision adj (pl) large.
brenhines f (**breninesau**) queen.
brenhiniaeth f (**breniniaethau**) sovereignty.
brenhinoedd see **brenin**.
brenhinol adj regal.
brenigen f (**brennig**) limpet.
brenin m (**brenhinoedd**) king.
breninesau see **brenhines**.
breniniaethau see **brenhiniaeth**.
brennig see **brenigen**.
brest f chest.
bresus, bresys pl braces.
bresychen f (**bresych**) cabbage.
brethyn m (·au) cloth.
breuder m frailty.
breuddwyd m/f (·ion) dreams.
breuddwydio v to dream.
breuddwydiol adj dreamy.
breuddwyd·iwr m (·wyr) dreamer.
breued, breuach, breuaf from **brau**.
bri m respect.
briallen f (**briallu**) primrose.
bribsyn m (**bribis, bribys**) fragment, bit.
bricio v to brick.
bric·iwr m (·wyr) bricklayer.
bricsen f (**briciau, brics**) brick.
bricyllen f (**bricyll**) apricot.
brifo v to hurt.
brig m (·au) top.
brigâd f (**brigadau**) brigade.
brigau pl twigs; tops.
briger m/f (·au) stamen.
brigo v to sprout.
brigyn m (**brigau**, ·nau) twig.
brith adj speckled; faint (f **braith**).
britho v to speckle.

brithwaith m mosaic.
brithyll m (·od) trout.
briw m (·iau) wound.
briwgig m mince.
briwio, briwo v to hurt.
briwsioni v to crumble.
briwsionyn m (**briwsion**) crumb.
bro f (·ydd) region.
broc adj grizzled. • m flotsam.
broch m (·od) badger.
brodiau see **brawd**.
brodio v to darn, to embroider.
brodor m (·ion) native.
brodorol adj indigenous.
brodwaith m embroidery.
brodyr see **brawd**.
broga m (·od) frog, toad.
brolian·t hwn (·nau) blurb.
brolio, brolian v to boast.
brol·iwr m (**brol·wyr**) braggart.
bron f (·nau) breast (body); (·nydd) breast of hill. • adv almost.
bronfraith f (**bronfreithiaid, bronfreithod**) thrush.
bront adj (f) dirty; nasty.
bronwen f weasel.
bru m womb.
brwd adj enthusiastic.
brwdfrydedd m enthusiasm.
brwdfrydig adj fervent.
brwmstan m brimstone.
brwnt adj dirty; nasty (f **bront**).
brws m (·ys) brush.
brwsio v to brush.
brwydr f (·au) battle.
brwydro v to fight.
brwynen f (**brwyn**) rush.
brwyn·iad f (·iaid) anchovy.
brwysg adj drunk.
brych m (·au) speck. • adj speckled.
brycheulyd adj bespotted.
brycheuyn m (**brychau**) speck.
brychni m freckles.
brychu v to fleck.
bryd m intent.

bryn *m* (·**iau**) hill.
bryncyn *m* hillock.
brynted *from* **brwnt**.
brynti, bryntni *m* filth.
brys *m* haste.
brysgennad *f* (**brysgenhadon**) courier.
brysgyll *m* mace.
brysio *v* to hurry.
brysiog *adj* hasty.
brysneges *f* (·**au**) telegram.
bu *from* **bod**.
buain *adj* (*pl*) swift.
bual *m* (**buail**) buffalo.
buan *adj* swift.
buander, buanedd *m* speed.
buarth *m* (·**au**) farmyard; school yard.
buchedd *f* (·**au**) conduct (of life).
buches *f* (·**au**) herd (cattle).
buchod *see* **buwch**.
budr *adj* filthy.
budredd, budreddi *m* filth.
budd *m* benefit.
budd·ai *f* (·**eiau**) churn.
budd-dâl *m* (**budd-daliadau**) benefit.
buddeiau *see* **buddai**.
buddian·t *m* (·**nau**) welfare.
buddiol *adj* beneficial.
buddsoddi *v* to invest.
buddugol *adj* victorious.
buddugoliaeth *f* (·**au**) victory.
buddugoliaethus *adj* triumphant.
buddug·wr *m* (·**wyr**) victor.
bugail *m* (**bugeiliaid**) shepherd.
bugeiles *f* shepherdess.
bugeilio *v* to shepherd.
bugunad *v* to roar.
bûm *from* **bod**.
bun *f* maiden.
burum *m* yeast.
busnes *m/f* (·**au**) business.
busnesa *v* to meddle.
busneslyd *adj* nosey.
bustach *m* (**bustych**) bullock.
bustachu *v* to bungle.

bustl *m* bile.
butred *from* **budr**.
buwch *f* (**buchod**) cow.
buwch goch gota *f* ladybird.
bwa *m* (**bwâu**) bow.
bwaog *adj* arched.
bwbach *m* (·**od**) scarecrow.
bwced *m/f* (·**i**) bucket.
bwced·aid *m/f* (·**eidiau**) bucketful.
bwci *m* (**bwcïod**) bogy.
bwcl *m* (**byclau**) buckle.
bwch *m* (**bychod**) buck.
bwdram *m* flummery.
bwgan *m* (·**od**) bugbear.
bwi *m* (**bwïau**) buoy.
bwlb *m* (**bylbiau**) bulb.
bwlch *m* (**bylchau**) gap.
bwled *f* (·**i**) bullet.
bwli *m* (**bwlïod, bwlïaid**) bully.
bwlyn *m* (·**nau**) knob.
bwnglera *v* to bungle.
bwrdeistref *f* (·**i**) borough.
bwrdd *m* (**byrddau**) table, board.
bwriad *m* (·**au**) intention.
bwriadol *adj* intentional.
bwriadu *v* to intend.
bwr(iaf) *from* **bwrw**.
bwrlwm *m* (**byrlymau**) a bubbling.
bwrn *m* (**byrnau**) burden.
bwrw *v* to hit.
bws, bỳs *m* (**bysiau, bysys**) bus.
bwtsiasen *f* (**bwtsias, bwtias**) boot; wellington.
bwthyn *m* (**bythynnod**) cottage.
bwyall, bwyell *f* (**bwyeill**) axe.
bwyd *m* (·**ydd**) food.
bwydlen *f* (·**ni**) menu.
bwydo *v* to feed.
bwyeill *see* **bwyall**.
bwygilydd *adv* after another.
bwylltid *m* (·**au**) swivel.
bwystfil *m* (·**od**) beast.
bwyta *v* to eat.
bwytadwy *adj* edible.
bwy·ty *m* (·**tai**) restaurant.

byclau *see* **bwcl**.

bychain *adj* (*pl*) small.

bychan *adj* little.

bychander, bychandra *m* smallness.

bychanu *v* to belittle.

bychod *see* **bwch**.

byd *m* (·**oedd**) world.

byd-eang *adj* world-wide.

byd-enwog *adj* world-famous.

bydol *adj* worldly.

bydwraig *f* (**bydwragedd**) midwife.

bydysawd *m* universe.

bydd *from* **bod**.

byddar *adj* deaf.

byddarol *adj* deafening.

byddaru *v* to deafen.

byddin *f* (·**oedd**) army.

byddo *from* **bod**.

byg *m* (·**iau**) bug.

bygwth *v* to threaten.

bygythiad *m* (·**au**) threat.

bygythiol *adj* threatening.

byl *m/f* brim.

bylbiau *see* **bwlb**.

bylchau *see* **bwlch**.

bylchu *v* to breach.

byllt *see* **bollt**.

byngalo, bynglo *m* bungalow.

bynnag *prep* (what/where)soever.

bynnen, bynsen *f* (**byns**) bun.

byr *adj* short.

byrbryd *m* (·**au**) snack.

byrbwyll *adj* impulsive.

byrder, byrdra *m* brevity.

byrdwn *m* refrain.

byrdd·aid *m* (·**eidiau**) tableful.

byrddau *see* **bwrdd**.

byrfodd *m* (·**au**) abbreviation.

byrfyfr *adj* impromptu.

byrhau *v* to shorten.

byrhoedlog *adj* short-lived.

byrlymau *see* **bwrlwm**.

byrlymu *v* to bubble.

byrnau *see* **bwrn**.

byrred *from* **byr**.

byrstio *v* to burst.

bys *m* (·**edd**) finger.

bỳs *see* **bws**.

byseddu *v* to finger.

bysiau, bysys *see* **bws**.

byth *adv* ever.

bytheiad *m* (**bytheiaid**) hound.

bytheirio *v* to threaten.

bythgofiadwy *adj* memorable.

bythynnod *see* **bwthyn**.

bythol *adj* eternal.

bythwyrdd, bytholwyrdd *adj* ever-green.

bythynnod *see* **bwthyn**.

byw *v* to live. • *adj* alive.

bywgraffiad *m* (·**au**) biography.

bywgraffiadur *m* biographical dictionary.

bywhau *v* to enliven.

bywiocáu *v* to enliven.

bywiog *adj* lively.

bywiogrwydd *m* sprightliness.

bywoliaeth *f* (·**au**) livelihood.

bywyd *m* (·**au**) life.

bywyd·fa *f* (·**feydd**) vivarium.

bywyn *m* (·**nau**) core.

C

C *abb* **canrif**.

c *abb* **ceiniog**.

cabaetsen, cabeitsen, cabetsen *f* (**cabaets**) cabbage.

caban *m* (·**au**) cabin.

cabledd *m/f* blasphemy.

cableddus *adj* blasphemous.

cablu *v* to blaspheme.

caboledig *adj* polished.

caboli *v* to polish.

cacamwci *m* burdock.
cacen *f* (**·nau**) cake.
cacynen *f* (**cacwn**) wasps.
cacynyn *m* (**cacwn**) wasps.
cach·gi *m* (**·gwn**) sneak.
cachu *v* to defecate.
cad *f* (**·oedd**) battle.
cadach *m* (**·au**) cloth.
cad·air *f* (**·eiriau**) chair.
cadarn *adj* strong.
cadarnhad *m* confirmation.
cadarnhaol *adj* affirmative.
cadarnhau *v* to confirm.
cadeiriau *see* **cadair**.
cadeirio *v* to chair.
cadeiriol *adj* chaired: **eglwys g~** cathedral.
cadeirydd *m* (**·ion**) chairman.
cadernid *m* strength.
cadfridog *m* (**·ion**) general.
cadi ffan *m* sissy.
cadlas *f* (**cadlesydd**) enclosure.
cadnawes, cadnöes *f* vixen.
cadn·o *m* (**·awon, ·oid**) fox.
cadoediad *m* armistice.
cadw *v* to keep.
cadwedig *adj* saved.
cadw-mi-gei *m* money-box.
cadwraeth *f* conservation.
cadwyn *f* (**·au, ·i**) chain.
cadwyno *v* to chain.
caddug *m* mist.
cae *m* (**·au**) field.
caead *m* (**·au**) lid. • *adj* closed.
cae(af) *from* **cau**.
caeedig, caeëdig *adj* shut.
cael *v* to have (*see* Appendix).
caenen *f* (**·nau**) layer.
caentach *v* to wrangle.
caer *f* (**·au, ceyrydd**) fort.
caerog *adj* fortified.
caeth *adj* confined.
caethferch *f* slave.
caethglud *f* captivity.
caethgludo *v* to deport.

caethineb *m* addiction.
caethiwed *m* captivity.
caethiwo *v* to enslave.
caethwas *m* (**caethweision**) slave.
caethwasiaeth *f* slavery.
caf *from* **cael**.
cafell *f* chamber.
cafn *m* (**·au**) gutter.
caffael·iad *m* (**·iaid**) acquisition.
cafflo *v* to cheat.
caffo *from* **cael**.
cagl *m* (**·au**) clotted dirt.
cangell *f* (**canghellau, canghelloedd**) chancel.
cangen *f* (**canghennau**) branch.
canghellor *m* chancellor.
canghennog *adj* branching.
câi *from* **cael**.
caiac *m* (**·au**) kayak.
caib *f* (**ceibiau**) mattock.
caiff *from* **cael**.
caill *f* (**ceilliau**) testicle.
cain *adj* fine.
cainc *f* (**ceinciau**) branch.
cais *m* (**ceisiadau**) (an) attempt; (**ceisiau**) try (rugby).
cal, cala *f* (**caliau**) penis.
calan *m*: **Dydd Calan** New Year's Day.
calch *m* lime.
calchen *f* limestone.
calchfaen *m* (**calchfeini**) limestone.
calchu *v* to lime.
caled *adj* hard.
caledfwrdd *m* hardboard.
caledi *m* hardship.
caledu *v* to harden.
caledwch *m* hardness.
caledwedd *m* hardware.
calendr *m* (**·au**) calendar.
calennig *m/f* New Year gift.
caleted *from* **caled**.
calon *f* (**·nau**) heart.
calondid *m* encouragement.
calon-galed *adj* hard-hearted.
calonnog *adj* hearty.

calonogi v to encourage.
calonogol adj encouraging.
calori m (**calorïau**) calorie.
call adj sensible.
callestr f (**cellystr**) flint.
callineb m prudence.
callio v to get wiser.
cam m (**·au**) step. • adj crooked.
camamseru v to mistime.
camarfer v to abuse.
camargraff m/f false impression.
camarwain v to mislead.
camarweiniol adj misleading.
cambren m (**·ni**) coat-hanger.
camdreuliad m indigestion.
cam-drin v to ill-treat.
camdybio, camdybied v to misconceive.
camddeall v to misunderstand.
camddealltwriaeth m misunderstanding.
camddefnydd m misuse.
camddefnyddio v to misuse.
cam-fa m (**·feydd**) stile.
camfarnu v to misjudge.
camfihafio v to misbehave.
camgymer(af) from **camgymryd**.
camgymeriad m (**·au**) mistake.
camgymryd v to mistake.
camlas f (**camlesi**) canal.
camliwio v to misrepresent.
camocs, ciamocs pl pranks.
camochri v to be offside.
camp f (**·au**) feat.
camp-fa f (**·feydd**) gymnasium.
campreg f champion (woman).
campus adj splendid.
camp-waith m (**·weithiau**) masterpiece.
camp-wr m (**·wyr**) expert.
camre m footsteps.
camrifo v to miscount.
camsefyll v to be out of position.
camsyniad m (**·au**) error.
camsynied, camsynio, camsynnu v to mistake.

camsyniol adj mistaken.
camu v to pace.
camwedd m (**·au**) misdeed.
camwerthyd f camshaft.
camwri m wrong.
camymddwyn v to misbehave.
camymddygiad m misconduct.
can m flour; hundred.
cân f (**caneuon**) song.
canadwy adj singable.
can(ddo) from **gan**.
canawon see **cenau**.
cancr m cancer.
candryll adj shattered.
caneri m canary.
caneuon see **cân**.
canfasio v to canvass.
canfed adj hundredth.
canfod v to discern.
canfodydd m detector.
canfyddadwy adj perceptible.
canfyddiad m perception.
cangarŵ m (**cangarŵod, cangarwiaid**) kangaroo.
canhwyllarn, canhwyllbren (**canwyllbrennau**) m candlestick.
canhwyllau see **cannwyll**.
caniad m sounding.
caniadaeth f singing.
caniatâd m permission.
caniataol adj granted.
caniatáu v to permit.
canibaliaeth f cannibalism.
canlyn v to follow.
canlyniad m (**·au**) result.
canlynol adj following.
canlyn·wr m (**·wyr**) follower.
canllath pl hundred yards.
canllaw m/f (**·iau**) guideline.
canmlwyddian·t m (**·nau**) centenary.
canmol v to praise.
canmoladwy adj commendable.
canmoliaeth f praise.
canmoliaethus adj complimentary.
cannaid adj shining white.

cannoedd *see* **cant**.
cannu *v* to bleach.
cannwyll *f* (**canhwyllau**) candle.
cannydd *m* (**canyddion**) bleach.
canol *m* middle.
canolbarth *m* midlands.
canolbwynt *m* focus; centre.
canolbwyntio *v* to concentrate.
canoldir *m* inland region.
canolfan *flm* (**·nau**) centre.
canoli *v* to centralise.
canolig *adj* middling.
canol oed middle age.
canol-oed middle-aged.
canoloesoedd *pl* Middle Ages.
canolog *adj* central.
canol·wr *m* (**·wyr**) centre; intermediary.
canradd *adj* centigrade.
canran *f* (**·nau**) percentage.
canrif *f* (**·oedd**) century.
cansen *hon* (**·nau**, **·ni**) cane.
cant, can *m* (**cannoedd**) hundred; rim dome.
cânt *from* **cael**.
cantel *m* brim.
cantîn *m* canteen.
cantores *f* female singer.
cantorion *pl* singers.
cantref *m* (**·i**) hundred.
cantroed *m* (**·iaid**) centipede.
canu *v* to sing.
canŵ *m* (**canŵs**) canoe.
canwaith *adv* a hundred times.
can·wr *m* (**·wyr**) singer.
canwr·iad *m* (**·iaid**) centurion.
canwyllbrennau *see* **canhwyllbren**.
canyddion *see* **cannydd**.
canys *conj* because.
capan *m* (**·au**) cap.
capel *m* (**·i**) chapel.
capel·wr *m* (**·wyr**) chapel-goer.
caplan *m* (**·iaid**) chaplain.
capsiwl *m* (**·au**) capsule.
capten *m* (**capteiniaid**) captain.

car *m* (**ceir**) car.
câr *m* (**ceraint**) loved one.
carafán *f* (**carafannau**) caravan.
carbohydrad *m* (**·au**) carbohydrate.
carburedur *m* carburettor.
carbwl *adj* awkward.
carcio *v* to take care.
carcus *adj* careful.
carchar *m* (**·au**) jail.
carcharor *m* (**·ion**) prisoner.
carcharu *v* to imprison.
carden *f* (**cardiau**) cards.
cardfwrdd *m* cardboard.
cardod *f* charity.
cardota *v* to beg.
cardot·yn *m* (**·wyr**) beggar.
caredig *adj* kind.
caredigion *pl* friends.
caredigrwydd *m* kindness.
caregl *m* (**·au**) chalice.
caregog *adj* stony.
careiau *see* **carrai**.
carfan *f* (**·au**) faction.
cariad *m* love. • *mlf* lover.
cariadfab *m* sweetheart.
cariadferch *f* sweetheart.
cariadus *adj* affectionate.
caridým *m* (**·s**) down-and-out.
cario *v* to carry.
carlam *m* gallop.
carlamu *v* to gallop.
carlamus *adj* rash.
carlwm *m* (**carlymod**) stoat.
carn *m* (**·au**) hoof; hilt. • *f* tumulus.
carnol *adj* hoofed.
carn-tro *m* brace (carpenter's).
carol·wr *m* (**·wyr**) carol singer.
carped *m* (**·i**) carpet.
carpedu *v* to carpet.
carpiau *see* **cerpyn**.
carpiog *adj* tattered.
carrai *f* (**careiau**) a lace.
carreg *f* (**cerrig**) stone.
cart *m* (**certi**, **ceirt**) cart.

cartio v to cart.

cartref m (·**i**) home.

cartrefol adj homely.

cartrefu v to make one's home.

cartrisen, cetrisen f (**certrys, cetris**) cartridge.

cartŵn f (**cartwnau**) cartoon.

cartwnydd m cartoonist.

carthen f (·**ni**) blanket.

carthffos f (·**ydd**) drain.

carthffosiaeth f sewage.

carthion pl excrement.

carthu v to muck out.

caru v to love.

carw m (**ceirw**) deer.

car·wr m (·**wyr**) lover.

carwriaeth f courtship.

cas adj nasty.

casáu v to hate.

casbeth m (·**au**) aversion.

caseg f (**cesig**) mare.

casét m (**casetiau**) cassette.

casgen f (·**ni**) cask.

casgliad m (·**au**) collection.

casglu v to collect.

casgl·wr m (·**wyr**) collector.

casineb m hatred.

cast m (·**iau**) prank.

castanwydden f (**castanwydd**) horse-chestnut tree; chestnut tree.

castell m (**cestyll**) castle.

castiog adj wily.

caswir adj unpalatable truth.

casyn m (**casiau**) casing.

catalydd m (·**ion**) catalyst.

categor·i m (·**ïau**) category.

caten f (**catiau**) bail.

catrawd f (**catrodau**) regiment.

catwad m chutney.

cath f (·**od**) cat.

catholig adj catholic.

cau v to close. • adj hollow.

caul m (**ceulion**) curd, rennet.

cawdel m hotchpotch.

cawell m (**cewyll**) basket.

cawg m (·**iau**) pitcher.

cawiau see **cewyn**.

cawio v to tie.

cawl m broth.

cawnen f (**cawn**) reed.

cawod f (·**au, ·ydd**) shower.

cawr m (**cewri**) giant.

cawres f (·**au**) giantess.

caws m cheese.

cawsu v to curdle.

CC abb BC.

ccc abb plc.

cêc m feed cake.

cecian v to stutter.

cecran, cecru v to quarrel.

cecren f shrew.

cecrus adj cantankerous.

cecryn m wrangler.

cedor m/f pubic hair.

cedowrach m burdock.

cedrwydden f (**cedrwydd**) cedar.

cedw(ais) from **cadw**.

cedyrn from **cadarn**.

cefais from **cael**.

cefn m (·**au**) back.

cefndedyn m sweetbread.

cefnder m (**cefndryd, cefnderoedd**) cousin (male).

cefndeudd·wr m (·**yrau**) watershed.

cefndir m (·**oedd**) background.

cefnen f (·**nau**) ridge.

cefnfor m (·**oedd**) ocean.

cefn·ffordd m (·**ffyrdd**) highway.

cefngefn adv back to back.

cefngrwm adj hunch-backed.

cefnog adj wealthy.

cefnogaeth f backing.

cefnogi v to support.

cefnogol adj supportive.

cefnog·wr m (·**wyr**) supporter.

cefnu v to withdraw.

cefn·wr m (·**wyr**) back, full-back.

ceffyl m (·**au**) horse.

ceg f (·**au**) mouth.

cega v to bicker.

ceg·aid *f* (**·eidiau**) mouthful.

cegiden *f* (**cegid**) hemlock.

cegin *f* (**·au**) kitchen.

cegog *adj* garrulous.

cegrwth *adj* gaping.

cengl *f* (**·au**) girth.

cei *m* (**·au**) quay. • *v from* **cael**.

ceian *f* carnation.

ceibiau *see* **caib**.

ceibio *v* to dig up.

ceidw *from* **cadw**.

ceidwad *m* (**ceidwaid**) keeper.

ceidwadol *adj* conservative.

ceidwad·wr *m* (**·wyr**) conservative.

ceiliagwydd *m* gander.

ceiliog *m* (**·od**) cock: **ceiliog y rhedyn** grasshopper.

ceilys *pl* skittles.

ceilliau *see* **caill**.

ceimion *from* **cam**.

ceinach *f* (**·od**) hare. • *adj from* **cain**.

ceinciau *see* **cainc**.

ceinciog *adj* branching; knotted.

ceinder *m* elegance.

ceiniog *f* (**·au**) penny.

ceinion *from* **cain**.

ceintach *v* to grumble.

ceintachlyd *adj* querulous.

ceir *see* **car**. • *v from* **cael**.

ceirchen *f* (**ceirch**) oats.

ceiriosen *f* (**ceirios**) cherry; cherry tree.

ceirt *see* **cart**.

ceirw *see* **carw**.

ceisiadau *see* **cais**.

ceisiau *see* **cais**.

ceisio *v* to seek.

cel *m* horse.

cêl *adj* hidden.

celain *f* (**celanedd**) corpse.

celc *m/f* hoard.

celf *f* art, craft.

celficyn *m* (**celfi**) (piece of) furniture.

celfydd *adj* skilful.

celfyddyd *m* (**·au**) art, craft.

celfyddydol *adj* artistic.

celu *v* to hide.

celwrn *m* (**celyrnau**) tub.

celwydd *m* (**·au**) lie.

celwydd·gi *m* (**·gwn**) liar.

celwyddog *adj* lying.

celyd *from* **caled**.

celynnen *f* (**celyn**) holly.

celyrnau *see* **celwrn**.

cell *f* (**·oedd**) cell.

celli *f* grove.

cellwair *m* (**cellweiriau**) banter. • *v* to banter.

cellweirus *adj* jocular.

cellystr *see* **callestr**.

cem(ais) *from* **camu**.

cemeg *f* chemistry.

cemegol *adj* chemical.

cemeg·ydd *m* (**·wyr**) chemist.

cemeg·yn *m* (**·au**, **·ion**) chemical.

cen *m* scale; lichen.

cenadaethau *see* **cenhadaeth**.

cenadwri *f* message.

cen(ais) *from* **canu**.

cenau *m* (**canawon**, **cenawon**) puppy.

cenawes *f* bitch.

cenedl *f* (**cenhedloedd**) nation.

cenedlaethau *see* **cenhedlaeth**.

cenedlaethol *adj* national.

cenedlaetholdeb *m* nationalism.

cenedlaetholi *v* to nationalise.

cenedlaethol·wr *m* (**·wyr**) nationalist.

cenedl-ddyn *m* gentile.

cenfaint *f* herd.

cenfigen *f* (**·nau**) envy.

cenfigennu *v* to envy.

cenfigennus *adj* jealous.

cenfydd *from* **canfod**.

cenhadaeth *f* (**cenadaethau**) mission.

cenhadau *see* **cennad**.

cenhadol *adj* missionary.

cenhadu *v* to conduct a mission.

cenhad·wr *m* (**·on**, **·wyr**) missionary.

cenhedlaeth *f* (**cenedlaethau**) generation.

cenhedloedd *see* **cenedl**.

cenhedlu *v* to beget.

cenhinen *f* (**cennin**) leek.

cen(ir) *from* **canu**.

cenllif *m/f* (**·oedd**) torrent.

cenllysg *pl* hailstones.

cennad *f* (**cenhadon, cenhadau**) messenger; message.

cennin *see* **cenhinen**.

cennog *adj* scaly.

cer *from* **mynd**.

ceraint *from* **câr**.

cerameg *m/f* ceramics.

cerbyd *m* (**·au**) coach.

cerdinen, cerddinen *f* (**cerdin, cerddin**) mountain ash.

cerdyn *m* (**cardiau**) card.

cerdd *f* (**·i**) poem; music.

cerdded *v* to walk.

cerddediad *m* walk.

cerddor *m* (**·ion**) musician.

cerddor·fa *f* (**·feydd**) orchestra.

cerddorfaol *adj* orchestral.

cerddoriaeth *f* music.

cerddorol *adj* musical.

cerdd·wr *m* (**·wyr**) walker.

cerfiedig *adj* carved.

cerfio *v* to carve.

cerflun *m* (**·iau**) statue.

cerflunio *v* to sculpt.

cerflunydd *m* (**cerflunwyr**) sculptor.

cerhyntau *see* **cerrynt**.

ceriach *f* equipment.

cerigyn *m* (**cerigos**) pebble.

ceriwb *m* (**·iaid**) cherub.

cern *f* (**·au**) cheekbone.

cernod *f* box on the ears.

cerpyn *m* (**carpiau**) rag.

cerrig *see* **carreg**.

cerrynt *m* (**ceryntau, cerhyntau**) current.

certrys *see* **cartrisen**.

cerwyn *f* (**·i**) cask.

cerydd *m* (**·on**) reprimand.

ceryddu *v* to reprimand.

ceryntau *see* **cerrynt**.

cesail *f* (**ceseiliau**) armpit.

cesair *pl* hail.

cesgl(ir) *from* **casglu**.

cesig *see* **caseg**.

cestyll *see* **castell**.

cetyn *m* (**catiau, ·nau**) pipe; piece.

cethin *adj* fierce, ugly.

ceubren *m* (**·nau**) hollow tree.

ceudod *m* cavity.

ceugrwm *adj* concave.

ceulan *f* (**·nau, ceulennydd**) hollow river bank.

ceulion *see* **caul**.

ceulo *v* to clot.

ceunant *m* (**ceunentydd**) ravine.

cewri *see* **cawr**.

cewyll *see* **cawell**.

cewyn *m* (**·nau, cawiau**) nappy.

ceyrydd *see* **caer**.

ci *m* (**cŵn**) dog.

ciaidd *adj* brutal.

cib *m* (**·au**) husk.

cibddall *adj* purblind.

cibwst *f* chilblain.

cibŵts *m* (**cibwtsau**) kibbutz.

cic·iwr *m* (**·wyr**) kicker.

cig *m* (**·oedd**) meat.

cigfran *f* (**cigfrain**) raven.

cignoeth *adj* raw.

cigydd *m* (**·ion**) butcher.

cigysol *adj* carnivorous.

cigysydd *m* (**·ion**) carnivore.

cil *m* (**·iau**) corner.

cilagor *v* to open partly.

cilagored *adj* ajar.

cilan *f* (**·nau**) cove.

cilcyn *m* chunk.

cildwrn, cil·dwrn *m* tip.

cilddant *m* (**cilddannedd**) molar.

ciledrych *v* to glance.

ciledrychiad *m* glance.

cilfach *f* (**·au**) creek.

cilgan·t *m* (·**nau**, ·**tau**) crescent.
cil-gnoi *v* to chew the cud.
cilio *v* to retreat.
cilwenu *v* to simper.
cilwg *m* (**cilygon**) scowl.
cim·wch *m* (·**ychiaid**) lobster.
ciniawa *v* to dine.
cinio *m/f* (**ciniawau**) dinner.
cip *m* glimpse.
cipio *v* to snatch.
cipol·wg *m* (·**ygon**) glimpse.
cis *m/f* (·**iau**) slap.
cist *f* (·**iau**) chest.
ciwcymber, cucumer *m* (**ciwcymer-au, cucumerau**) cucumber.
ciwed *f* rabble.
ciwrad, ciwrat *m* curate.
ciwt *adj* smart.
clacwydd, clagwydd *m* gander.
claddedigaeth *m/f* burial.
cladd·fa *f* (·**feydd**) graveyard.
claddu *v* to bury.
claear *adj* lukewarm.
claer *adj* clear.
claerwyn *adj* pallid.
claf *adj* sick. • *m* (**cleifion**) patient.
clafr *m* mange.
clafychu *v* to fall ill.
clai *m* (**cleiau**) clay.
clais *m* (**cleisiau**) bruise.
clamp *m* whopper.
clap *m* (·**iau**) lump.
clap·gi *m* (·**gwn**) telltale.
clapian *v* to tell tales.
clapiog *adj* lumpy.
clarinét *m* (**clarinetau**) clarinet.
clas *m* (·**au**) Celtic monastery.
clasur *m* (·**on**) classic.
clasurol *adj* classical.
clatsian *v* to crackle.
clatsio *v* to slap.
clau *adj* cyflym.
clawdd *m* (**cloddiau**) hedge.
clawr *m* (**cloriau**) cover.
cleber, clebar *m/f* tittle-tattle.

clebran *v* to chatter.
clec *f* snap.
clecs *pl* gossip.
cledr, cledren *f* (**cledrau**) rail; palm of hand.
cledro *v* to wallop.
cledd, cleddyf *m* (**cleddyfau**) sword.
cleddyf·wr *m* (·**wyr**) swordsman.
clefyd *m* (·**au**) disease.
clegar *m* cluck, cackle.
cleiau *see* **clai**.
cleifion *see* **claf**.
cleiog *adj* clayey.
cleisio *v* to bruise.
cleisiau *see* **clais**.
clem *f* gumption.
clemio *v* to starve.
clên *adj* pleasant.
clensio *v* to clench.
clepian *v* to crackle.
clercio *v* to clerk.
cleren *f* (**clêr**) fly.
clerigol *adj* clerical.
cleuach *from* **clau**.
cliced, clicied *f* latch.
clindarddach *m* crackling.
clinigol *adj* clinical.
clir *adj* clear.
clirio *v* to clear.
clo *m* (·**eon**, ·**eau**) lock.
clocsen *f* (**clocsiau**) clogs.
clocs·iwr *m* (·**wyr**) clog-maker; clog-dancer.
clocwedd *adj* clockwise.
cloch *f* (**clychau**) bell.
clochdar *v* to cackle.
cloch·dy *m* (·**dai**) belfry.
clochydd *m* (·**ion**) sexton.
clod *m/f* (·**ydd**) praise.
clodfawr *adj* praiseworthy.
clodfori *v* to praise.
clodwiw *adj* commendable.
cloddiau *see* **clawdd**.
cloddio *v* to excavate.
cloëdig, cloiedig *adj* locked.

cloeon, cloeau *see* **clo**.
cloff *adj* lame.
cloffi *v* to lame.
cloffni *m* lameness.
clog *m/f* (·au) cloak; precipice.
clog·faen *m* (·feini) boulder.
clogwyn *m* (·i) cliff.
clogyn *m* (·nau) cloak.
clogyrnaidd *adj* rough.
cloi *v* to lock.
cloncian *v* to chatter.
clopa *f* (clopâu) head.
clorian *m/f* (·nau) scale (weighing).
cloriannu *v* to weigh.
cloriau *see* **clawr**.
clos *m* (·ydd) farmyard; trousers.
clòs *adj* close.
closio *v* to draw near.
cludadwy *adj* portable.
cludfelt *m* conveyor belt.
cludiad *m* postage, carriage.
cludiant *m* transport.
cludo *v* to carry, to transport.
clun *f* (·iau) hip.
clust *m/f* (·iau) ear; handle.
clusten *f* box on the ear.
clustfeinio *v* to eavesdrop.
clustl·ws, clustdl·ws *m* (·ysau) ear-ring.
clustnodi *v* to earmark.
clustog *m/f* (·au) cushion.
clwb *m* (clybiau) club.
clwc *adj* addled.
clwpa *m* bludgeon.
clwstwr *m* (clystyrau) cluster.
clwt, clwtyn *m* (clytiau) duster.
clwyd *f* (·i) gate; hurdle.
clwydo *v* to roost.
clwyf, clwy *m* (clwyfau) wound.
clwyfo *v* to wound.
clwyfus *adj* sick.
clybiau *see* **clwb**.
clychau *see* **cloch**.
clyd *adj* snug.
clydwch *m* warmth.
clyfrwch *m* cleverness.

clymau *see* **cwlwm**.
clymbl·aid *f* (·eidiau) coalition.
clymog *adj* knotted.
clymu *v* to tie.
clystyrau *see* **clwstwr**.
clytiau *see* **clwt, clwtyn**.
clytio *v* to patch.
clytiog *adj* patched.
clytwaith *m* patchwork.
clyw *m* hearing.
clywadwy *adj* audible.
clywed *v* to hear.
clyweled *adj* audiovisual.
clyweliad *m* audition.
cnaf *m* (·on) knave.
cnaif *m* (cneifion) fleece.
cnap *m* (·iau) chunk.
cnapan *m* old ball game.
cnau *see* **cneuen**.
cnawd *m* flesh.
cnawdol *adj* carnal.
cneifio *v* to shear.
cneifion *see* **cnaif**.
cneifi·wr *m* (·wyr) shearer.
cnepyn *m* (·nau) lump.
cneua *v* to collect nuts.
cneuen *f* (cnau) nut.
cnewyllyn *m* (cnewyll) kernel.
cnoad, cnoead *m* gnawing.
cnocell y coed *f* woodpecker.
cnocio *v* to knock.
cnoe(swn) *from* **cnoi**.
cnofil *m* (·od) rodent.
cnoi *v* to bite.
cnotiog *adj* gnarled.
cnu *m* (·oedd) fleece.
cnuchio *v* to copulate.
cnud *f* (·oedd) pack.
cnul *m* (·iau) knell.
cnwc *m* knoll.
cnwd *m* (cnydau) crop.
cnydio *v* to crop.
cob *m* (·iau) embankment.
coban *f* (·au) night-shirt.
coblyn *m* (·nod) goblin.

cocatŵ *m* cockatoo.

cocsen, cocosen *f* (**cocsenni**) cog; (**cocos**) cockles.

cocyn *m* (·**nau**) haycock.

coch *adj* red.

cochen *f* redhead.

cochi *v* to blush, to redden.

cochl *m/f* (·**au**) cloak.

cochyn *m* redhead.

cod *m* (·**au**) pod; code.

coden *f* (·**nau**) pouch.

codi *v* to lift.

codiad *m* (·**au**) rise, erection.

codwm *m* (**codymau**) fall.

coeden *f* (**coed**) tree.

coediog *adj* wooded.

coedlan *f* (·**nau**) glade.

coedwig *f* (·**oedd**) forest, wood.

coedwigaeth *f* forestry.

coedwig·wr *m* (·**wyr**) forester.

coedd *adj* public.

coeg *adj* false.

coegio, cogio *v* to pretend.

coeglyd *adj* sarcastic.

coegni *m* sarcasm.

coegyn *m* fop.

coel *f* (·**ion**).

coelbren *m* (·**nau**) lot, ballot.

coelcerth *f* (·**i**) bonfire.

coelio *v* to believe.

coes *f* (·**au**) leg. • *m* stem; handle.

coesog *adj* leggy.

coeten *f* (**coetiau, coets**) quoit.

coets *f* (·**ys**) coach.

coeth *adj* refined.

coethder *m* refinement.

coethi *v* to refine.

cof *m* (·**ion**) memory.

cofadail *f* cenotaph.

cofeb *f* (·**ion**) memorial.

cofgolofn *f* (·**au**) monument.

cofiadur *m* (·**on**) registrar.

cofiadwy *adj* memorable.

cofiannydd *m* (**cofianwyr**) biographer.

cofian·t *m* (·**nau**) biography.

cofio *v* to remember.

coflaid, cowlaid *f* armful.

cofleidio *v* to embrace.

cofnod *m* (·**ion**) record, minute.

cofnodi *v* to record.

cofrestr *f* (·**au**) register.

cofrestr·fa *f* (·**feydd**) registry.

cofrestru *v* to register.

cofrestrydd *m* (·**ion**) registrar.

coffa *m* remembrance.

coffâd *m* recollection.

coffadwriaeth *f* memorial.

coffáu *v* to commemorate.

coffor, coffr *m* (**coffrau**) coffer.

cog *f* (·**au**) cuckoo. • *m* cook.

còg *f* (**cogiau**) cog.

coginiaeth *f* cookery.

coginio *v* to cook.

cogio *v* to pretend.

cogor *v* to clatter.

cogor-droi *v* to spin.

cogydd *m* (·**ion**) cook.

cogyddes *f* (·**au**) cook.

congl *f* (·**au**) corner.

conglfaen *f* (**conglfeini**) corner-stone.

côl, cofl *f* lap, embrace.

coladu *v* to collate.

colbio *v* to thrash.

coleddu *v* to cherish.

coleg *m* (·**au**) college.

colegol *adj* collegiate.

colfach *m* (·**au**) hinge.

colfen *f* (·**ni**, ·**nnau**) branch.

colofn *f* (·**au**) column.

colomen *f* (·**nod**) dove; pigeon.

colomen·dy *m* (·**dai**) dovecot.

colsyn *m* (**cols**) cinder.

coluddyn *m* (**coluddion**) intestine.

colur *m* make-up.

coluro *v* to colour.

colyn *m* (·**nau**) sting; hinge.

coll *m* loss (of senses). • *adj* lost.

collddail *adj* deciduous.

colled *m/f* (·**ion**) loss.

colledig *adj* lost.

collen *f* (**cyll**) hazel.

collfarnu *v* to condemn.

colli *v* to lose.

collnod *m* apostrophe.

coll·wr *m* (**·wyr**) loser.

combein *m* combine harvester.

comed *f* (**·au**) comet.

comedi *f* (**comedïau**) comedy.

comedï·wr *m* (**·wyr**) comedian.

comin, cwmin *m* common.

comisi·wn *m* (**·ynau**) commission.

comisiynu *v* to commission.

comiwnydd *m* (**·ion**) communist.

comiwnyddiaeth *f* communism.

comiwnyddol *adj* communist.

compiwtereiddio *v* to computerise.

côn *m* (**conau**) cone.

conach, conan *v* to grumble.

concwer·wr *m* (**·wyr**) conqueror.

condemniad *m* condemnation.

condemnio *v* to condemn.

conen *f* grumbler.

confennau *pl* condiments.

confensiynol *adj* conventional.

congrinero *m* champion.

coniffer *m* (**·iaid**) conifer.

conigol *adj* conical.

cono *m* rascal.

consurio *v* to conjure.

consur·iwr *m* (**·wyr**) conjuror.

conwydden *f* (**conwydd**) coniferous trees.

conyn *m* grumbler.

cop, copyn *m* spider.

copa *m/f* (**copâu, copaon**) summit.

copi *m* (**copïau**) copy.

copïo *v* to copy.

copor, copr *m* copper.

cor *m* dwarf; spider.

côr *m* (**corau**) choir.

corachod *see* **corrach**.

corawl *adj* choral.

corben·fras *m* (**·freis**) haddock.

corcio, corco *v* to throb.

corcyn *m* (**cyrcs, corcau**) a cork.

cordeddu *v* to plait.

corden *f* (**·ni**) cord.

cordyn, cortyn *m* (**cordiau, cyrd, cyrt**) cord.

corddi *v* to churn.

cordd·wr *m* (**·wyr**) churner.

cored *f* (**·au**) weir.

corff *m* (**cyrff**) body.

corffil·yn *m* (**·od**) corpuscle.

corfflosgi *v* to cremate.

corfflu *m* (**·oedd**) corps.

corffolaeth *f* stature.

corfforaeth *f* (**·au**) corporation.

corffori *v* to embody.

corfforol *adj* bodily; physical.

cor·gi *m* (**·gwn**) corgi.

corgimwch *m* (**corgimychiaid**) prawn.

corlan *f* (**·nau**) fold.

corlannu *v* to pen (sheep).

corn *m* (**cyrn**) horn. • *adj* absolute.

cornant *m* (**cornentydd**) brook.

cornbilen *f* cornea.

cornchwig·len *f* (**·lod**) lapwing.

cornel *m/f* (**·i**) corner.

cornelu *v* to corner.

cornicyll *m* (**·od**) lapwing.

cornio *v* to butt; to examine with stethoscope.

corniog *adj* horned.

cornwyd *m* (**·ydd**) boil.

coron *f* (**·au**) crown.

corongylch *m* (**·au**) halo.

coroni *v* to crown.

coroniad *m* coronation.

coronog *adj* crowned.

corrach, cor *m* (**corachod**) dwarf.

corryn, cor *m* (**corynnod**) spider.

cors *f* (**corsydd, cyrs**) bog.

corsen *f* (**·nau, cyrs**) reed.

corsog *adj* boggy.

corun *m* crown of head; tonsure.

corwgl *see* **cwrwgl**.

corygl·wr *m* (**·wyr**) coracle man.

corws *m* (**corysau**) chorus.

corwynt *m* (**·oedd**) hurricane.
corynnod *see* **corryn**.
corysau *see* **corws**.
cosb *f* (**·au**) punishment.
cosbedigaeth *f* punishment.
cosbi *v* to punish.
cos·fa *f* (**·feydd**) itch; thrashing.
cosi *v* to itch.
costio *v* to cost.
costrel *f* (**·au**) bottle.
costrelu *v* to bottle.
costus *adj* expensive.
cosyn *m* (**·nau**) a cheese.
cot *f* coat; a beating.
cota *adj* (*f*) short.
cotiar *f* (**cotieir**) coot.
cotwm *m* (**cotymau**) cotton.
cownt *m* reckoning.
crabysyn *m* (**crabas, crabys**) crab-apple.
crachach *pl* snobs.
crachboer *m* phlegm.
crachen *f* (**crach**) scab.
craen *m* (**·iau**) crane.
crafangu *v* to clutch.
crafanc *f* (**crafangau**) claw.
crafiad *m* (**·au**) scratch.
crafion *pl* scraps.
crafog *adj* cutting.
crafu *v* to scratch.
craff *adj* discerning.
craffter *m* discernment.
craffu *v* to look intently.
cragen *f* (**cregyn**) shell.
crai *adj* raw, crude.
craidd *m* (**creiddiau**) crux: **craidd disgyrchiant** centre of gravity.
craig *f* (**creigiau**) rock.
crair *m* (**creiriau**) relic.
craith *f* (**creithiau**) scar.
cramen *f* (**·nau**) crust.
cramennog *adj* encrusted.
cramenogion *pl* crustaceans.
cranc *m* (**·od**) crab; crank.
crancwerthyd *m* crankshaft.

crand *adj* grand.
crandrwydd *m* finery.
crap *m* inkling.
cras *adj* coarse; aired.
crasboeth *adj* scorching.
crasfa *f* a hiding.
crasiad *m* a baking.
craster *m* aridity.
crasu *v* to bake; to dry.
crau *m* (**creuau**) socket.
crawc *f* croak.
crawen *f* (**·nau**) crust.
crawn *m* pus.
crawni *v* to fester.
cread *m* creation.
creadigaeth *f* (**·au**) creation.
creadigol *adj* creative.
creadur *m* (**·iaid**) creature.
creadures *f* creature.
creawdwr, creawdur, creawdydd *m* (**creawdwyr**) creator.
crebachlyd *adj* wizened.
crebachu *v* to shrivel.
crebwyll *m* fancy.
crech *adj* (*f*) wrinkled.
crechwen *f* (**·au**) guffaw.
crechwenu *v* to guffaw.
cred *f* (**·au**) belief.
credadun *m* (**credinwyr**) believer.
credadwy *adj* credible.
crediniaeth *f* belief.
crediniol *adj* believing.
credu *v* to believe.
cred·wr *m* (**·wyr**) believer.
cref *adj* (*f*) strong.
crefu *v* to entreat.
crefydd *f* (**·au**) religion.
crefydda *v* to profess religion.
crefyddol *adj* religious.
crefft *f* (**·au**) craft.
crefft·waith *m* (**·weithiau**) craftsmanship.
crefft·wr *m* (**·wyr**) craftsman.
creg *adj* (*f*) hoarse.
cregyn *see* **cragen**.

crehyrod *see* **crêyr**.

creiddiau *see* **craidd**.

creifion *pl* peelings.

creigiau *see* **craig**.

creigiog *adj* rocky.

creiriau *see* **crair**.

creision *pl* crisps.

creithiau *see* **craith**.

creithio *v* to scar.

crempog *f* (·au) pancake.

crensian *v* to crunch.

creu *v* to create.

creuau *see* **crau**.

creulon *adj* cruel.

creulondeb, creulonder *m* cruelty.

crêwr *m* (**crewyr**) creator.

crêyr *m* (**crehyrod**) heron.

cri *m* (·au) cry. • *adj* unleavened.

criafolen *f* (**criafol**) rowan tree.

crib *m/f* (·au) comb.

cribddeilio *v* to extort.

cribin *m/f* (·au, ·iau) rake.

cribinio *v* to rake.

cribog *adj* crested.

criced *m* cricket.

criced·wr *m* (·wyr) cricketer.

crimog *f* (·au) shin.

crimp *adj* shrivelled.

crin *adj* brittle.

cringoch *adj* russet.

crino *v* to wither.

crintach, crintachlyd *adj* mean.

crio *v* to cry.

cripio *v* to creep.

crisial *m* (·au) crystal.

crisialu *v* to crystalise.

Cristion *m* (·ogion, **Cristnogion**) Christian.

criw *m* (·iau) crew.

crïwr *m* (**criwyr**) crier.

crocbren *m/f* (·nau, ·ni) gallows.

crocbris *m* (·iau) exorbitant price.

crocodil, crocodeil *m* (**crocodiliaid, crocodilod**) crocodile.

croch *adj* strident.

crochan *m* (·au) crock, cauldron.

crochen·dy *m* (·dai) pottery.

crochenwaith *m* pottery.

crochenydd *m* (·ion) potter.

croen *m* (**crwyn**) skin.

croendenau *adj* sensitive.

croendew *adj* thick-skinned.

croenddu *adj* black-skinned.

croes *f* (·au) cross.

croesair *m* (**croeseiriau**) crossword.

croesawgar *adj* hospitable.

croesawu *v* to welcome.

croesbren *m/f* (·nau) cross.

croes-ddweud *v* to contradict.

croesfan *f* (·nau) crossing.

croes·ffordd *f* (·ffyrdd) junction.

croesgad *f* (·au) crusade.

croesgad·wr *m* (·wyr) crusader.

croesgyfeirio *v* to cross-reference.

croeshoeliad *m* crucifixion.

croeshoelio *v* to crucify.

croesholi *v* to cross-examine.

croesi *v* to cross.

croeslin *f* (·iau) diagonal.

croeso *m* welcome.

croesymgroes *adj* criss-cross.

crofen, crawen *f* (·nau, ·nau) rind.

crog *f* (·au) cross. • *adj* suspended.

crogi *v* to hang.

crogian·t *m* (·nau) suspension.

croglith *f*: Dydd Gwener y Groglith Good Friday.

croglofft *f* (·ydd) attic.

cronglwyd *f* (·ydd) roof.

crom *adj* (f) round.

crombil *m/f* craw.

cromen *f* (·nau) dome.

cromfach *f* (·au) parenthesis.

cromlin *f* (·iau) curve; chord.

cron *adj* (f) round.

cronellau *see* **cronnell**.

cron·fa *f* (·feydd) reservoir; fund.

croniadur *m* (·on) accumulator.

croniclo *v* to chronicle.

cronnell *f* (·au) sphere.

cronni v to amass.
cronolegol adj chronological.
cropian, cropio v to crawl.
crosiet m (·au) crotchet.
crosio v to crochet.
crots see **crwt**.
croth f (·au) womb.
croyw adj pure.
croywder m clarity.
crud m cradle.
crug m (·iau) cairn.
crugyn m pile.
crwban m (·od) tortoise.
crwbi m (**crwbïod**) hump.
crwca adj crooked.
crwm adj curved.
crwn adj round.
crwner m (·iaid) coroner.
crwsâd m/f (**crwsadau**) crusade.
crwst m (**crystiau**) crust.
crwstyn, crystyn m (**crystiau**) crust.
crwt m (**crytiaid, crots, cryts**) lad.
crwth m (**crythau**) crwth, violin.
crwybr m (·au) honeycomb.
crwydr, crwydrad m wandering.
crwydro v to wander.
crwydrol adj wandering.
crwydryn m (**crwydriaid**) wanderer.
crwyn see **croen**.
crwys f (·au) cross.
crybwyll v to mention.
crych adj wrinkled. • m (·au) crease.
crychlyd adj wrinkled.
crychni m a wrinkling.
crychu v to wrinkle.
crychydd m heron.
cryd m (·iau) a shivering.
crydd m (·ion) cobbler.
cryf adj strong.
cryfder m strength.
cryfhau v to strengthen.
cryg, cryglyd adj hoarse.
crygni m hoarseness.
cryman m (·au) sickle.
crymanu v to swerve.

crymedd m curvature.
crymu v to stoop.
cryn adj quite.
cryndod m a shivering.
crynedig adj tremulous.
crynhoad m (**crynoadau**) collection.
crynhoi v to assemble.
crynion from **crwn**.
crynned from **crwn**.
cryno adj concise.
crynodeb m/f (·au) summary.
crynodedig adj concentrated.
crynodiad m (·au) concentration.
cryno-ddisg m (·iau) compact disc.
crynswth m entirety.
crynu v to shiver.
Cryn·wr m (·wyr) Quaker.
crys m (·au) shirt.
crys·bais f (·beisiau) jacket.
crystiau see **crwst; crwstyn; crystyn**.
cryts, crytiaid see **crwt**.
crythau see **crwth**.
crythor m (·ion) fiddler.
cu adj beloved.
cucumer see **ciwcymber**.
cuchiau see **cuwch**.
cuchio v to scowl.
cudyll m (·od) hawk.
cudyn m (·nau) ringlet.
cudd adj hidden.
cudd·fa f (·fâu, ·feydd) hiding place.
cuddfan f (·nau) hiding place.
cuddiedig adj hidden.
cuddio v to hide.
cuddwedd f camouflage.
cufydd m cubit.
cul adj narrow.
culfor m (·oedd) channel.
culhau v to narrow.
culni m narrowness.
cun adj dear; beautiful.
cur m ache.
curad m (·iaid) curate.
cur·fa f (·feydd, ·fâu) a beating.
curiad m (·au) a beat.

curlaw *m* driving rain.
curo *v* to strike.
curyll *m* (·od) hawk.
cusan *m/f* (·au) kiss.
cusanu *v* to kiss.
cut *m* (·iau) hut.
cuwch *m* (**cuchiau**) scowl.
cwafrio *v* to trill.
cwar *m* (·**rau**) quarry.
cwato *v* to hide.
cwb *m* (**cybiau**) kennel.
cwbl *adj* entire.
cwblhau *v* to complete.
cwcw *f* (**cwcŵod**) cuckoo.
cwcwll *m* (**cycyllau**) cowl.
cwch *m* (**cychod**) boat; hive.
cwd, cwdyn *m* (**cydau**) bag.
cweir *f* a hiding.
cwennod *see* **cywen**.
cweryl *m* (·**au**, ·**on**) quarrel.
cweryla *v* to quarrel.
cwerylgar *adj* quarrelsome.
cwest *m* inquest.
cwestiwn *m* (**cwestiynau**) question.
cwfaint *m* convent.
cwfl *m* (**cyflau**) hood.
cwffio *v* to fight.
cwgen *f* (·**ni**, ·**nod**) bread roll.
cwgn *m* (**cygnau**) knuckle.
cwil, cwilsyn *m* (·**s**, ·**nau**) quill.
cwlff, cwlffyn *m* hunk.
cwlwm *m* (**clymau**) knot.
cwm *m* (**cymoedd**) glen.
cwmni *m* (**cwmnïau**) company.
cwmnïaeth *f* companionship.
cwmnï-wr *m* (·**wyr**) companion.
cwmpas *m*: **o gwmpas** about.
cwmpasog *adj* roundabout.
cwmpasu *v* to encompass.
cwmpawd *m* (·**au**) compass.
cwmpeini *m* company.
cwmwd *m* (**cymydau**) commote.
cwmwl *m* (**cymylau**) cloud.
cŵn *see* **ci**.
cwningen *f* (**cwningod**) rabbit.

cwnsela *v* to counsel.
cwnstabl *m* (·**iaid**) constable.
cwota *m* (**cwotâu**) quota.
cwpan *m/f* (·**au**) cup.
cwpanaid *m/f* (**cwpaneidiau**) cupful.
cwpl, cwpwl *m* (**cyplau**) couple.
cwpla, cwpláu *v* to finish.
cwpled *m* (·**i**) couplet.
cwpwrdd *m* (**cypyrddau**) cupboard.
cwr *m* (**cyrrau, cyrion**) corner.
cwrcath, cwrci *m* (**cwrcathod**) tom-cat.
cwrcwd *m* (**cyrcydau**) squatting.
cwrdd *m* (**cyrddau**) meeting.
cwrel *m* coral.
cwricwlwm *m* (**cwricwla**) curriculum.
cwrlid *m* (·**au**) counterpane.
cwrs *m* (**cyrsiau**) course.
cwrt *m* (**cyrtiau**) court.
cwrtais *adj* courteous.
cwrteisi, cwrteisrwydd *m* courtesy.
cwrw *m* beer.
cwrwg, cwrwgl, corwgl *m* (**cyryglau**) coracle.
cwsg *m* (**cysgau**) sleep.
cwsmer *m* (·**iaid**) customer.
cwt *m* (**cytiau**) hut; tail.
cwta *adj* barely; curt.
cwter *f* (·**i**) gutter.
cwtogi *v* to shorten.
cwtsio, cwtsied *v* to crouch.
cwyd *from* **codi**.
cwymp *m* (·**au**) a fall.
cwympo *v* to fall.
cwyn *m/f* (·**ion**) complaint.
cwynfan *v* to complain.
cwynfanllyd *adj* grumbling.
cwyno *v* to complain.
cwyr *m* wax.
cwyrdeb *m* rennet.
cwys *f* (·**i**, ·**au**) furrow.
cybiau *see* **cwb**.
cybolfa *f* hotchpotch.
cyboli *v* to talk nonsense.
cybydd *m* (·**ion**) miser.

cybyddlyd *adj* mean.

cycyllau *see* **cwcwll**.

cycyllog *adj* hooded.

cychod *see* **cwch**.

cychwyn *v* to begin.

cychwynnol *adj* initial.

cyd *see* **cyhyd**.

cydadrodd *v* to recite together.

cydaid *m* (**cydeidiau**) bagful.

cydau *see* **cwd**.

cydbwysedd *m* equilibrium.

cydbwyso *v* to balance.

cyd-destun *m* (·**au**) context.

cyd-dynnu *v* to cooperate.

cyd-ddigwyddiad *m* (·**au**) coincidence.

cyd-ddyn *m* (·**ion**) fellow-man.

cydeidiau *see* **cydaid**.

cyd-fynd *v* to agree.

cyd-fyw *v* to live together.

cydganol *adj* concentric.

cydio *v* to hold.

cydlynu *v* to coordinate.

cydnabod *v* to acknowledge. • *m/f* (**cydnabyddion**) acquaintance.

cydnabyddedig *adj* acknowledged.

cydnabyddiaeth *f* recognition.

cydnaws *adj* congenial.

cydnerth *adj* strong.

cydol *m/f* whole.

cydosod *v* to assemble.

cydradd *adj* equal.

cydraddoldeb *m* equality.

cydran *f* (·**nau**) component.

cydryw *adj* homogeneous.

cydsynio *v* to agree.

cydweddu *v* to agree.

cydweithio *v* to cooperate.

cyd-weith·iwr *m* (·**wyr**) colleague.

cydweithrediad *m* cooperation.

cydweithredol *adj* cooperative.

cydweithredu *v* to cooperate.

cyd-weld *v* to agree.

cydwladol *adj* international.

cyd-wlad·wr *m* (·**wyr**) compatriot.

cydwybod *f* conscience.

cydwybodol *adj* conscientious.

cydymaith *m* (**cymdeithion**) companion.

cydymdeimlad *m* sympathy.

cydymdeimlo *v* to sympathise.

cydymffurfio *v* to conform.

cyddwysedd *m* condensation.

cyf. *abb* vol(ume); ltd; ref(erence).

cyfadran *f* (·**nau**) faculty (department).

cyfaddas *adj* suitable.

cyfaddawd *m* (·**au**) compromise.

cyfaddawdu *v* to compromise.

cyfaddef *v* to confess.

cyfagos *adj* adjoining.

cyfangu *v* to contract (draw in).

cyfaill *m* (**cyfeillion**) friend.

cyfaint *m* (**cyfeintiau**) volume.

cyfair *m* (**cyfeiriau**) acre.

cyfalaf *m* capital (money).

cyfalafiaeth *f* capitalism.

cyfamod *m* covenant.

cyfamodi *v* to covenant.

cyfamser *m* meantime.

cyfan *adj* complete.

cyfander *m* entirety.

cyfandir *m* (·**oedd**) continent.

cyfandirol *adj* continental.

cyfanheddu *v* to inhabit.

cyfannedd *m* (**cyfanheddau**) dwelling place.

cyfannu *v* to make whole.

cyfanrwydd *m* totality.

cyfansawdd *adj* composite.

cyfansoddi *v* to compose.

cyfansoddiad *m* (·**au**) constitution.

cyfansoddiadol *adj* constitutional.

cyfansodd·wr *m* (·**wyr**) composer.

cyfansodd·yn *m* (·**ion**) compound.

cyfanswm *m* (**cyfansymiau**) total.

cyfanwaith *m* (**cyfanweithiau**) entity.

cyfanwerthu *v* to sell wholesale.

cyfarch *v* to greet.

cyfarchiad *m* (·**au**) greeting.

cyfaredd *f* (·**au**) enchantment.

cyfareddol *adj* enchanting.
cyfareddu *v* to enchant.
cyfarfod *v* to meet. • *m* (·ydd) meeting, gathering.
cyfarfyddiad *m* (·au) meeting.
cyfarpar *m* apparatus.
cyfartal *adj* equal.
cyfartaledd *m* equality.
cyfarth *v* to bark.
cyfarthiad *m* (·au) a bark.
cyfarwydd *adj* familiar. • *m* (·iaid) story-teller.
cyfarwyddiad, cyfarwyddyd *m* (cyfarwyddiadau) direction.
cyfarwyddiadur *m* (·on) directory.
cyfarwyddo *v* to direct.
cyfarwydd-wr *m* (·wyr) director.
cyfateb *v* to correspond.
cyfatebiaeth *f* correspondence.
cyfatebol *adj* corresponding.
cyfath *adj* congruent.
cyfathrach *f* intercourse.
cyfathrachu *v* to have intercourse.
cyfathrebu *v* to communicate.
cyfddydd *m* daybreak.
cyfeb *adj* pregnant.
cyfebion *pl* pregnant animals.
cyfeddach *v* to carouse. • *f* carousal.
cyfeilian-t *m* (·nau) accompaniment.
cyfeilio *v* to accompany.
cyfeiliorn *m*: **ar gyfeiliorn** astray.
cyfeiliorni *v* to stray.
cyfeiliornus *adj* erroneous.
cyfeilydd *m* (·ion) accompanist.
cyfeillach *f* fellowship.
cyfeillachu *v* to associate.
cyfeilles *f* (·au) (female) friend.
cyfeillgar *adj* amicable.
cyfeillgarwch *m* friendship.
cyfeillion *see* **cyfaill**.
cyfeintiau *see* **cyfaint**.
cyfeiriad *m* (·au) direction; address.
cyfeiriadur *m* (·on) directory.
cyfeiriannu *v* to orienteer.
cyfeirio *v* to refer, to direct.

cyfenw *m* (·au) surname.
cyfer, cyfair *m* (cyfeiriau) acre: **ar gyfer** for.
cyferbyn *adj* opposite.
cyferbyniad *m* contrast.
cyferbyniol, cyferbynnol *adj* contrasting.
cyferbynnu *v* to contrast.
cyferfydd *from* **cyfarfod**.
cyfethol *v* to co-opt.
cyfiawn *adj* just.
cyfiawnder *m* justice.
cyfiawnhad *m* justification.
cyfiawnhau *v* to justify.
cyfieithiad *m* (·au) translation.
cyfieithu *v* to translate.
cyfieith-ydd *m* (·wyr) translator.
cyflafan *f* massacre.
cyflafareddu *v* to arbitrate.
cyflaith *m* toffee.
cyflanw(af) *from* **cyflenwi**.
cyflau *see* **cwfl**.
cyflawn *adj* entire.
cyflawnder *m* abundance.
cyflawni *v* to fulfil.
cyfle *m* (·oedd) opportunity.
cyfled *from* **llydan**.
cyflenwad *m* (·au) a supply.
cyflenwi *v* to supply.
cyflenwol *adj* complementary.
cyfleu *v* to convey.
cyfleus *adj* convenient.
cyfleustra, cyfleuster *m* (cyfleusterau) convenience.
cyflin *f* (·iau) parallel.
cyflog *m/f* (·au) wage.
cyflogaeth *f* employment.
cyflogedig *adj* employed.
cyflogi *v* to employ.
cyflogwr *m* employer.
cyflwr *m* (cyflyrau) condition.
cyflwyniad *m* (·au) presentation.
cyflwyno *v* to present.
cyflym *adj* quick.
cyflymder, cyflymdra *m* speed.

cyflymu *v* to accelerate.
cyflymydd *m* (·ion) accelerator.
cyflyrau *see* **cyflwr**.
cyflyru *v* to condition.
cyflythreniad *m* alliteration.
cyfnewid *v* to exchange.
cyfnewid·fa *f* (·feydd) clearing-house.
cyfnewidiol *adj* changeable.
cyfnither *f* (·oedd) (female) cousin.
cyfnod *m* (·au) period.
cyfnodol *adj* periodical.
cyfnodol·yn *m* (·ion) periodical.
cyfnos *m* dusk.
cyfochrog *adj* parallel.
cyfodi *v* to arise.
cyfoedion *pl* contemporaries.
cyfoes *adj* contemporary.
cyfoes·wr *m* (·wyr) contemporary.
cyfoeth *m* wealth.
cyfoethog *adj* rich.
cyfoethogi *v* to enrich.
cyfog *m* nausea.
cyfogi *v* to be sick.
cyfoglyd *adj* sickening.
cyforiog *adj* overflowing.
cyfosod *v* to set side by side.
cyfradd *m/f* (·au) rate.
cyfraith *f* (cyfreithiau) law.
cyfran *m/f* (·nau) portion.
cyfranddaliad *m* (·au) share.
cyfranddal·iwr, cyfranddeil·iad *m* (·wyr, ·iaid) shareholder.
cyfraniad *m* (·au) contribution.
cyfrannedd *f* (cyfraneddau) proportion.
cyfrannog *adj* participative.
cyfrannol *adj* contributory; proportional.
cyfrannu *v* to contribute.
cyfran·nwr *m* (·wyr) contributor.
cyfranogi *v* to partake.
cyfredol *adj* concurrent.
cyfreithiau *see* **cyfraith**.
cyfreithiol *adj* legal; judicial.
cyfreithiwr *m* (cyfreithwyr) lawyer, solicitor.

cyfreithlon *adj* lawful.
cyfreithloni *v* to legalise.
cyfres *f* (·i) series.
cyfrif *v* to count. • *m* (·on) account.
cyfrifiad *m* (·au) census.
cyfrifiadur *m* (·on) computer.
cyfrifiadureg *f* computer science.
cyfrifiannell *m* (cyfrifianellau) calculator.
cyfrifol *adj* responsible.
cyfrifoldeb *m* (·au) responsibility.
cyfrifydd *m* (·ion) accountant.
cyfrin *adj* mystic.
cyfrinach *f* (·au) secret.
cyfrinachol *adj* secret.
cyfrin·fa *f* (·feydd) lodge (trade union).
cyfrin-gyngor *m* privy council.
cyfriniaeth *f* mysticism.
cyfriniol *adj* mystical.
cyfrinydd *m* (cyfrinwyr) mystic.
cyfrodeddu *v* to plait.
cyfrol *f* (·au) volume.
cyfrwng *m* (cyfryngau) medium.
cyfrwy *m* (·au) saddle.
cyfrwyo *v* to saddle.
cyfrwys *adj* cunning.
cyfrwyster, cyfrwystra *m* craftiness.
cyfryngau *pl* media.
cyfryng·wr *m* (·wyr) mediator.
cyfryw *adj* such.
cyfuchlin *m* (·au) contour line.
cyfundeb *m* (·au) union.
cyfundrefn *f* (·au) system.
cyfundrefnu *v* to systemise.
cyfuniad *m* blend.
cyfuno *v* to combine.
cyfunrywiol *adj* homosexual.
cyfuwch *from* **uchel**.
cyf-weld *v* to interview.
cyfweliad *m* (·au) an interview.
cyfwerth *adj* equivalent.
cyfwng *m* (cyfyngau) interval.
cyfyd *from* **cyfodi; codi**.
cyfyng *adj* restricted.

cyfyngder *m* (·au) anguish.

cyfyngedig *adj* confined, limited.

cyfyng-gyngor *m* dilemma.

cyfyngu *v* to limit.

cyfyl *m* proximity.

cyfyrder *m* (cyfyrdyr) second cousin (male).

cyfyrdyres *m* (·au) second cousin (female).

cyfystyr *adj* synonymous.

cyfystyron *pl* synonyms.

cyff *m* (·ion) stock.

cyffaith *m* (cyffeithiau) preserve.

cyffeithio *v* to preserve.

cyffeithydd *m* (·ion) preservative.

cyffelyb *adj* like.

cyffelybiaeth *f* (·au) simile.

cyffelybu *v* to compare.

cyffes *f* (·ion) admission.

cyffesu *v* to confess.

cyffiniau *pl* borders.

cyffio *v* to stiffen.

cyffion *pl* stocks.

cyfflogiaid, cyfflogod *see* cyffylog.

cyffordd *f* (cyffyrdd) junction.

cyfforddus *adj* comfortable.

cyffredin *adj* common.

cyffredinedd *m* mediocrity.

cyffredinoli *v* to generalise.

cyffro *m* commotion.

cyffroi *v* to agitate.

cyffrous *adj* agitated.

cyffry *from* cyffroi.

cyffur *m* (·iau) drug.

cyffwrdd *v* to touch.

cyffylog *m/f* (cyfflogod, cyfflogiaid) woodcock.

cyffyrdd *see* cyffordd.

cyffyrddaf *from* cyffwrdd.

cyffyrddiad *m* (·au) touch.

cyffyrddus *adj* comfortable.

cynganeddion *see* cynghanedd.

cynganeddu *v* to write cynghanedd; to harmonise.

cyngerdd *m/f* (cyngherddau) concert.

cynghanedd *f* (cynganeddion) metrical verse form; harmony.

cynghorau *see* cyngor.

cynghori *v* to counsel.

cynghorion *see* cyngor.

cynghorwr, cynghorydd *m* (cynghorwyr) councillor.

cynghrair *m/f* (cynghreiriau) league.

cynghreiriad *m* (cynghreiriaid) ally.

cyngor *m* (cynghorion) counsel: (cynghorau) council.

cyngres *f* (·au) congress.

cyhoedd *m* the public.

cyhoeddi *v* to publish; to announce.

cyhoeddiad *m* (·au) publication; announcement.

cyhoeddus *adj* public.

cyhoeddusrwydd *m* publicity.

cyhoedd·wr *m* (·wyr) announcer.

cyhuddiad *m* (·au) accusation.

cyhuddo *v* to accuse.

cyhudd·wr *m* (·wyr) plaintiff.

cyhwfan *v* to flutter.

cyhyd, cyd *from* hir.

cyhydedd *m* equator.

cyhydnos *f* (·au) equinox.

cyhyr *m* (·au) muscle.

cyhyrog *adj* muscular.

cylch *m* (·oedd) circle.

cylchdaith *f* (cylchdeithiau) tour.

cylchdro *m* (·eon) rotation.

cylchdroi *v* to revolve.

cylched *f* (·au) circuit.

cylchedd *m* circumference.

cylch·fa *f* (·faoedd, ·fâu) zone.

cylchfan *m* (·nau) roundabout.

cylchgrawn *m* (cylchgronau) magazine.

cylchlythyr *m* (·on) circular.

cylchredeg *v* to circulate.

cylchrediad *m* circulation.

cylchynu *v* to surround.

cyll *see* collen.

cylla *m* stomach.

cyllell *f* (cyllyll) knife.

cyllid *m* income.

cyllideb *f* (·au) budget.

cyllidol *adj* financial.

cyllyll *see* **cyllell**.

cymaint *from* **mawr**.

cymal *m* (·au) joint; clause.

cymanfa *f* (·oedd) assembly.

cymanwlad *f* commonwealth.

cymar *m/f* (**cymheiriaid**) companion.

cymarebau *see* **cymhareb**.

cymariaethau *see* **cymhariaeth**.

cymathiad *m* assimilation.

cymathu *v* to assimilate.

cymdeithas *f* (·au) society.

cymdeithaseg *f* sociology.

cymdeithasol *adj* social.

cymdeithasu *v* to socialise.

cymdeithion *see* **cydymaith**.

cymdogaeth *f* (·au) neighbourhood.

cymdoges *f* (female) neighbour.

cymdogion *see* **cymydog**.

cymdogol *adj* neighbourly.

cymedrol *adj* moderate.

cymedroldeb *m* moderation.

cymedroli *v* to moderate.

cymell *v* to urge.

cymelliadau *see* **cymhelliad**.

cymen *adj* neat.

cymer *from* **cymryd**.

cymeradwy *adj* approved.

cymeradwyaeth *f* approval; applause.

cymeradwyo *v* to approve.

cymeriad *m* (·au) character.

cymesur *adj* symmetrical.

cymesuredd *m* symmetry.

cymhareb *f* (**cymarebau**) ratio.

cymhariaeth *f* (**cymariaethau**) comparison.

cymharol *adj* comparative.

cymharu *v* to compare.

cymheiriaid *see* **cymar**.

cymhell(af) *from* **cymell**.

cymhell·iad *m* (·ion, **cymelliadau**) incentive.

cymhenned *from* **cymen**.

cymhennu *v* to tidy.

cymhleth *adj* complicated. • *f* complex.

cymhlethdod *m* (·au) complexity.

cymhlethu *v* to complicate.

cymhorthdal *m* (**cymorthdaliadau**) subsidy.

cymhorthion *see* **cymorth**.

cymhwysed *from* **cymwys**.

cymhwysiad *m* adaptation.

cymhwyso *v* to adapt.

cymhwysol *adj* applied.

cymhwyster *m* (**cymwysterau**) suitability.

cymod *m* reconciliation.

cymodi *v* to reconcile.

cymodlon, cymodol *adj* conciliatory.

cymoedd *see* **cwm**.

cymoni *v* to tidy.

cymorth *m* (**cymhorthion**) aid.

cymorthdaliadau *see* **cymhorthdal**.

Cymraeg *f* Welsh (language).

Cymraes *f* (**Cymraësau**) Welshwoman.

cymrawd *m* (**cymrodyr**) fellow.

Cymreig *adj* Welsh.

Cymro *m* (**Cymry**) Welshman.

cymrodedd *m* arbitration.

cymrodeddu *v* to arbitrate.

cymrodoriaeth *f* fellowship.

cymrodyr *see* **cymrawd**.

Cymry *see* **Cymro**.

cymryd *v* to take.

cymudo *v* to commute.

cymud·wr *m* (·wyr) commuter.

cymun, cymundeb *m* communion.

cymuned *f* (·au) community.

cymunedol *adj* community.

cymwynas *f* (·au) favour.

cymwynasgar *adj* obliging.

cymwynasgarwch *m* benevolence.

cymwys *adj* suitable.

cymwysterau *see* **cymhwyster**.

cymydau *see* **cwmwd**.

cymydog *m* (**cymdogion**) neighbour.

cymylau *see* **cwmwl**.
cymylog *adj* cloudy.
cymylu *v* to cloud over.
cymynnu *v* to bequeath.
cymynrodd *f* (**·ion**) bequest.
cymynu *v* to hew.
cymyn·wr *m* (**·wyr**) woodcutter.
cymysg *adj* mixed.
cymysgedd *m/f* mixture.
cymysgfa *f* mixture.
cymysglyd *adj* muddled.
cymysgryw *adj* hybrid, mongrel.
cymysgu *v* to mix.
cymysgwch *m* mixture.
cyn *prep* before. • *adv* as, so.
cŷn *m* (**cynion**) chisel.
cynadledda *v* to attend conferences.
cynadleddau *see* **cynhadledd**.
cynaeafau *see* **cynhaeaf**.
cynaeafu *v* to harvest.
cynaniad *m* (**·au**) pronunciation.
cynanu *v* to pronounce.
cyndeidiau *pl* forefathers.
cynderfynol *adj* semi-final.
cyndyn *adj* stubborn.
cyndynrwydd *m* obstinacy.
cynddaredd *f* rage; rabies.
cynddeiriog *adj* rabid.
cynddeiriogi *v* to infuriate.
cynddelw *f* (**·au**) blueprint.
cynddrwg *from* **drwg**.
cyneddfau *see* **cynneddf**.
cynefin *adj* familiar. • *m* (**·oedd**) habitat.
cynefino *v* to become familiar with.
cyneu(af) *from* **cynnau**.
cynfrodorion *pl* aborigines.
cynfrodorol *adj* aboriginal.
cynfyd *m* antiquity.
cynffon *f* (**·nau**) tail.
cynffonna *v* to fawn.
cynffonnog *adj* tailed.
cynfon·nwr *m* (**·wyr**) sycophant.
cynhadledd *f* (**cynadleddau**) conference.

cynhaeaf *m* (**cynaeafau**) harvest.
cynhaliaeth *f* maintenance.
cynhal(iaf) *from* **cynnal**.
cynhal·iwr *m* (**·wyr**) supporter.
cynhanesyddol *adj* prehistoric.
cynhared *from* **cynnar**.
cynhebrwng *m* funeral.
cynheil·iad *m* (**·iaid**) supporter.
cynhel(iais) *from* **cynnal**.
cynhengar *adj* contentious.
cynhenid *adj* innate.
cynhenna, cynhennu *v* to quarrel.
cynhennau *see* **cynnen**.
cynhennus *adj* cantankerous.
cynhesed *from* **cynnes**.
cynhesrwydd *m* warmth.
cynhesu *v* to warm.
cynhorthwy *m* (**cynorthwyon**) aid.
cynhwys(af) *from* **cynnwys**.
cynhwysfawr *adj* comprehensive.
cynhwysiad *m* content.
cynhwysion *pl* contents.
cynhwysydd *m* (**cynwysyddion**) container.
cynhyrchiad *m* (**cynyrchiadau**) production.
cynhyrchiol *adj* productive.
cynhyrchion *see* **cynnyrch**.
cynhyrchu *v* to produce.
cynhyrch·ydd *m* (**·wyr, cynyrchyddion**) producer.
cynhyrfau *see* **cynnwrf**.
cynhyrfiad *m* (**cynyrfiadau**) a stirring.
cynhyrfu *v* to excite.
cynhyrfus *adj* stirring.
cynhyrf·wr *m* (**·wyr**) agitator.
cyni *m* hardship.
cynifer *adj* as many.
cyniferydd *m* quotient.
cynigiad *m* (**·au**) proposal.
cynig(iaf) *from* **cynnig**.
cynigion *see* **cynnig**.
cynigydd *m* (**cynigwyr**) proposer.
cynildeb, cynilder *m* thrift.
cyniled *from* **cynnil**.

cynilion *pl* savings.
cynilo *v* to save.
cyniwair, cyniweirio *v* to gather.
cynllun *m* (·iau) plan.
cynllunio *v* to plan, to design.
cynllunydd *m* (cynllunwyr) planner.
cynllwyn *m* (·ion) intrigue.
cynllwynio, cynllwyno *v* to conspire.
cynllwyn·iwr *m* (·wyr) conspirator.
cynnal *v* to support.
cynnar *adj* early.
cynnau *v* to light.
cynneddf *f* (cyneddfau) faculty.
cynnen *f* (cynhennau) contention.
cynnes *adj* warm.
cynnig *m* (cynigion) offer. • *v* to offer.
cynnil *adj* frugal.
cynnud *m* firewood.
cynnull *v* to gather together.
cynnwrf *m* (cynhyrfau) commotion.
cynnwys *m* (cynhwysion) content.
 • *v* to include.
cynnydd *m* increase.
cynnyrch *m* (cynhyrchion) produce.
cynoesol *adj* primeval.
cynorthwyo *v* to assist.
cynorthwyol *adj* assistant.
cynorthwyon *see* cynhorthwy.
cynorthwywr, cynorthwyydd *m* (cynorthwywyr) assistant.
cynradd *adj* primary.
cynrychioladol *adj* representative.
cynrychiolaeth *f* representation.
cynrychioli *v* to represent.
cynrychiolydd, cynrychiolwr *m* (cynrychiolwyr) representative.
cynrhonllyd *adj* maggot-ridden.
cynrhonyn *m* (cynrhon) maggot.
cynsail *f* (cynseiliau) precedent.
cynt *from* cynnar; cyflym. • *adv* formerly.
cyntaf *adj* first.
cyntaf-anedig *adj* first-born.
cynted *from* cynnar.
cyntedd *m* (·au) porch.

cyntefig *adj* primitive.
cyntun *m* nap.
cynullaf *from* cynnull.
cynulleidfa *f* (·oedd) audience.
cynulleidfaol *adj* congregational.
cynulliad *m* a gathering.
cynullydd *m* (cynullwyr) convenor.
cynwysedig *adj* inclusive.
cynwysyddion *see* cynhwysydd.
cynyddol *adj* increasing.
cynyddu *v* to increase.
cynyrchiadau *see* cynhyrchiad.
cynyrchyddion *see* cynhyrchydd.
cynyrfiadau *see* cynhyrfiad.
cynysgaeddu *v* to endow.
cyplad *m* copula.
cyplau *see* cwpl, cwpwl.
cyplysnod *m* (·au) hyphen.
cyplysu *v* to link.
cypreswydden *f* (cypreswydd) cypress tree.
cypyrddaid *m* (cypyrddeidiau) cupboardful.
cypyrddau *see* cwpwrdd.
cyraeddiadau *see* cyrhaeddiad.
cyrbibion *pl* smithereens.
cyrcs *see* corcyn.
cyrcydau *see* cwrcwd.
cyrcydu *v* to squat.
cyrch *m* (·oedd) attack.
cyrch·fa *f* (·feydd) rendezvous.
cyrchfan *m/f* (·nau) resort; rendezvous.
cyrchu *v* to attack.
cyrd *see* cordyn.
cyrddau *see* cwrdd.
cyrff *see* corff.
cyrhaedd(af) *from* cyrraedd.
cyrhaeddiad *m* (cyraeddiadau) reach.
cyrïau *see* cyrri.
cyrion *see* cwr.
cyrlen *f* (cyrls) a curl.
cyrliog *adj* curly.
cyrn *see* corn.
cyrraedd *v* to reach.

cyrrau *see* **cwr**.
cyrri *m* (**cyrïau**) curry.
cyrs *see* **corsen**.
cyrsiau *see* **cwrs**.
cyrt *see* **cordyn**.
cyrtiau *see* **cwrt**.
cyrydu *v* to erode.
cyryglau *see* **cwrwg**.
cysáct *adj* exact.
cysawd *m* (**cysodau**) system.
cysefin *adj* native.
cysegr *m* (·**au**) holy place.
cysegredig *adj* sacred.
cysegriad *m* consecration.
cysegru *v* to consecrate.
cyseinedd *m* alliteration.
cysetlyd *adj* finicky.
cysgadur *m* (·**iaid**) sleeper.
cysgau *see* **cwsg**.
cysglyd *adj* drowsy.
cysgod *m* (·**ion**) shadow.
cysgodi *v* to shelter.
cysgodol *adj* sheltered.
cysgu *v* to sleep.
cysg·wr *m* (·**wyr**) sleeper.
cysodau *see* **cysawd**.
cysodi *v* to set type.
cysodydd *m* compositor.
cyson *adj* regular.
cysondeb *m* consistency.
cysoni *v* to reconcile.
cystadleuaeth *f* (**cystadlaethau**) competition.
cystadleuol *adj* competitive.
cystadleu·wr, cystadleu·ydd *m* (·**wyr**) competitor.
cystadlu *v* to compete.
cystal *adj* as good as.
cystrawen *f* (·**nau**) syntax.
cystudd *m* (·**iau**) affliction.
cystuddio *v* to afflict.
cystwyo *v* to chastise.
cysur *m* (·**on**) consolation.
cysuro *v* to comfort.
cysurus *adj* comfortable.

cysur·wr *m* (·**wyr**) comforter.
cyswllt *m* (**cysylltau, cysylltiadau**) connection.
cysylltair *m* (**cysyllteiriau**) conjunction.
cysylltiad *m* (·**au**) connection.
cysylltiedig *adj* connected.
cysylltiol *adj* connecting.
cysylltnod *m* (·**au**) hyphen.
cysylltu *v* to join.
cysylltydd *m* (·**ion**) contact.
cysyniad *m* (·**au**) concept.
cytbell *adj* equidistant.
cytbwys *adj* balanced.
cytbwysedd *m* balance.
cytew *m* batter.
cytgan *m/f* (·**au**) chorus.
cytgord *m* (·**iau**) concord.
cytiau *see* **cwt**.
cytir *m* common land.
cytsain *f* (**cytseiniaid**) consonant.
cytser *m* (·**au**) constellation.
cytûn *adj* in agreement.
cytundeb *m* (·**au**) agreement.
cytuno *v* to agree.
cythlwng *m* hunger.
cythraul *m* (**cythreuliaid**) fiend.
cythreulig *adj* diabolical.
cythru *v* to rush.
cythruddo *v* to annoy.
cythrwfl *m* commotion.
cythryblus *adj* turbulent.
cyw *m* (·**ion**) chick.
cywain *v* to garner.
cywair *m* (**cyweiriau**) key.
cywaith *m* (**cyweithiau**) project.
cywarchen *f* (**cywarch**) hemp.
cywasgiad *m* compression.
cywasgu *v* to compress.
cywasgydd *m* (·**ion**) compressor.
cywein(iaf) *from* **cywain**.
cyweiriau *see* **cywair**.
cyweirio *v* to repair; to tune.
cyweirnod *m* key signature.
cyweithiau *see* **cywaith**.
cywen *f* (·**nod, cwennod**) pullet.

cywilydd *m* shame.
cywilyddio *v* to shame.
cywilyddus *adj* shameful.
cywir *adj* correct.
cywirdeb *m* accuracy.
cywiriad *m* (·au) correction.
cywiro *v* to correct.

cywir·wr *m* (·wyr) corrector.
cywrain *adj* adroit.
cywreinrwydd *m* skill.
cywydd *m* (·au) Welsh strict-metre poem.
cywydd·wr *m* (·wyr) composer of a cywydd.

Ch

chwa *f* (·on) gust.
chw·aer *f* (·iorydd) sister.
chwaeth *f* (·au, ·oedd) taste.
chwaethach *adv* let alone.
chwaethus *adj* tasteful.
chwain *see* chwannen.
chwaith, ychwaith *adv* either, neither.
chwâl *adj* scattered.
chwal·fa *f* (·feydd) (a) scattering.
chwalu *v* to scatter.
chwannen *f* (chwain) flea.
chwannog *adj* inclined to.
chwant *m* (·au) appetite.
chwap *adj* at once.
chwarae *v* to play. • *m* (·on) game.
chwarae·wr *m* (·wyr) player.
chwardd *from* chwerthin.
chwarddiad *m* laugh.
chwarel *m/f* (·i) quarry.
chwarel·wr *m* (·wyr) quarryman.
chwarennau *see* chwarren.
chwareus *adj* playful.
chwar·ren *f* (·ennau) gland.
chwart *m* (·(i)au) quart.
chwarter *m* (·i) quarter.
chwe, chwech *num* six.
chweched *adj* sixth.
chwedl *f* (·au) tale.
chwedleua *v* to gossip.
chwedloniaeth *f* mythology.
chwedlonol *adj* legendary.
chwedyn *adv* after: na chynt na chwedyn neither before nor since.
Chwefror *m* February.

chwegr *f* (·au) mother-in-law.
chwegr·wn *m* (·ynau, ·yniaid) father-in-law.
chweinllyd *adj* flea-ridden.
chwel(ais) *from* chwalu.
chwennych *v* to covet.
chwerdd(ais) *from* chwerthin.
chwerf·an *f* (·ain) pulley.
chwerthin *v* to laugh.
chwerthiniad *m* (·au) a laugh.
chwerthinllyd *adj* laughable.
chwerw *adj* bitter.
chwerwder, chwerwdod, chwerwedd *m* bitterness.
chwerwi *v* to embitter.
chwery *from* chwarae.
chwîb *f* whistle.
chwiban *m/f* (·au) whistle.
chwibaniad *m* whistle.
chwibanogl *f* (·au) flute.
chwibanu *v* to whistle.
chwifio *v* to wave.
chwil *adj* reeling.
chwilboeth *adj* red-hot.
chwil·en *f* (·od) beetle.
chwiler *m* (·od) chrysalis, pupa.
chwilfriw *adj* shattered.
chwilfrydedd *m* curiosity.
chwilfrydig *adj* inquisitive.
chwilio *v* to search.
chwil·iwr *m* (·wyr) seeker.
chwilmanta, chwilmantan, chwilmentan *v* to rummage.
chwil·olau *m* (·oleuadau) searchlight.

chwilota *v* to rummage.
chwilot·wr *m* (·wyr) searcher.
chwim *adj* swift.
chwimder, chwimdra *m* nimbleness.
chwimwth *adj* nimble.
chwinciad *m* twinkling.
chwiorydd *from* chwaer.
chwip *f* (·iau) whip.
chwipio *v* to whip.
chwirligwgan, chwrligwgan, chwyr-ligwgan *m* whirligig.
chwistrell *f* (·au, ·i) syringe.
chwistrelliad *m* injection.
chwistrellu *v* to squirt; to inject.
chwit-chwat *adj* fickle.
chwith *adj* left.
chwithau *pron* you.
chwithdod *m* strangeness.
chwithig *adj* strange, awkward.
chwiw *f* (·iau) whim.
chwychwi *pron* you yourselves.
chwydu *v* to vomit.
chwydd, chwyddi *m* a swelling.
chwyddedig *adj* bloated.
chwyddhau *v* to magnify.
chwyddiant *m* inflation.
chwyddo *v* to swell.

chwyddwydr *m* (·au) magnifying glass.
chwyldro, chwyldroad *m* (·(ad)au) revolution.
chwyldroadol *adj* revolutionary.
chwyldroad·wr *m* (·wyr) revolutionary.
chwyldroi *v* to revolve.
chwylolwyn *f* (·ion) fly-wheel.
chwyn *see* chwynnyn.
chwŷn *from* cwyno.
chwynleidd·iad *m* (·iaid) weed-killer.
chwynnu *v* to weed.
chwynnyn *m* (chwyn) weed.
chwyrlïo *v* to whirl.
chwyrlïydd *m* whisk.
chwyrn *adj* vigorous.
chwyrnellu *v* to whirl.
chwyrnu *v* to snore.
chwys *m* perspiration.
chwysfa *f* muck sweat.
chwysig·en *f* (·od) blister.
chwyslyd *adj* sweaty.
chwysu *v* to sweat.
chwyth *m* breath.
chwythbrennau *pl* woodwind (instruments).
chwythu *v* to blow.
chwyth·wr *m* (·wyr) blower.

D

da *adj* good. • *m* cattle.
dacw *adv* there.
da-da *pl* sweets.
dadansoddi *v* to analyse.
dadansoddiad *m* (·au) analysis.
dadansoddol *adj* analytical.
dadbacio *v* to unpack.
dadebru *v* to revive.
dadelfennu *v* to decompose.
dadeni *m* renaissance.
dadfeilio *v* to decay.
dadflino *v* to revive.
dadfygio *v* to debug.
dadhydradedd *m* dehydration.

dadl *f* (·euon) argument.
dadlaith *v* to thaw.
dadlau *v* to argue.
dadlennol *adj* revealing.
dadlennu *v* to disclose.
dadleuol *adj* controversial.
dadleuon *see* dadl.
dadleu·wr *m* (·wyr) debater.
dadlwytho *v* to unload.
dadlygru *v* to decontaminate.
dadmer *v* to thaw.
dadorchuddio *v* to unveil.
dadrithiad *m* disillusionment.
dadrithio *v* to disillusion.

dadwisgo *v* to undress.
dad-wneud, dadwneuthur *v* to undo.
dadwrdd *m* tumult.
dadwreiddio *v* to uproot.
daear *f* (·oedd) earth.
daeareg *f* geology.
daearegol *adj* geological.
daeareg·ydd *m* (·wyr) geologist.
daear·gi *m* (·gwn) terrier.
daeargryn *m/f* (·fâu, ·feydd) earth-quake.
daearol *adj* earthly.
daearu *v* to earth.
daearyddiaeth *f* geography.
daearyddol *adj* geographical.
daeth *from* dod.
dafad *f* (defaid) sheep; (·ennau) wart.
dafadennog *adj* wart-covered.
dafn *m* (·au, defni) drop.
dagrau *see* deigryn.
dagreuol *adj* tearful.
dail *see* deilen.
daioni *m* goodness.
daionus *adj* beneficial.
dal, dala *v* to catch.
dalen *f* (·nau) sheet (of paper).
dal·fa *f* (·feydd) a catch.
dalgylch *m* (·oedd) catchment.
daliad *m* (·au) opinion.
dal·iwr *m* (·wyr) catcher.
dall *adj* blind.
dallineb *m* blindness.
dallu *v* to blind.
damcaniaeth *f* (·au) hypothesis.
damcaniaethol *adj* hypothetical.
damcaniaethu *v* to speculate.
dam·eg *f* (·hegion) parable.
damhegol *adj* allegorical.
damnedigaeth *f* damnation.
damnio *v* to curse.
damniol *adj* damning.
damsang *v* to trample.
dam·wain *f* (·weiniau) accident.
damweiniol *adj* accidental.
dan *prep* under.

danadl, dynad *see* danhadlen.
danas *m/f* fallow deer.
dandwn *v* to pamper.
danfon *v* to send.
dangos *v* to show.
danhadlen *f* (danadl, dynad) nettles.
danheddog *adj* serrated.
dannedd *see* dant.
dannod *v* to reproach.
dannoedd, dannodd *f* toothache.
danodd *adv* below.
dan·t *m* (·nedd) tooth.
dant·aith *m* (·eithion) delicacy.
danteithiol *adj* delicious.
darbodus *adj* prudent.
darbwyllo *v* to persuade.
darfod *v* to cease; to happen.
darfodedig *adj* transient.
darfodedigaeth *m/f* consumption.
darfudiad *m* convection.
darganfod *v* to discover.
darganfyddiad *m* (·au) discovery.
darganfydd·wr *m* (·wyr) discoverer.
dargludiad *m* conduction.
dargludo *v* to conduct.
dargludydd *m* (·ion) conductor.
dargopïo *v* to trace.
dargyfeiriad *m* (·au) diversion.
dargyfeirio *v* to divert; to diversify.
darlith *f* (·iau, ·oedd) lecture.
darlithio *v* to lecture.
darlith·ydd *m* (·wyr) lecturer.
darlun *m* (·iau) picture.
darluniadol *adj* illustrated.
darlunio *v* to illustrate.
darllediad *m* (·au) broadcast.
darlledu *v* to broadcast.
darlled·wr *m* (·wyr): darlled·wraig *f* broadcaster.
darllen *v* to read.
darllengar *adj* fond of reading.
darllenadwy *adj* legible; readable.
darllen·wr, darllenydd *m* (·wyr, ·ion) reader.
darn *m* (·au) part.

darnio *v* to break up.
darn-ladd *v* to thrash.
darogan *v* to predict.
darostwng *v* to subjugate.
darostyngedig *adj* subjugated.
darpar *adj* prospective.
darpariaeth *f* (·au) preparation.
darparu *v* to prepare.
darpar·wr *m* (·wyr) provider.
darseinydd *m* (·ion) loudspeaker.
daru *from* **darfod**.
darwden *f* ringworm.
datblygiad *m* (·au) development.
datblygu *v* to develop.
datblyg·ydd *m* (·wyr) developer.
datgan *v* to declare, to state.
datganiad *m* (·au) statement.
datganoli *v* to decentralise.
datgein·iad *m* (·iaid) narrator.
datgelu *v* to reveal.
datgloi *v* to unlock.
datglymu *v* to undo.
datod *v* to untie.
datrys *v* to solve.
datrysiad *m* (·au) solution.
datwm *m* (**data**) datum.
datysen *f* (**datys**) date.
dathliad *m* (·au) celebration.
dathlu *v* to celebrate.
dau *num* (**deuoedd**) two.
dauddyblyg *adj* twofold.
daufiniog *adj* double-edged.
dauwynebog *adj* hypocritical.
daw *from* **dod**.
dawn *m/f* (**doniau**) ability.
dawns *f* (·iau, ·feydd) dance.
dawns·iwr *m* (·wyr) dancer.
dawnus *adj* gifted.
dawr as in **ni'm dawr; nis dawr** to be of interest.
de, deau *m* (the) South. • *adj* southern.
de *f* (the) right. • *adj* right.
deall *v* to understand. • *m* intellect.
dealladwy *adj* intelligible.

dealledig *adj* implicit.
dealltwriaeth *f* understanding.
deallus *adj* intelligent.
deallusion *pl* intelligentsia.
deallusrwydd *m* intelligence.
deau *see* **de**.
dechrau *v* to start. • *m* a start.
dechreuad *m* start.
dechreuol *adj* initial.
dechreu·wr *m* (·wyr) beginner.
dedfryd *f* (·au) verdict, sentence.
dedfrydu *v* to sentence.
dedwydd *adj* blissful.
dedwyddwch *m* bliss.
deddf *f* (·au) law; act.
deddfol *adj* legalistic.
deddfu *v* to legislate.
deddfwriaeth *f* legislation.
de-ddwyrain *adj* southeast.
deellir *from* **deall**.
defaid *see* **dafad**.
defni *see* **dafn**.
defnydd *m* (·iau) material.
defnyddio *v* to use.
defnyddiol *adj* useful.
defnyddioldeb *m* usefulness.
defnydd·iwr *m* (·wyr) user, consumer.
defnyn *m* (·nau, **dafnau**) drop.
defod *f* (·au) rite.
deffro *v* to wake.
deffroad *m* (·au) awakening.
deg, deng *num* (·au) ten.
degawd *m* (·au) decade.
degfed *adj* tenth.
degol *adj* decimal.
degol·yn *m* (·ion) a decimal.
deg·wm *m* (·ymau) tithe.
dengwaith *adv* ten times.
deheubarth *m* southern part.
deheuig *adj* adroit.
deheulaw *f* right hand.
deheuol *adj* southern.
deheurwydd *m* dexterity.
deheu·wr *m* (·wyr) Southerner.
dehongli *v* to interpret.

dehongliad *m* (**deongliadau**) interpretation.

deifio *v* to scorch.

deifiol *adj* withering.

deigryn *m* (**dagrau**) tear.

deil *from* **dal**.

deilen *f* (**dail**) leaf.

deilgoll *adj* deciduous.

deil·iad *m* (**·iaid**) tenant.

deilio *v* to sprout.

deiliog *adj* leafy.

deillio *v* to stem from.

deillion *pl* the blind.

deintio *v* to set one's teeth in.

deintydd *m* (**·ion**) dentist.

deintyddol *adj* dental.

deiseb *f* (**·au**) petition.

deisyf, deisyfu *v* to implore.

deisyfiad *m* (**·au**) entreaty.

del *adj* pretty.

dêl, del(o) *from* **dod**.

delfryd *m*/*f* (**·au**) ideal.

delfrydol *adj* ideal.

delfryd·wr *m* (**·wyr**) idealist.

deli *from* **dal**.

delio *v* to deal.

delw *f* (**·au**) statue, idol.

delwedd *f* (**·au**) image.

delweddu *v* to symbolise.

dellni *m* blindness.

dellten *f* (**dellt**) lath.

denfyn *from* **danfon**.

dengar *adj* attractive.

dengys *from* **dangos**.

deniadol *adj* attractive.

denu *v* to attract.

D. Enw *abb* A. N. Other.

deongliadau *see* **dehongliad**.

deon *m* (**·iaid**) dean.

deor, deori *v* to hatch.

deor·fa *f* (**·fâu, ·feydd**) hatchery.

de-orllewin *m* southwest.

deorydd *m* (**·ion**) incubator.

derbyn *v* to receive.

derbyniad *m* (**·au**) reception.

derbyniadwy *adj* admissible.

derbyniol *adj* acceptable.

derbynneb *f* (**derbynebau**) receipt.

derbynnydd *m* receiver.

dere *from* **dod**.

der(fydd) *from* **darfod**.

derw *adj* oaken. • *pl* oaks.

derwen *f* (**deri, derw**) oak tree.

derwreinyn *m*/*f* (**derwraint**) ringworm.

derwydd *m* (**·on**) druid.

deryn *see* **aderyn**.

destlus *adj* neat.

detrys *from* **datrys**.

detyd *from* **datod**.

dethau *adj* adroit.

dethol *adj* select. • *v* to select.

detholiad *m* (**·au**) selection.

deu(af) *from* **dod**.

deuaidd *adj* binary.

deuawd *m*/*f* (**·au**) duet.

deublyg *adj* twofold.

deuddeg, deuddeng *num* twelve.

deuddyn *m* couple.

deufin *adj* double-edged.

deufisol *adj* bi-monthly.

deugain *num* forty.

deunaw *num* eighteen.

deuoedd *see* **dau**.

deuol *adj* dual.

deuoliaeth *f* dualism.

deuparth *m* two-thirds.

deupen *m* two ends.

deurudd *m* the cheeks.

deusain *m* dipthong.

deuwch, dewch *from* **dod**.

dewin *m* (**·iaid**) wizard.

dewiniaeth *f* sorcery, wizardry.

dewinio *v* to divine.

dewis *v* to choose. • *m* (**·iadau**) choice.

dewis·iwr *m* (**·wyr**) selector.

dewisol *adj* select.

dewr *adj* brave.

dewrder *m* courage.

dewrion *pl* braves.

diacen *adj* unaccented.

diacon *m* (·**iaid**) deacon.
diachos *adj* needless.
diadell *f* (·**au**, ·**oedd**) flock.
diaddurn *adj* unadorned.
diafol *m* demon, devil.
diangen *adj* unnecessary.
diangfâu *see* **dihangfa**.
dianghenraid *adj* inessential.
di-ail *adj* incomparable.
diail *from* **dial**.
diainc *from* **dianc**.
dial *v* to avenge.
dialedd *m* vengeance.
dialgar *adj* vengeful.
di-alw-amdano *adj* uncalled-for.
dial·ydd *m* (·**wyr**) avenger.
diamau *adj* doubtless.
diamcan *adj* aimless.
diamheuol *adj* undeniable.
diamodol *adj* unconditional.
diamwys *adj* unambiguous.
diamynedd *adj* impatient.
dianaf *adj* uninjured.
dianc *v* to escape.
diarddel *v* to expel.
diarddeliad *m* expulsion.
diarfogi *v* to disarm.
diarffordd *adj* inaccessible.
diarhebion *see* **dihareb**.
diarhebol *adj* proverbial.
diaroglydd *m* (·**ion**) deodorant.
diarwybod *adj* unexpected.
diasbedain *v* to reverberate.
di-asgwrn-cefn *adj* invertebrate.
diatreg *adj* immediate.
diau *adj* certain.
diawl *m* (·**iaid**) devil.
diawledig *adj* diabolical.
diawlineb *m* devilment.
diawlio *v* to curse.
di-baid *adj* ceaseless.
di-ball *adj* unfailing.
diben *m* (·**ion**) purpose.
di-ben-draw *adj* interminable.
dibennu *v* to conclude.

diberfeddu *v* to disembowel.
dibetrus *adj* assured.
diboblogi *v* to depopulate.
dibriod *adj* unmarried.
dibris *adj* reckless.
dibrisio *v* to belittle.
dibrofiad *adj* inexperienced.
dibyn *m* precipice.
dibynadwy *adj* dependable.
dibynnol *adj* dependent.
dibynnu *v* to depend.
diced *from* **dig**.
dicllon *adj* wrathful.
dicter *m* wrath.
dichell *m* (·**ion**) guile.
dichellgar *adj* sly.
dichon *adv* perhaps.
di-chwaeth *adj* tasteless.
did *m* (·**au**) bit.
di-dâl *adj* unpaid.
didaro *adj* nonchalant.
di-daw *adj* ceaseless.
dideimlad *adj* numb.
diden *f* (·**nau**) teat.
diderfyn *adj* infinite.
didoli *v* to separate.
didolnod *m* diaeresis.
di-dor *adj* uninterrupted.
didoreth *adj* fickle.
didoriad *adj* unbroken.
didostur *adj* relentless.
didrafferth *adj* trouble-free.
di-drai *adj* unceasing.
didraidd *adj* opaque.
di-drais *adj* non-violent.
di-droi'n-ôl *adj* resolute.
didrugaredd *adj* merciless.
diduedd *adj* impartial.
didwyll *adj* sincere.
didwylledd *m* sincerity.
di-ddadl *adj* indisputable.
di-ddal *adj* fickle.
diddan *adj* amusing.
diddanu *v* to amuse.
diddanwch *m* entertainment.

diddan·wr *m* (·**wyr**) entertainer.
diddanydd *m* comforter.
di-ddawn *adj* untalented.
di-dderbyn-wyneb *adj* impartial.
diddig *adj* contended.
diddim *adj* useless.
diddordeb *m* (·**au**) interest.
diddori *v* to interest.
diddorol *adj* interesting.
diddos *adj* snug.
diddosrwydd *m* shelter.
diddrwg *adj* harmless.
di-ddweud *adj* taciturn.
diddyfnu *v* to wean.
diddymiad *m* dissolution.
diddymu *v* to abolish.
diedifar *adj* unrepentant.
dieflig *adj* diabolical.
diegwyddor *adj* unscrupulous.
dieisiau *adj* unnecessary.
dieithr *adj* strange.
dieithriad *adj* without exception.
dieithrio *v* to alienate.
dieithrwch *m* strangeness.
dieithr·yn *m* (·**iaid**) stranger.
dienaid *adj* heartless.
dienw *adj* anonymous.
dienyddiad *m* (·**au**) execution.
dienyddio *v* to execute.
dienydd·iwr *m* (·**wyr**) executioner.
dieuog *adj* innocent.
difa *v* to destroy.
difai, di-fai *adj* faultless.
difancoll *f* oblivion.
difaol *adj* ravaging.
difater *adj* apathetic.
difaterwch *m* apathy.
difeddwl *adj* thoughtless.
difeddwl-drwg *adj* unsuspecting.
di-fefl *adj* flawless.
di-feind *adj* heedless.
difenwi *v* to defame.
diferol *adj* dripping.
diferu *v* to drip.
difer·yn *m* (·**ion**, ·**ynnau**) drop.

difesur *adj* immeasurable.
di-feth *adj* unerring.
Difiau *m* Thursday.
diflanedig *adj* fleeting.
diflaniad *m* (·**au**) disappearance.
diflannu *v* to disappear.
diflas *adj* dull.
di-flas *adj* tasteless.
diflastod *m* unpleasantness.
diflasu *v* to bore.
diflewyn-ar-dafod *adj* plain-speaking.
diflino *adj* indefatigable.
difodi *v* to annihilate.
difodiad, difodiant *m* extermination.
difrawder *m* apathy.
difreinio *v* to disenfranchise.
difrif *adj* serious.
difrifol *adj* grave.
difrifoldeb, difrifwch *m* earnestness.
difrifoli *v* to become serious.
difrïo *v* to disparage.
difrïol *adj* derogatory.
difrod *m* devastation.
difrodi *v* to devastate.
difrycheulyd *adj* immaculate.
di-fudd *adj* useless.
di-fwlch *adj* continuous.
difwyniant *m* defilement.
difwyno, dwyno *v* to soil.
di-fydr *adj* metreless.
difyfyr *adj* impromptu.
difyr *adj* entertaining.
difyrion *pl* amusements.
difyrru *v* to entertain.
difyrrwch *m* entertainment.
difywyd *adj* inanimate.
di-ffael *adj* without fail.
diffaith *adj* desolate.
diffeithwch *m* wilderness.
differyn *m* (·**nau**) differential.
diffiniad *m* (·**au**) definition.
diffinio *v* to define.
diffodd *v* to turn off.
diffodd·wr tân *m* (·**wyr**) fireman.
diffoddydd *m* (·**ion**) extinguisher.

di-ffrind *adj* friendless.

di-ffrwt *adj* listless.

diffrwyth *adj* barren.

diffuant *adj* sincere.

diffuantrwydd *m* sincerity.

di-ffurf *adj* amorphous.

diffwdan *adj* without a fuss.

diffydd *from* **diffodd**.

diffyg *m* (·**ion**) deficiency.

diffygio *v* to lose heart.

diffygiol *adj* defective.

diffyn-nydd *m* (·**yddion**) defendant.

dig *adj* irate. • *m* indignation.

digalon *adj* disheartened.

digalondid *m* dejection.

digalonni *v* to lose heart.

digamsyniol *adj* unmistakable.

digartref *adj* homeless.

digid *m* (·**au**) digit.

digidol *adj* digital.

digio *v* to anger.

di-glem *adj* inept.

di-glod *adj* unpraised.

digofaint *m* wrath.

digolledu *v* to compensate.

digon *m* enough. • *adj* sufficient.

digonedd *m* plenty.

digoni *v* to satisfy; to cook.

digonol *adj* adequate.

digornio *v* to dehorn.

di-gosb *adj* unpunished.

digrif *adj* funny.

digriflun *m* (·**iau**) caricature.

digrifwch *m* mirth.

digrif-wr *m* (·**wyr**) comedian.

digroeso *adj* unwelcoming.

digwydd *v* to happen.

digwyddiad *m* (·**au**) occurrence.

di-gŵyn *adj* uncomplaining.

digydwybod *adj* callous.

digyfaddawd *adj* uncompromising.

digyfeiliant *adj* unaccompanied.

digyfnewid *adj* unchanging.

digyffelyb *adj* peerless.

digyffro *adj* imperturbable.

digymar *adj* unequalled.

digymell *adj* spontaneous.

di-Gymraeg *adj* non-Welsh-speaking.

digymysg *adj* unalloyed.

digyswllt *adj* disjointed.

digywilydd *adj* impudent.

digywilydd-dra *m* effrontery.

di-had *adj* seedless.

dihafal *adj* incomparable.

dihang(af) *from* **dianc**.

dihangfa *f* (**diangfâu**) escape.

dihangol *adj* escaped.

di-haint *adj* sterile.

dihalog *adj* pure.

dihareb *f* (**diarhebion**) proverb.

dihatru *v* to strip.

diheng(ir) *from* **dianc**.

diheintio *v* to disinfect.

diheintydd *m* (·**ion**) disinfectant.

dihenydd *m* death.

di-hid, dihidio *adj* heedless.

dihidlo *v* to distil.

dihiryn *m* (**dihirod**) scoundrel.

dihoeni *v* to languish.

di-hun, dihun *adj* awake.

dihuno *v* to awake.

di-hwyl *adj* out of sorts.

dihyder *adj* lacking confidence.

dihysbydd *adj* inexhaustible.

dihysbyddu *v* to exhaust.

di-ildio *adj* unyielding.

dil *m* (·**iau**) honeycomb.

dilead *m* (·**au**) deletion.

diledryw *adj* thoroughbred.

di-les *adj* of no benefit.

dilestair *adj* unhindered.

dileu *v* to delete.

dilewyrch *adj* lacklustre.

di-liw *adj* drab.

di-log *adj* interest-free.

di-lol *adj* unaffected.

dilorni *v* to revile.

dilornus *adj* abusive.

di-lun *adj* shapeless.

di-lwgr *adj* incorruptible.

dilychwin *adj* spotless.
dilyffethair *adj* unfettered.
dilyn *v* to follow.
dilyniad *m* pusuit.
dilynian·t *m* (**·nau**) sequence.
dilynol *adj* following.
dilyn·wr *m* (**·wyr**) follower.
dilys *adj* valid.
dilysnod *f* (**·au**) hallmark.
dilysrwydd *m* validity.
dilysu *v* to guarantee.
dilyw *m* flood.
dillad *see* **dilledyn.**
dilladu *v* to clothe.
dilledyn *m* (**dillad**) garment.
dim *m* anything; nothing; nought.
dim·ai *f* (**·eiau**) halfpenny.
dimensi·wn *m* (**·ynau**) dimension.
di-nam *adj* immaculate.
dinas *m* (**·oedd**) city.
dinasol, dinesig *adj* municipal, civic.
dinasyddiaeth *f* citizenship.
dinesydd *m* (**dinasyddion**) citizen.
dinistr *m* destruction.
dinistrio *v* to destroy.
dinistriol *adj* destructive.
dinistriwr *m* destroyer.
diniwed *adj* innocent.
diniweidrwydd *m* innocence.
diniweited *from* **diniwed.**
di-nod, dinod *adj* obscure.
dinodedd *m* insignificance.
dinoethi *v* to expose.
diod *f* (**·ydd**) drink.
dioddef *v* to suffer.
dioddefaint *m* suffering.
dioddefgar *adj* long-suffering.
dioddef·wr *m* (**·wyr**) sufferer.
di-oed, dioed *adj* immediate.
diofal *adj* careless.
diofalwch *m* carelessness.
di-ofn, diofn *adj* unafraid.
diog *adj* lazy.
diogel *adj* safe.
diogelu *v* to secure.

diogelwch *m* security.
diogi *m* laziness. • *m* to laze.
dioglyd *adj* lazy.
diogyn *m* shirker.
diolch *v* to thank. • *m* (**·iadau**) gratitude.
diolchgar *adj* grateful.
diolchgarwch *m* thanksgiving.
diolwg *adj* plain.
diorffwys *adj* restless.
diorseddu *v* to dethrone.
di-os *adj* undoubted.
diosg *v* to strip.
diota *v* to tipple.
diplomydd *m* (**·ion**) diplomat.
dir *adj* necessary.
diraddio *v* to degrade.
diraddiol *adj* degrading.
di-raen, diraen *adj* lacklustre.
diragfarn *adj* impartial.
dirdynnol *adj* excruciating.
dirdynnu *v* to torture.
direidi *m* mischievousness.
direidus *adj* mischievous.
direol *adj* disorderly.
direswm *adj* without reason.
dirfawr *adj* immense.
dirgel *adj* secret.
dirgel·wch *m* (**·ion**) mystery.
dirgryniad *m* (**·au**) tremor.
dirgrynu *v* to vibrate.
diriaethol *adj* concrete.
diriaid *adj* wicked.
di-rif, dirifedi *adj* innumerable.
dirlawn *adj* saturated.
dirmyg *m* contempt.
dirmygedig *adj* despised.
dirmygu *v* to despise.
dirmygus, dirmygol *adj* contemptible.
dirnad *v* to understand.
dirnadaeth *f* understanding.
dirprwy *m* (**·on**) deputy.
dirprwyaeth *f* (**·au**) deputation.
dirprwyo *v* to deputise.
dirwasgiad *m* (**·au**) depression.
dirwest *m/f* temperance.

dirwgnach *adj* uncomplaining.

dirwy *f* (·**on**) fine.

dirwyn *v* to wind.

dirwyo *v* to fine.

di-rwystr *adj* unhindered.

di-rym, dirym *adj* powerless.

dirymu *v* to nullify.

diryw *adj* neuter.

dirywiad *m* deterioration.

dirywio *v* to deteriorate.

di-sail *adj* unfounded.

disbaddu *v* to castrate.

disberod *m*: **ar ddisberod** astray.

disbyddu *v* to exhaust, to empty.

diserch *adj* unendearing.

disglair *adj* bright.

disgled *m* a cup of.

disgleirdeb *m* brilliance.

disgleirio *v* to shine.

disgrifiad *m* (·**au**) description.

disgrifiadol *adj* descriptive.

disgrifio *v* to describe.

disgwyl *v* to expect.

disgwylgar *adj* expectant.

disgwyliedig *adj* anticipated.

disgybl *m* (·**ion**) pupil; disciple.

disgyblaeth *f* discipline.

disgybledig *adj* disciplined.

disgyblu *v* to discipline.

disgyn *v* to descend.

disgyniad *m* descent.

disgynnol *adj* descending.

disgynnydd *m* (**disgynyddion**) descendant.

disgyrchiant *m* gravity.

di-sigl *adj* steadfast.

disodli *v* to supplant.

di-sôn-amdan(o/i) *adj* insignificant.

dist *m* (·**iau**) rafter.

distadl *adj* insignificant.

di-staen *adj* unstained.

distaw *adj* quiet.

distaw(af) *from* **distewi**.

distawrwydd *m* silence.

distewi *v* to silence.

distryw *m* destruction.

distrywgar, distrywiol *adj* destructive.

distrywio *v* to destroy.

di-stŵr *adj* without fuss.

distyll *m* ebb.

distylliad *m* distillation.

distyllu *v* to distil.

di-sut *adj* inept.

diswta *adj* abrupt.

diswyddiad *m* (·**au**) dismissal.

diswyddo *v* to dismiss.

di-swyn *adj* unenchanting.

disychedu *v* to quench.

di-syfl *adj* steadfast.

disyfyd *adj* sudden.

di-sylw *adj* inattentive.

disylw *adj* unobserved.

disymwth *adj* abrupt.

disynnwyr *adj* senseless.

diurddas *adj* undignified.

diwaelod *adj* bottomless.

diwahân *adj* indiscriminate.

diwahardd, di-wardd *adj* unruly.

diwair *adj* uncorrupted.

di-waith *adj* unemployed.

diwallu *v* to satisfy.

diwarafun *adj* unstinting.

di-wardd *adj* unruly.

diwasgedd *m* (·**au**) depression (weather).

di-wast *adj* sparing.

diwedydd, diwetydd *m* eventide.

diwedd *m* end.

diweddar *adj* late.

diweddaru *v* to modernise.

diweddeb *f* (·**au**) cadence.

diweddglo *m* conclusion.

diweddu *v* to conclude.

diweirdeb *m* chastity.

diweithdra *m* unemployment.

diwel *v* to pour.

diwerth *adj* worthless.

diwethaf *adj* last.

di-wg *adj* without a frown.

diwinydd *m* (·**ion**) theologian.

diwinyddiaeth *f* theology.
diwinyddol *adj* theological.
di-wobr *adj* prizeless.
diwreiddio *v* to uproot.
diwrnod *m* (·**au**) day.
diwyd *adj* industrious.
diwydiannol *adj* industrial.
diwydian·nwr *m* (·**wyr**) industrialist.
diwydiant *m* (**diwydiannau**) industry.
diwydrwydd *m* diligence.
diwyg *m* format.
diwygiad *m* (·**au**) reform; revival.
diwygiedig *adj* revised.
diwygio *v* to revise.
diwyg·iwr *m* (·**wyr**) reformer.
diwylliadol *adj* cultural.
diwylliannol *adj* cultural.
diwyllian·t *m* (·**nau**) culture.
diwylliedig *adj* cultured.
diwyllio *v* to cultivate.
diwyro *adj* undeviating.
diymadferth *adj* helpless.
diymdrech *adj* effortless.
diymdroi *adj* without delay.
diymffrost *adj* unassuming.
diymgeledd *adj* uncared-for.
diymhongar *adj* unpretentious.
diymwad, diymwâd *adj* indubitable.
diymwybod *adj* unaware.
diysgog *adj* immovable.
diystyr *adj* meaningless.
diystyriol *adj* inconsiderate.
diystyrllyd *adj* disdainful.
diystyru *v* to disregard.
do *adv* yes.
dobio *v* to hit.
doctora *v* to doctor.
dod, dyfod *v* to come (*see* Appendix).
dodi *v* to put.
dodrefnu *v* to furnish.
dodrefnyn *m* (**dodrefn**) (a piece of) furniture.
dodwy *v* to lay eggs.
doe, ddoe *adv* yesterday.
doeth *adj* wise.

doethineb *m/f* wisdom.
doethinebu *v* to pontificate.
doethion *pl* wise-men.
doethur *m* (·**iaid**) doctor (academic).
dof *adj* tame.
dofednod *pl* poultry.
dofi *v* to tame.
dofn *adj* (*f*) deep.
dogfen *f* (·**nau**) document.
dogfennol *adj* documentary.
dogn *m* (·**au**) ration.
dogni *v* to apportion.
dôl *f* (**dolau, dolydd**) meadow. • *m* dole.
dolef *f* (·**au**) bleat.
dolefain *v* to cry out.
dolefus *adj* doleful.
dolen *f* (·**nau, -ni**) link; handle.
dolennog *adj* winding.
dolennu *v* to coil.
dolur *m* (·**iau**) ailment.
dolurio *v* to ache.
dolurus *adj* painful.
doniau *see* **dawn**.
donio *v* to endow.
doniol *adj* humorous.
doniolwch *m* humour.
dôr *f* (**dorau**) door.
dos *from* **mynd**.
dosbarth *m* (·**iadau**) class.
dosbarthu *v* to distribute.
dosbarth·wr *m* (·**wyr**) distributor.
dosraniad *m* (·**au**) analysis.
dosrannu *v* to distribute.
drachefn *adv* again.
drachtio *v* to quaff.
draenen, draen *f* (**drain**) thorn.
draenog *m* (·**od**) hedgehog.
draenog·iad, draenogyn *m* (·**iaid**) perch.
draig *f* (**dreigiau**) dragon.
drain *see* **draenen**.
drama *f* (**dramâu**) drama.
dramateiddio *v* to dramatise.
dramod·ydd *f* (·**wyr**) dramatist.
drâr *m* (**dreiriau**) drawer.

draw *adv* yonder.
dreng *adj* surly.
dreigiau *see* **draig**.
dreiniog *adj* prickly.
dreiriau *see* **drâr**.
dresel, dreser *f* dresser.
drewdod *m* stench.
drewi *v* to stink.
drewllyd *adj* stinking.
dringo *v* to climb.
dring·wr *m* (·**wyr**) climber.
dros *see* **tros**.
drud *adj* expensive.
drudfawr *adj* costly.
drudw, drudwy *m* (·**od**) starling.
drudwen *f* starling.
drwg *m* (**drygau**) harm. • *adj* bad.
drwgdeimlad *m* (·**au**) ill-feeling.
drwgdybiaeth *f* (·**au**) suspicion.
drwgdybio, drwgdybied *v* to suspect.
drwgdybus *adj* suspicious.
drwgweithred·wr *m* (·**wyr**) offender.
drwm *m* (**drymiau**) drum.
drws *m* (**drysau**) door.
drwy *see* **trwy**.
drycin *f* (·**oedd**) stormy weather.
drych *m* (·**au**) mirror.
drychiolaeth *f* (·**au**) spectre.
drygau *see* **drwg**.
drygioni *m* wickedness.
drygionus *adj* mischievous.
drygu *v* to harm.
dryll *m* (·**iau**) fragment. • *m/f* gun.
drylliedig *adj* shattered.
dryllio *v* to shatter.
drylliog *adj* shattered.
drymiau *see* **drwm**.
drysau *see* **drws**.
drysf·a *f* (·**eydd**) maze.
drysïen *f* (**drysi**) briar.
dryslyd *adj* confused.
drysni *m* tangle.
drysu *v* to bewilder.
dryswch *m* bewilderment.
dryw *m/f* (·**od**) wren.

D.S. *abb* N.B.
du *adj* black.
ducpwyd *from* **dwyn**.
dudew *adj* pitch black.
dueg *f* spleen.
dug *from* **dwyn**. • *m* duke.
dugiaeth *f* (·**au**) duchy.
du-las, dulas *adj* black and blue.
dull *m* (·**iau**) manner.
duo *v* to blacken.
dur *m* steel.
duryn *m* (·**nau**) trunk (elephant).
duw *m* (·**iau**) god.
dûwch *m* blackness.
duwies *f* (·**au**) goddess.
duwiol *adj* pious.
duwioldeb *m* piety.
dwbl, dwbwl *m* (**dyblau**) double.
dweud, dywedyd *v* to say.
dwfn *adj* deep.
dwfr *see* **dŵr**.
dwg *from* **dwyn**.
dwl *adj* foolish.
dwlu *v* to dote.
dwndwr *m* clamour.
dŵr, dwfr *m* (**dyfroedd**) water.
dwrdio *v* to scold.
dwrglos *adj* watertight.
dwrn *m* (**dyrnau**) fist.
dwsin *m* (·**au, dwsenni**) dozen.
dwsmel *m* dulcimer.
dwthwn *m* (particular) time.
dwy *num* (*f*) two.
dwyfol *adj* divine.
dwyfoldeb *m* divinity.
dwyfoli *v* to deify.
dwyfron *f* breast.
dwyfron·neg *f* (·**egau**) breastplate.
dwyffordd *adj* two-way.
dwyieitheg *f* (study of) bilingualism.
dwyieithog *adj* bilingual.
dwyieithrwydd *m* bilingualism.
dwylo, dwylaw *see* **llaw**.
dwyn *v* to steal.
dwyrain *m* east.

dwyreiniol *adj* eastern.

dwys *adj* serious.

dwysáu *v* to intensify.

dwysbigo *v* to prick.

dwysedd *m* density.

dwyster, dwystra *m* seriousness.

dwythell *f* (·au) duct.

dwywaith *adv* twice.

dy *pron* your; you.

dybiwn i *from* **tybio**.

dyblau *see* **dwbl**.

dyblu *v* to double.

dyblyg *adj* folded.

dyblygu *v* to duplicate.

dybryd *adj* dire.

dycned *from* **dygn**.

dychan *f* satire.

dychanol *adj* satirical.

dychanu *v* to satirise.

dychlamu *v* to leap.

dychmygion *see* **dychymyg**.

dychmygol *adj* imaginary.

dychmygu *v* to imagine.

dychmygus *adj* imaginative.

dychryn *m* (·iadau) fright. • *v* to frighten.

dychrynllyd *adj* frightful.

dychweliad *m* (·au) return.

dychwelyd, dychwel *v* to return.

dychymyg *m* (**dychmygion**) imagination.

dyd *from* **dodi**.

dydd *m* (·iau) day.

dyddiad *m* (·au) date.

dyddiadur *m* (·on) diary.

dyddiedig *adj* dated.

dyddio *v* to date, to dawn.

dyddiol *adj* daily.

dyddodi *v* to deposit.

dyf·ais *f* (·eisiadau) device.

dyfal *adj* diligent.

dyfalbarhad *m* perseverance.

dyfalbarhau *v* to persevere.

dyfaliad *m* (·au) supposition.

dyfalu *v* to conjecture.

dyfarniad *m* (·au) verdict.

dyfarnu *v* to pronounce; to referee.

dyfarn·wr *m* (·wyr) referee.

dyfeisgar *adj* resourceful.

dyfeisgarwch *m* inventiveness.

dyfeisiadau, dyfeisiau *see* **dyfais**.

dyfeisio *v* to invent.

dyfeis·iwr *m* (·wyr) inventor.

dyfnder *m* (·oedd, ·au) depth.

dyfned *from* **dwfn**.

dyfnhau *v* to deepen.

dyfnion *from* **dwfn**.

dyfod *see* **dod, dyfod**.

dyfodiad *m* arrival.

dyfodol *m* future.

dyfradwy *adj* watered.

dyfr·ast *f* (·eist) otter (female).

dyfr·farch *m* (·feirch) hippopotamus.

dyfr·gi, dwrgi *m* (·gwn) otter.

dyfrhau, dyfrio *v* to water.

dyfrliw, dyfrlliw *m* (·iau) water-colour.

dyfrllyd *adj* watery.

dyfyniad *m* (·au) quotation.

dyfyn·nod *m* (·odau) quotation mark.

dyfynnu *v* to quote.

dyffryn *m* (·noedd) vale.

dyg(af) *from* **dwyn**.

dygn *adj* diligent.

dygnu *v* to persevere.

dygnwch *m* perseverance.

dygwyl *m* holy day.

dygyfor *m* a surging.

dygymod *v* to come to terms with.

dyhead *m* (·au) aspiration.

dyheu *v* to yearn.

dyladwy *adj* fitting.

dyl(ai) *from* **dylu***.

dylanwad *m* (·au) influence.

dylanwadol *adj* influential.

dylanwadu *v* to influence.

dyled *f* (·ion) debt.

dyledus *adj* due.

dyled·wr *m* (·wyr) debtor.

dyletswydd *f* (·au) duty.

dylifiad *m* (·au) flood.

dylifo *v* to flow.
dylu *v* ought (hypothetical form that is the base of other common forms).
dyluniad *m* (·au) design.
dylunio *v* to design.
dylyfu gên *v* to yawn.
dyma *adv* here is.
dymchwel, dymchwelyd *v* to overturn.
dymuniad *m* (·au) desire.
dymuno *v* to desire.
dymunol *adj* pleasant.
dyn *m* (·ion) man.
dyna *adv* that is.
dyndod *m* manhood.
dyneiddiaeth *f* humanism.
dynes *f* woman.
dynesiad *m* approach.
dynesu *v* to draw near.
dyn·farch *m* (·feirch) centaur.
dyngarol *adj* philanthropic.
dyngarwch *m* philanthropy.
dyn·laddiad *m* manslaughter.
dynn *from* **tyn**.
dynodi *v* to indicate.
dynol *adj* mortal.
dynoliaeth *f* humanity.
dynolryw, dynol-ryw *f* mankind.
dynwared *v* to imitate.
dynwarediad *m* (·au) impersonation.

dynwared·wr *m* (·wyr) impersonator.
dyodiad *m* precipitation.
dyraniad *m* (·au) allocation.
dyrannu *v* to allocate.
dyrchafael *m* ascension.
dyrchafiad *m* promotion.
dyrchafu *v* to lift up.
dyri *f* (**dyrïau**) ballad.
dyrn·aid *m* (·eidiau) handful.
dyrnau *see* **dwrn**.
dyrnfedd *m/f* (·i) hand.
dyrnod *m/f* punch.
dyrnu *v* to thresh.
dyrn·wr *m* (·wyr) thresher.
dyr(o) *from* **rhoi**.
dyrys *adj.* entangled.
dysg *m/f* learning.
dysgedig *adj* learned.
dysgeidiaeth *f* doctrine.
dysgl *f* (·au) platter.
dysgl·aid *f* (·eidiau) plateful; cup (of).
dysgu *v* to learn; to teach.
dysg·wr *m* (·wyr) learner.
dyw(aid) *from* **dweud**.
dywediad *m* (·au) saying.
dywedwst *adj* taciturn.
dyweddi *m/f* fiancé; fiancée.
dywedd·iad *m* (·iadau) engagement.
dyweddïo *v* to become engaged.

E

eang *adj* broad.
eangderau *see* **ehangder**.
eangfrydedd *m* magnanimity.
eangfrydig *adj* magnanimous.
ebargofiant *m* oblivion.
ebe, eb, ebr *v* said.
ebill *m/f* (·ion) auger.
ebol *m* (·ion) colt.
eboles *f* filly.
Ebrill *m* April.
ebrwydd *adj* quick.
ebychiad *m* (·au) exclamation.

ebychnod *m* (·au) exclamation mark (!).
ebychu *v* to exclaim.
ebyrth *see* **aberth**.
eciwmenaidd *adj* ecumenical.
ecoleg *f* ecology.
economaidd *adj* economical.
economeg *f* economics.
economeg·ydd *m* (·wyr) economist.
econom·i *m* (·ïau) economy.
echdoe *adv* day before yesterday.
echdoriad *m* (·au) eruption.

echdorri *v* to erupt.
echdynnu *v* to extract.
echel *f* (·au, ·ydd) axle.
echelin *f* (·au) axis.
echnos *f* night before last.
echreiddig *adj* eccentric.
echrydus *adj* fearful.
eda·u *f* (·fedd) yarn.
edefyn *m* (·nau) thread.
edfryd *from* **adfer**.
edifar *adj* repentant.
edifarhau *v* to repent.
edifeiriol *adj* repentant.
edifeirwch *m* repentance.
edliw *v* to reproach.
edmygedd *m* admiration.
edmygu *v* to admire.
edmyg·ydd *m* (·wyr) admirer.
edrych *v* to look.
edrychiad *m* (·au) a look.
edryd *v* to move.
edrydd *from* **adrodd**.
edwi, edwino *v* to fade.
edwyn *from* **adnabod**.
eddyf *from* **addef**.
e.e. *abb* e.g..
ef *pron* he, him, it.
efallai *adv* perhaps.
efe, efô *pron* he; him; it.
efengyl *f* (·au) gospel.
efengylaidd *adj* evangelical.
efengyl·wr *m* (·wyr) evangelist.
efelychiad *m* (·au) imitation.
efelychu *v* to imitate.
efrau *see* **efryn**.
efrydiau *pl* studies.
efryd·ydd *m* (·wyr) student.
efrydd *m* a cripple.
efr·yn *m* (·au) tare(s).
efydd *m* brass.
eff·aith *f* (·eithiau) effect.
effeithio *v* to effect.
effeithiol *adj* effective.
effeithiolrwydd *m* effectiveness.
effeithlon *adj* efficient.

effeithlonrwydd *m* efficiency.
effro *adj* vigilant.
eger *m* (·au) eagre, bore.
egino *v* to germinate.
eginyn *m* (**egin**) bud.
eglur *adj* clear.
eglurder *m* clarity.
eglurhad *m* explanation.
eglwys *f* (·i) church.
Eglwys Loegr *f* Church of England.
Eglwys Rufain *f* Roman Catholic Church.
eglwysig *adj* ecclesiastical.
eglwys·wr *m* (·wyr) church-goer.
eglwys·wraig, eglwys·wreg *f* (·wra-gedd) churchwoman.
egni *m* (**egnïon**) energy.
egnïol *adj* energetic.
egr *adj* impudent; rough; tart.
egroesen *f* (**egroes**) rose-hip.
egwan *adj* puny.
egwyd *f* (·ydd) pastern.
egwyddor *f* (·ion) principle.
egwyddorol *adj* principled.
egwyl *f* (·iau) intermission.
egyr *from* **agor**.
enghraifft *f* (**enghreifftiau**) example.
englyn *m* (·ion) Welsh verse form.
engyl *see* **angel**.
ehangder *m* (**eangderau**) expanse.
ehanged *from* **eang**.
ehangu *v* to expand.
ehedeg *v* to fly.
ehediad *m* (**ehediaid**) bird; (·au) flight.
ehedog *adj* flying.
ehedydd *m* (·ion) lark.
ehofndra *m* presumption.
ei *pron* his; her; its. • *from* **mynd**.
eich *pron* your; you.
eidion *m* (·nau) bullock.
eidionyn *m* (·nau) beefburger.
eiddew *m* ivy.
eiddgar *adj* zealous.
eiddi *from* **eiddo**.

eiddigedd *m* jealousy.
eiddigeddu *v* to be jealous.
eiddigeddus *adj* envious.
eiddil *adj* frail.
eiddilwch *m* frailty.
eiddo *m* property.
eidduniad *m* wish.
eigion *m* the deep.
eigioneg *f/m* oceanography.
eingion, einion *f* (·au) anvil.
Eingl-Gymreig *adj* Anglo-Welsh.
eil *f* (·ion) shed.
eilch *see* **alch**.
eilchwyl *adj* again.
eildwym *adj* reheated.
eiledol *adj* alternating.
eilfed *adj* second.
eiliad *m/f* (·au) second.
eiliadur *m* (·on) alternator.
eilio *v* to second.
eilradd *adj* secondary.
eilrif *m* (·au) even number.
eilun *m* (·od) idol.
eilunaddoliad *m* idolatry.
eilwaith *adv* again.
eilydd *m* (·ion) seconder; substitute.
eillio *v* to shave.
ein *pron* our.
einioes *f* life.
einion *see* **eingion**.
eir *from* **mynd**.
eira *m* snow.
eirch *from* **arch**; **erchi**.
eirinen *f* (**eirin**) plum, berry.
eiriol *v* to beseech.
eiriolaeth *f* intercession.
eiriol·wr *m* (·wyr) mediator.
eirlaw *m* sleet.
eirlithriad *m* (·au) avalanche.
eirlys *m* (·iau) snowdrop.
eirth *see* **arth**.
eisiau *m* a want.
eisinyn *m* (**eisin**) husk(s).
eisoes *adv* already.
eistedd *v* to sit.

eisteddfod *f* (·au) eisteddfod.
eisteddfodol *adj* eisteddfodic.
eisteddfod·wr *m* (·wyr) eisteddfod-goer.
eisteddiad *m* (·au) sitting.
eisteddle *m/f* (·oedd) stand.
eithaf *adj* quite.
eithafbwynt *m* (·iau) extremity.
eithafoedd, eithafion *pl* extremities.
eithafol *adj* extreme.
eithaf·wr *m* (·wyr) extremist.
eithinen *f* (**eithin**) gorse.
eithr *conj* save that.
eithriad *f* (·au) exception.
eithriadol *adj* exceptional.
eithrio *v* to opt out: **ac eithrio** except.
êl *from* **mynd**.
elain *f* (**elanedd**) doe.
eleni *adv* this year.
elfen *f* (·nau) element.
elfennol *adj* elementary.
eli *m* (**elïau**) ointment.
eliffant *m* (·od) elephant.
eliffantaidd *adj* elephantine.
elin *f* (·au, ·oedd) elbow.
elor *f* (·au) bier.
elusen *f* (·nau) charity.
elusengar *adj* benevolent.
elusennol *adj* charitable.
elw *m* (·au) profit.
elwa *v* to profit.
elwach *adj* better off.
elwl·en *f* (·od) kidney.
elyrch *see* **alarch**.
elltydd *see* **allt**.
ellyll *m* (·on) fiend.
ellyn *m* (·nau, ·nod) razor.
emosi·wn *m* (·ynau) emotion.
emosiynol *adj* emotional.
emrallt *m* emerald.
emyn *m* (·au) hymn.
emyn-dôn *f* hymn tune.
emyn·ydd *m* (·wyr) hymn-writer.
en·aid *m* (·eidiau) soul.
enbyd *adj* grievous.

enbydrwydd *m* peril.

encil *m* (**·ion**) retreat.

encilio *v* to retreat.

eneidiau *see* **enaid**.

eneiniad *m* inspiration.

eneiniau, eneintiau *see* **ennaint**.

eneinio *v* to anoint.

enfawr *adj* colossal.

enfyn *from* **anfon**.

enfys *f* (**·au**) rainbow.

enill(af) *from* **ennill**.

enill·wr, enillydd *m* (**·wyr**) winner.

enllib *m* (**·ion**) libel, slander.

enllibus *adj* slanderous.

enllyn *m* relish.

ennaint *m* (**eneiniau, eneintiau**) ointment.

ennill *v* to win.

ennyd *m/f* a while.

ennyn *v* to kindle.

ensyniad *m* (**·au**) insinuation.

ensynio *v* to insinuate.

entrych *m* (**·ion**) zenith.

enw *m* (**·au**) name.

enwad *m* (**·au**) denomination.

enwadol *adj* sectarian.

enwadur *m* denominator.

enwaedu *v* to circumcise.

enwebu *v* to nominate.

enwedig *adj*: **yn enwedig** particularly.

enwi *v* to name.

enwog *adj* famous.

enwogion *pl* celebrities.

enwogrwydd *m* fame.

enwol *adj* nominative.

enwyn *m*: **llaeth enwyn** buttermilk.

enynn(af) *from* **ennyn**.

eofn, eon *adj* bold.

eog *m* (**·iaid**) salmon.

eos *f* (**·iaid**) nightingale.

epa *m* (**·od**) ape.

epil *m* offspring.

epilio *v* to breed.

epistol *m* (**·au**) epistle.

eples *m* leaven.

eplesu *v* to ferment.

er *prep* in order; since.

eraill *see* **arall**.

erbyn *prep* against.

erch *adj* frightful.

erchi *v* to plead.

erchwyn *m/f* (**·nau**) edge (of bed).

erchyll *adj* hideous.

erchyll·tra *m* (**·terau**) atrocity.

erdd(ais) *from* **aredig**.

erfinen *f* (**erfin**) swede, turnip.

erfyn *m* (**arfau**) tool. • *v* to entreat.

erfyniad *m* (**·au**) entreaty.

erglyw *v* hark.

ergyd *m/f* (**·ion**) a blow.

ergydio *v* to strike.

erioed *adv* ever; never.

erledigaeth *f* (**·au**) persecution.

erlid *v* to persecute.

erlyn *v* to pursue.

erlyniad *m* (**·au**) prosecution.

erlyn·ydd *m* (**·wyr**) prosecutor.

ernes *f* (**·au**) deposit.

erof *from* **er**.

ers *prep* since.

erstalwm *adv* long time ago.

erthygl *m/f* (**·au**) article.

erthyliad *m* (**·au**) abortion.

erthylu *v* to abort.

erw *f* (**·au**) acre.

erwydd *m* (**·i**) stave (music).

ery *from* **aros**.

erydr *see* **aradr**.

erydu *v* to erode.

eryr *m* (**·od**) eagle; shingles (of skin).

erys *from* **aros**.

esblygiad *m* (**·au**) evolution.

esblygu *v* to evolve.

esboniad *m* (**·au**) explanation; commentary.

esboniadol *adj* explanatory.

esbonio *v* to explain.

esg·air *f* (**·eiriau**) ridge.

esgeulus *adj* slipshod.

esgeuluso *v* to neglect.

esgeulustod *m* negligence.
esgid *f* (·**iau**) shoe.
esgob *m* (·**ion**) bishop.
esgobaeth *f* (·**au**) diocese.
esgor *v* to give birth to.
esgud *adj* quick.
esgus *m* (·**odion**, ·**ion**) an excuse.
esgusodi *v* to excuse.
esgyll *see* **asgell**.
esgymuno *v* to excommunicate.
esgyn *v* to ascend.
esgynfaen *m* mounting-block.
esgyniad *m* ascension.
esgyrn *see* **asgwrn**.
esgyrnog *adj* bony.
esmwyth *adj* smooth.
esmwytháu *v* to smooth.
esmwythder *m* ease.
estraddodi *v* to extradite.
estron *adj* foreign. • *m* (·**iaid**) foreigner.
estrys *m/f* (·**iaid**) ostrich.
estyllen *f* (**estyll**) plank.
estyn *v* to extend.
estyniad *m* (·**au**) extension.
eteil *from* **atal**.
etifedd *m* (·**ion**) heir.
etifeddeg *f* heredity.
etifeddes *f* (·**au**) heiress.
etifeddiaeth *f* inheritance.

etifeddu *v* to inherit.
eto *conj, adv* yet.
etyb *from* **ateb**.
etyl *from* **atal**.
ethol *v* to elect.
etholaeth *f* (·**au**) constituency.
etholedig *adj* elect.
etholiad *m* (·**au**) election.
etholwr *m* (·**wyr**) constituent.
eu *pron* their, them.
euog *adj* guilty.
euogrwydd *m* guilt.
euraid, euraidd *adj* golden.
euro *v* to guild.
eurych *m* (·**iaid**) goldsmith.
euthum *from* **mynd**.
ewig *f* (·**od**) hind.
ewin *m/f* (·**edd**) nail.
ewinog *adj* clawed.
ewinor *f* whitlow.
ewinrhew *m* frost-bite.
ewyllys *f* (·**iau**) will.
ewyllysgar *adj* desirous.
ewyllysio *v* to bequeath.
ewyn *m* foam.
ewynnog *adj* foaming.
ewynnu *v* to foam.
ewythr, ewyrth *m* (**ewythredd, ewythrod**) uncle.

F

fagddu *f* hell.
fandal *m* (·**iaid**) vandal.
fandaleiddio *v* to vandalise.
fandaliaeth *f* vandalism.
farnais *m* varnish.
farneisio *v* to varnish.
fawr *adv* not much.
fe *pron* he, him.
fei *m*: **dod i'r fei** to come to light.
fel *prep* like.
felly *adv* therefore.
fersiwn *m* (**fersiynau**) version.

festr·i *f* (·**ïoedd**, ·**ïau**) vestry.
fi, i *pron* me, I.
ficer *m* (·**iaid**) vicar.
ficer·dy *m* (·**dai**) vicarage.
fiol·a *m* (·**âu**) viola.
firws *m* (**firysau**) virus.
y Fns *abb* Mrs; Miss; MS.
foltedd *m* voltage.
fwltur *m* (·**iaid**) vulture.
fy *pron* my; me.
fyny *adv* up.

Ff

ffa *see* ffeuen.
ffacbysen *f* (ffacbys) lentil(s).
ffaeledig *adj* feeble.
ffaelu *v* to fail.
ffäen *see* ffeuen.
ffafrio *v* to favour.
ffafriol *adj* favourable.
ffagl *f* (·au) torch.
ffagotsen *f* (ffagots) faggot.
ffair *f* (ffeiriau) fair.
ffaith *f* (ffeithiau) fact.
ffald *f* (·au) fold.
ffals *adj* false.
ffalsio *v* to flatter.
ffans·i *f* (·ïau) fancy.
ffansïo *v* to fancy.
ffantas·i *f* (·ïau) fantasy.
ffárwel *m/f* a farewell.
ffarwél *interj* Farewell!
ffas *f* (coal) face.
ffas·iwn *f* (·iynau) fashion.
ffasiynol *adj* fashionable.
ffatr·i *f* (·ïoedd) factory.
ffau *f* (ffeuau) lair.
ffawd *f* fate.
ffawt *m* (·iau) fault.
ffawydden *f* (ffawydd) beech.
FfCM *abb* Highest Common Factor (hcf).
ffedog *f* (·au) apron.
ffefryn *m* (·nau, ·nod) favourite.
ffeil *f* (·iau) file.
ffeilio *v* to file.
ffein *adj* kind; delicious.
ffeind *adj* kind.
ffeiriau *see* ffair.
ffeirio *v* to exchange.
ffeithiau *see* ffaith.
ffeithiol *adj* factual.
ffel *adj* sagacious, dear.
ffelwm *m* whitlow.
ffeministiaeth *f* feminism.
ffenestr *f* (·i) window.

ffensio *v* to fence.
ffêr *f* (fferau) ankle.
fferen *f* (fferins) sweet(s).
fferf *adj* (f) firm.
fferi *f* (fferïau) ferry.
fferins *pl* sweets.
fferm, ffarm *f* (·ydd) farm.
fferm·dy *m* (·dai) farmhouse.
ffermio, ffarmio *v* to farm.
fferm·wr, ffarmwr *m* (·wyr) farmer.
fferru *v* to numb.
fferyll·fa *f* (·feydd) pharmacy.
fferyll·ydd *m* (·wyr) pharmacist.
ffesant *m/f* (·od) pheasant.
ffetan *f* (·au) sack.
ffeuau *see* ffau.
ffeuen, ffäen *f* (ffa) bean.
ffi *f* (·oedd) fee.
ffiaidd *adj* despicable.
ffieidd-dra *m* abomination.
ffieiddio *v* to abhor.
ffigur *f* (·au) figure.
ffigurol *adj* figurative.
ffigysbren *m* (·nau) fig tree.
ffigysen *f* (ffigys) fig(s).
ffilmio *v* to film.
ffiloreg *f* rigmarole.
ffin *f* (·iau) boundary.
ffinio *v* to border on.
ffiol *f* (·au) cup.
ffiseg *f* physics.
ffiseg·ydd *m* (·wyr) physicist.
ffisig *m* medicine.
ffisioleg *m* physiology.
ffitiach *adj* more fitting.
ffitio *v* to fit.
ffitrwydd *m* fitness.
ffiwdaliaeth *f* feudalism.
ffiwsio *v* to fuse.
fflach *f* (·iau) flash.
fflachio *v* to flash.
fflangell *f* (·au) scourge.
fflangellu *v* to scourge.

fflam f (·au) flame.
fflamgoch adj flame coloured.
fflamio v to blaze.
fflat adj flat. • m (·iau) flat.
ffloch m (·au) floe.
fflodiar·t f (·dau) floodgate.
fflŵr m flour.
ffo m flight.
ffoadur m (·iaid) fugitive.
ffoc·ws m (·ysau) focus.
ffodus adj fortunate.
ffoëdig adj fleeing.
ffoëdigaeth f flight.
ffoëdigion, ffoaduriaid pl refugees.
ffoi v to flee.
ffôl adj foolish.
ffoli v to be infatuated.
ffolineb m (·au) folly.
ffon f (ffyn) stick.
ffôn m (ffonau) telephone.
ffonio v to phone.
ffonnod f (ffonodiau) a whack.
fforc f (ffyrc) ffork.
fforch f (·au, ffyrch) fork.
fforchi v to fork.
fforchog adj forked.
ffordd f (ffyrdd) way.
fforddio v to afford.
fforddol·yn m (·ion) wayfarer.
fforest f (·ydd) forest.
fforffedu v to forfeit.
ffor·iwr m (·wyr) explorer.
fformwl·a f (·âu) formula.
ffort·iwn f (·iynau) fortune.
ffos f (·ydd) trench.
ffosileiddio v to fossilise.
ffotograffiaeth f photography.
ffotograff·ydd m (·wyr) photographer.
ffowlyn m (ffowls) poultry.
ffowndr·i f (·ïau) foundry.
ffracs·iwn m (·iynau) fraction.
ffradach m shambles.
ffrae f (·au, ·on) quarrel.
ffraeo v to squabble.
ffraeth adj witty.

ffraethineb m (·au) wit.
ffrâm f (fframiau) frame.
fframio v to frame.
ffram·waith m (·weithiau) framework.
fframyn m (fframiau) frame.
ffres adj fresh.
ffresni m freshness.
ffreutur m/f refectory.
ffrewyll f scourge.
ffridd f (·oedd) mountain pasture.
ffrimpan f (·au) frying-pan.
ffrind m (·iau) friend.
ffrio v to fry.
ffris f (·iau) frieze.
ffrit adj worthless.
ffrith f (·oedd) mountain pasture.
ffrithiant m friction.
ffroen f (·au) nostril.
ffroeni v to sniff.
ffroenuchel adj haughty.
ffroesen, ffroisen f (ffroes, ffrois) pancake.
ffrog f (·iau) frock.
ffromi v to bluster.
ffrwcslyd adj confused.
ffrwd f (ffrydiau) stream.
ffrwgwd m (ffrygydau) brawl; fray.
ffrwst m bustle.
ffrwt m energy.
ffrwtian v to splutter.
ffrwydrad m (·au) explosion.
ffrwydro v to explode.
ffrwydrol adj explosive.
ffrwydr·yn m (·on) explosive.
ffrwyn f (·au) bridle.
ffrwyth m (·au) fruit.
ffrwythlon adj fertile.
ffrwythlondeb m fertility.
ffrwythloni v to fertilise.
ffrydiau see **ffrwd**
ffrydio v to flow.
ffrygydau see **ffrwgwd**
ffuantus adj insincere.
ffug adj false.
ffugbasio v to sell a dummy.

ffugenw *m* (·au) pseudonym.
ffugio *v* to pretend.
ffuglen *f* fiction.
ffunen *f* (·nau, ·ni) handkerchief.
ffunud *m*: **yr un ffunud** the spitting image.
ffured *f* (·au) ferret.
ffureta *v* to ferret.
ffurf *f* (·iau) form.
ffurfafen *f* (·nau) firmament.
ffurfio *v* to form.
ffurfiol *adj* formal.
ffurflen *f* (·ni) form.
ffust *f* (·iau) flail.
ffusto *v* to beat.
ffwdan *f* bother.
ffwdanu *v* to bother.
ffwdanus *adj* fussy.
ffwng *m* (ffyngau, ffyngoedd) fungus.
ffŵl *m* (ffyliaid) fool.
ffwlbart *m* (·iaid) polecat.
ffwlbri *m* folly.
ffwlc·rwm *m* (·rymau) fulcrum.
ffwndro *v* to bewilder.
ffwndrus *adj* bewildered.
ffwr *m* (ffyrrau) fur.
ffwr-bwt *adj* abrupt.
ffwrdd *adv* away.
ffwrdd-â-hi *adj* easy-going.
ffwrn *f* (ffyrnau) oven.
ffwrn·ais *f* (·eisi, ·eisiau) furnace.

ffwrwm *f* (ffwrymau) bench.
ffwythian·t *m* (·nau) function (mathematical).
ffy *from* ffoi.
ffydd *f* faith.
ffyddiog *adj* confident.
ffyddlon *adj* faithful.
ffyddlondeb *m* fidelity.
ffyddloniaid *pl* the faithful.
ffyngau, ffyngoedd *see* ffwng.
ffyliaid *see* ffŵl.
ffyn *see* ffon.
ffynhonnau *see* ffynnon.
ffynhonnell *f* (ffynonellau) fount.
ffyniannus *adj* prosperous.
ffyniant *m* prosperity.
ffynidwydden *f* (ffynidwydd) fir tree.
ffyn·non *f* (·honnau) well.
ffynnu *v* to thrive.
ffynonellau *see* ffynhonnell.
ffyrc *see* fforc.
ffyrch *see* fforch.
ffyrdd *see* ffordd.
ffyrf *adj* firm; solid.
ffyrling *f* farthing.
ffyrn·aid *f* (·eidiau) batch.
ffyrnig *adj* fierce.
ffyrnigo *v* to enrage.
ffyrnigrwydd *m* ferocity.
ffyrrau *see* ffwr.

G

gadael *v* to leave.
gaeaf *m* (·au) winter.
gaeafgwsg *m* hibernation.
gaeafgysgu *v* to hibernate.
gaeafol *adj* wintry.
gaeafu *v* to winter.
gafael *v* to grip. • *f* grasp.
gafaelgar *adj* gripping.
gafr *f* (geifr) goat.
gafrewig *f* (·od) antelope.

gaing *f* (geingiau) chisel.
gair *m* (geiriau) word.
galaeth *m*/*f* (·au) galaxy.
galanas *f* massacre.
galar *m* grief.
galarnad *f* (·au) lament.
galarnadu *v* to lament.
galaru *v* to grieve.
galar·wr *m* (·wyr) mourner.
galfaneiddio *v* to galvanise.

galw *v* to call. • *m* a call.
galwad *f* (·**au**) a call.
galwedigaeth *f* (·**au**) vocation.
galwyn *m* (·**au**, ·**i**) gallon.
gallt, allt *f* (**gelltydd, elltydd**) slope (wooded).
gallu *v* to be able. • *m* (·**oedd**) ability.
galluog *adj* gifted.
galluogi *v* to enable.
gan *prep* with, by.
ganed, ganwyd *from* **geni**.
gar *m/f* (·**rau**) thigh; shank.
garan *m/f* (·**od**) heron.
gardas *m/f* garter.
gardd *f* (**gerddi**) garden.
garddio *v* to garden.
garddwest *f* fête.
gardd·wr *m* (·**wyr**) gardener.
garddwriaeth *f* horticulture.
garddwrn *see* **arddwrn**.
garllegen *f* (**garlleg**) garlic.
garrau *see* **gar**.
garsiwn *m* (**garsiynau**) garrison.
gartref *adv* at home.
garw *adj* rough.
gast *f* (**geist**) bitch.
gau *adj* false.
gedy *from* **gadael**.
gef·ail *f* (·**eiliau**) a forge.
gefeilliaid *see* **gefell**.
gefeillio *v* to twin.
gefeilltref *f* (·**i**) twin town.
gefel *f* (**gefeiliau**) tongs.
gefelen *f* (**gefeiliau**) pliers.
gefell *m/f* (**gefeilliaid**) twin.
gefyn *m* (·**nau**) fetter.
geifr *see* **gafr**.
geingiau *see* **gaing**.
geilw *from* **galw**.
geirfa *f* vocabulary.
geiriad *m* wording.
geiriadur *m* (·**on**) dictionary.
geiriadurol *adj* lexicographical.
geiriadur·wr *m* (·**wyr**) lexicographer.
geiriau *see* **gair**.

geirio *v* to phrase.
geiriol *adj* verbal.
geirw, geirwon *adj* (*pl*) rough.
geirwir *adj* truthful.
geirwiredd *m* truthfulness.
geiryn *m* (·**nau**) particle.
geist *see* **gast**.
gelen, gel·e *f* (·**od**) leech.
gelw(ir) *from* **galw**.
gelyn *m* (·**ion**) enemy.
gelyniaeth *f* animosity.
gell(ir) *from* **gallu**.
gelltydd *see* **gallt**.
gellygen *f* (**gellyg**) pear.
gem *m/f* (·**au**) gem.
gêm *f* (**gêmau**) game.
gemydd *m* jeweller.
gên *f* (**genau**) jaw.
genau *m* (**geneuau**) mouth.
genau-goeg *m* (**genau-goegion**) lizard.
genedigaeth *f* (·**au**) birth.
genedigol *adj* native.
generadur *m* (·**on**) generator.
geneteg *f* genetics.
geneth *f* (·**od**) lass.
geneuau *see* **genau**.
genfa *f* (**genfâu**) bit.
genglo *m* lockjaw.
geni *v* to give birth.
gennod *pl* girls.
genn(yf) *from* **gan**.
gen·wair *f* (·**weiriau**) fishing-rod.
genweir·iwr *m* (·**wyr**) angler.
genyn *m* (·**nau**) gene.
geometreg *f* geometry.
ger *prep* by.
gêr *m/f* (**gerau, gêrs**) gear.
gerbron *prep* before.
gerddi *see* **gardd**.
gerfydd *prep* by.
geri marwol *m* cholera.
geriach *pl* odds and ends.
gerllaw *prep* beside.
gerwin *adj* severe.

gerwindeb, gerwinder *m* roughness.

gesyd *from* **gosod.**

gewyn, giewyn *m* (**·nau, gīau**) sinew.

gewynnog *adj* sinewy.

gīach *m* (**giāchod**) snipe.

giamocs, gamocs *pl* pranks.

gīau *see* **gewyn.**

gilydd *pron*: **ei gilydd** each other.

glafoerio *v* to slobber.

glafoerion *pl* drivel.

glain *m* (**gleiniau**) bead.

glan *f* (**·nau, glennydd**) bank.

glân *adj* clean.

glandeg *adj* fair.

glanedydd *m* (**·ion**) detergent.

glanf·a *f* (**·eydd**) landing-place.

glanhad, glanheuad *m* a cleaning.

glanhau *v* to clean.

glanio *v* to land.

glannau *see* **glan.**

glanweithdra *m* cleanliness.

glas *adj* blue.

glasenw *m* (**·au**) nickname.

glasfyfyr·iwr *m* (**·wyr**) fresher.

glasgroen *m* epidermis.

glaslanc *m* (**·iau**) lad.

glasog *f* (**·au**) gizzard.

glastwr *m* milk and water.

glastwraidd *adj* insipid.

glastwreiddio *v* to dilute.

glasu *v* to turn blue/green.

glaswelltyn *m* (**glaswellt**) blade of grass.

glaswenu *v* to smirk.

glaw *m* (**·ogydd**) rain.

gleiniau *see* **glain.**

gleisi·ad *m* (**·aid**) grilse.

gleision *adj* (*pl*) blue.

glendid *m* cleanliness; comeliness.

glenn(ir) *from* **glanio.**

glennydd *see* **glan.**

glesni *m* blueness.

glew *adj* valiant.

glin *m* (**·iau**) knee.

glo *m* coal.

gloddesta *v* to carouse.

gloes, loes *f* wound.

glof·a *f* (**·eydd**) colliery.

glöwr *m* (**glowyr**) collier.

glöyn byw *m* (**glöÿnnod**) butterfly.

gloyw *adj* bright.

gloywder *m* brightness.

gloywi *v* to burnish.

glud *m* (**·ion**) glue.

gludio, gludo *v* to stick.

gludiog *adj* sticky.

gludlun *m* (**·iau**) collage.

glwth *m* glutton.

glwys *adj* fair.

glyn *m* (**·noedd**) glen.

glŷn *from* **glynu.**

glynu *v* to stick.

go *adv* rather.

gob·aith *m* (**·eithion**) hope.

gobeithio *v* to hope.

gobeithiol *adj* hopeful.

goben·nydd *m* (**·yddiau, ·yddion**) pillow.

goblygiad *m* (**·au**) implication.

gochel *v* to avoid.

gochelgar *adj* cautious.

godidog *adj* wonderful.

godidowgrwydd *m* splendour.

godineb *m* adultery.

godinebu *v* to commit adultery.

godinebus *adj* adulterous.

godre *m* (**·on, ·uon**) edge.

godro *v* to milk.

godd·aith *f* (**·eithiau**) bonfire.

goddef *v* to endure.

goddefgar *adj* tolerant.

goddefgarwch *m* tolerance.

goddefol *adj* passive.

goddiweddyd *v* to overtake.

goddrych *m* (**·au**) subject.

goddrychol *adj* subjective.

gof *m* (**·aint**) blacksmith.

gofal *m* (**·on**) care.

gofalu *v* to take care.

gofalus *adj* careful.

gofal·wr *m* (·**wyr**) caretaker.
goferu *v* to stream.
goferwi *v* to simmer.
gofid *m* (·**iau**) grief.
gofidio *v* to worry.
gofidus *adj* sorrowful.
gofod *m* (·**au**) space.
gofod·wr *m* (·**wyr**) astronaut.
gofwy *m* tribulation.
gofyn *m* (·**ion**) a request. • *v* to ask.
gofynnod *m* (**gofynodau**) question mark (?).
gofynnol *adj* necessary.
goganu *v* to lampoon.
goglais, gogleisio *v* to tickle.
gogledd *m* north.
gogledd-ddwyrain *m* northeast.
gogleddol *adj* northerly.
gogledd-orllewin *m* northwest.
gogleisiol *adj* titillating.
gogoneddu *v* to glorify.
gogoneddus *adj* glorious.
gogonian·t *m* (·**nau**) splendour.
gogr, gogor *m* (·**au**) sieve.
gogrwn *v* to sift.
gogwydd *m* (·**ion**) tendency.
gogwyddo *v* to veer.
gogyfer *prep* for.
gogynderfynol *adj* quarter-final.
gohebiaeth *f* correspondence.
gohebu *v* to correspond.
goheb·ydd *m* (·**wyr**, ·**yddion**) correspondent.
gohiriad *m* (·**au**) postponement.
gohirio *v* to postpone.
gol. *abb* ed.
gôl *f* (**goliau, gôls**) goal.
gol·au *m* (·**euadau**) a light. • *adj* fair.
golch *m* (·**ion**) the wash.
golchi *v* to wash.
golchwra·ig *f* (·**gedd**) washerwoman.
goleddf *m* incline.
goleddfu *v* to slant.
goleuadau *see* **golau**.
goleu·dy *m* (·**dai**) lighthouse.

goleuedig *adj* enlightened.
goleuni *m* light.
goleuo *v* to lighten.
gôl-geid·wad *m* (·**waid**) goalkeeper.
golosg *m* coke.
golud *m* (·**oedd**) wealth.
goludog *adj* wealthy.
gol·wg *m* (·**ygon**) sight. • *f* appearance.
golwyth *m* (·**ion**) chop.
golyg·fa *f* (·**feydd**) scene.
golygon *see* **golwg**.
golygu *v* to intend; to edit.
golygus *adj* handsome.
golygydd *m* (·**ion**) editor.
golygyddol *adj* editorial.
gollwng *v* to release.
gollyngdod *m* relief.
gomedd to refuse.
gonest *adj* honest.
gonestrwydd *m* honesty.
gorau *adj* (**goreuon**) best.
gorawyddus *adj* over-eager.
gorberffaith *adj* pluperfect.
gorchest *f* (·**ion**) feat.
gorchestol *adj* outstanding.
gorchfygiad *m* (·**au**) defeat.
gorchfygu *v* to overcome.
gorchfyg·wr *m* (·**wyr**) conqueror.
gorchmynion *see* **gorchymyn**.
gorchmynn(af) *from* **gorchymyn**.
gorchmynnol *adj* imperative.
gorchymyn *m* (**gorchmynion**) command. • *v* to command.
gordd *f* (**gyrdd**) sledge-hammer.
gorddefnyddio *v* to over-use.
gordderch *f* (·**adon**) concubine.
gorddibynnu *v* to be overdependent.
gor-ddweud *v* to exaggerate.
goresgyn *v* to vanquish.
goresgyniad *m* (·**au**) conquest.
goresgyn·nwr *m* (·**wyr**) conqueror.
goreuon *adj* (*pl*) best.
goreuro *v* to gild.
gorfod *v* to have to. • *m* obligation.
gorfodaeth *f* (·**au**) compulsion.

gorfodi *v* to compel.
gorfodol *adj* compulsory.
gorfoledd *m* jubilation.
gorfoleddu *v* to rejoice.
gorfoleddus *adj* jubilant.
gorfwyta *v* to overeat.
gorffen *v* to finish.
gorffenedig *adj* completed.
Gorffennaf *m* July.
gorffennol *m* the past.
gorffwyll *adj* delirious.
gorffwys, gorffwyso *v* to rest.
gorgymhleth *adj* over-complicated.
gorgyffwrdd *v* to overlap.
gorhendad *m* (·au) great-grandfather.
gorhenfam *m* (·au) great-grandmother.
gorhoffedd *m* metrical verse.
gori *v* to hatch.
gorifyny *m* ascent.
goriwaered *m* descent.
gorlawn *adj* overflowing.
gorlenwi *v* to overfill.
gorlifo *v* to overflow.
gorliwio *v* to exaggerate.
gorlwytho *v* to overburden.
gorllewin *m* west.
gorllewinol *adj* western.
gorllyd *adj* festering.
gormes *m* oppression.
gormesol *adj* oppressive.
gormesu *v* to oppress.
gormes·wr *m* (·wyr) oppressor.
gormod *m* (·ion) too much.
gormodedd *m* excess.
gormodiaith *f* hyperbole.
gormodol *adj* excessive.
gornest, ornest *f* (·au) contest.
goroesi *v* to survive.
goroes·wr *m* (·wyr) survivor.
goror *m/f* (·au) frontier.
gorsaf *f* (·oedd) station.
gorsaf-feistr *m* (·i) station-master.
gorsedd, gorsedd·fainc *f* (·au, ·feinciau) throne.

gorseddu *v* to enthrone.
gorthrech *m* oppression.
gorthr·wm *m* (·ymau) oppression.
gorthrymder *m* (·au) tribulation.
gorthrymedig *adj* oppressed.
gorthrymu *v* to oppress.
gorthrym·wr *m* (·wyr) oppressor.
goruchaf *adj* supreme.
goruchafiaeth *f* (·au) supremacy.
goruchel *adj* eminent.
goruchwyliaeth *f* supervision.
goruchwylio *v* to oversee.
goruchwyl·iwr *m* (·wyr) supervisor.
goruwch *prep* above.
goruwchnaturiol *adj* supernatural.
gorwedd *v* to lie.
gorweddian *v* to sprawl.
gorweiddiog *adj* bedridden.
gorweithio *v* to overwork.
gorwel *m* (·ion) horizon.
gorwneud *v* to overdo.
gorwyr *m* (·ion) great-grandson.
gorwyres *f* (·au) great-grand-daughter.
gorymd·aith *f* (·eithiau) procession.
gorymdeithio *v* to march.
gorynys *f* (·oedd) peninsula.
goryrru *v* to speed.
gosber *m* vesper.
gosgeiddig *adj* graceful.
gosgordd *f* (·ion) retinue.
goslef *f* (·au) tone.
gosod *v* to set; to put. • *adj* false.
gosodiad *m* (·au) a setting.
gosteg *m* silence.
gostegion *pl* banns.
gostegu *v* to silence.
gostwng *v* to lower.
gostyngedig *adj* humble.
gostyngeiddrwydd *m* humility.
gostyngiad *m* (·au) reduction.
gostyngol *adj* reduced.
gradell *f* (gredyll) griddle.
gradd *f* (·au) grade, degree.
graddedig *adj* graded.
graddedigion *pl* graduates.

gradd·fa *f* (**·feydd**) scale.
graddian·t *m* (**·nau**) gradient.
graddio *v* to graduate; to grade.
graddol *adj* gradual.
graean *pl* shingle.
graen *m* lustre.
graenus *adj* polished.
gramadeg *m* (**·au**) grammar.
gramadegol *adj* grammatical.
gras *m* (**·usau**) grace.
graslon, grasol *adj* gracious.
graslonrwydd *m* graciousness.
grât *m/f* (**gratiau**) grate.
grawn *see* gronyn.
grawnfwyd *m* (**·ydd**) cereal.
grawnffrwyth *m* (**·au**) grapefruit.
grawnwinen *f* (**grawnwin**) grape(s).
Grawys *m* Lent.
gre *f* (**·oedd**) flock.
gredyll *see* gradell.
greddf *f* (**·au**) instinct.
greddfol *adj* instinctive.
gresyn *m* a shame.
gresynu *v* to deplore.
gresynus *adj* wretched.
gridyll *m/f* (**·au**) griddle.
griddfan *m* (**·nau**) a groan. • *v* to groan.
grifft *m* frog-spawn.
gris *m/f* (**·iau**) step, stair.
grisial *m* (**·au**) crystal.
grisialaidd *adj* crystalline.
gro *pl* pebbles.
gronell *f* (**·au**) roe.
gronyn *m* (**·nau, grawn**) grain.
groser *m* (**groseriaid**) grocer.
grudd *f* (**·iau**) cheek.
grug *m* heather.
grug·iar *f* (**·ieir**) grouse.
grwgnach *v* to grumble.
grwgnachlyd *adj* prone to moan.
grwn *m* (**grynnau**) ploughed section.
grwndi *m* a purring.
grŵp *m* (**grwpiau**) group.
grym *m* (**·oedd**) force.

grymus *adj* poweful.
grymuso *v* to fortify.
grynnau *see* grwn.
gw. *abb* see.
gwacáu *v* to empty.
gwaced *from* gwag.
gwacsaw *adj* trivial.
gwacter *m* (**·au**) void.
gwachul *adj* feeble.
gwadadwy *adj* deniable.
gwadiad *m* denial.
gwadn *m/f* (**·au**) sole.
gwadnu *v* to sole; to hoof it.
gwadu *v* to deny.
gwad·wr *m* (**·wyr**) denier.
gwadd¹ *m* guest.
gwadd², gwadden, gwahadd·en *f* (**·od**) mole.
gwaddod *m* (**·ion**) sediment.
gwaddol *m* endowment.
gwaddoli *v* to endow.
gwae *m* (**·au**) woe.
gwaed *m* blood.
gwaed-gynnes *adj* warm-blooded.
gwaedlif *m* haemorrhage.
gwaedlyd *adj* bloody.
gwaedoer *adj* cold-blooded.
gwaedu *v* to bleed.
gwaedd *f* (**·au**) shout.
gwaedd(af) *from* gweiddi.
gwaeg *f* (**·au**) buckle.
gwael *adj* poor.
gwaeledd *m* illness.
gwaelod *m* (**·ion**) bottom.
gwaelu *v* to sicken.
gwäell *f* (**gweill, gwëyll**) knitting needle.
gwaered *m* downward slope.
gwaeth *adj* worse.
gwaethwaeth *adj* from bad to worse.
gwaethygu *v* to deteriorate.
gwag *adj* empty.
gwagedd *m* frivolity.
gwagio, gwagu *v* to empty.
gwaglaw *adj* empty-handed.

gwagle *m* (·oedd) void.
gwagnod *m* (·au) zero.
gwag-siarad *m* tittle-tattle.
gwahadden *see* gwadd.
gwahân *m* apart.
gwahanf·a ddŵr *f* (·eydd dŵr) watershed.
gwahangleifion *pl* lepers.
gwahanglwyf *m* leprosy.
gwahanglwyfus *adj* leprous. • *m* leper.
gwahaniaeth *m* (·au) difference.
gwahaniaethu *v* to distinguish.
gwahanol *adj* different.
gwahanu *v* to separate.
gwahardd *v* to forbid.
gwaharddedig *adj* prohibited.
gwaharddiad *m* (·au) prohibition.
gwahodd *v* to invite.
gwahoddedigion *pl* guests.
gwahoddiad *m* (·au) invitation.
gwain *f* (gweiniau) sheath.
gwair *m* (gweiriau, gweirydd) hay.
gwaith *m* (gweithiau) work. • *f* occasion.
gwâl *f* (gwalau) lair.
gwala *f* plenty.
gwalch *m* (gweilch) hawk.
gwall *m* (·au) mistake.
gwallgof *adj* insane.
gwallgof·dy *m* (·dai) lunatic asylum.
gwallgofddyn *m* (·ion) lunatic.
gwallgofrwydd *m* insanity.
gwallt *m* (gwalltiau) hair (of head).
gwalltog *adj* hairy.
gwallus *adj* incorrect.
gwamal *adj* fickle.
gwamalrwydd *m* frivolity.
gwamalu *v* to waver.
gwan *adj* weak.
gwanaf *f* (·au, gwaneifiau) swath.
gwanc *m* lust.
gwancus *adj* greedy.
gwanedig *adj* diluted.
gwanedu *v* to dilute.
gwaneg *f* (·au, gwenyg) a billow.
gwaneifiau *see* gwanaf.

gwangalon *adj* timid.
gwangalonni *v* to despair.
gwanhau *v* to weaken.
gwanllyd, gwannaidd *adj* feeble.
gwanned *from* gwan.
gwant *m* caesura.
gwantan *adj* feeble; fickle.
gwanu *v* to stab.
gwanwyn *m* spring.
gwanwynol *adj* vernal.
gwanychu *v* to weaken.
gwar *m/f* (·rau) nape.
gwâr *adj* civilised.
gwaradwydd *m* shame.
gwaradwyddo *v* to shame.
gwaradwyddus *adj* shameful.
gwarafun *v* to forbid.
gwaraidd *adj* civilised.
gwarant *f* (·au) warrant.
gwarantu *v* to justify.
gwarchae *m* (·au) siege. • *v* to besiege.
gwarcheid·wad *m* (·waid) keeper.
gwarchod *v* to look after.
gwarchodaeth *f* custody.
gwarchod·fa *f* (·feydd) reservation.
gwarchodliw *m* camouflage.
gwarchodlu *m* (·oedd) guards.
gwarchod·wr *m* (·wyr) guardian.
gware *m/f* game.
gwared, gwaredu *v* to rid.
gwaredigaeth *f* deliverance.
gwared·wr *m* (·wyr) saviour.
gwareiddiad *m* (·au) civilisation.
gwareiddiedig *adj* civilised.
gwareiddio *v* to civilise.
gwargaled *adj* stubborn.
gwarged *m* (·ion) surplus.
gwargrwm *adj* stooping.
gwargrymu *v* to stoop.
gwarian·t *m* (·nau) expenditure.
gwarineb *m* civility.
gwario *v* to spend.
gwarrau *see* gwar.
gwarth *m* shame.
gwarthaf *m*: ar warthaf upon.

gwarthafl *see* gwarthol.
gwartheg *pl* cattle.
gwarthol *f* (·ion) stirrup.
gwarthus *adj* disgraceful.
gwas *m* (gweision) servant.
gwasaidd *adj* servile.
gwasanaeth *m* (·au) service.
gwasanaethu *v* to serve.
gwaseidd-dra *m* servility.
gwasg *f* (gweisg) a press. • *m/f* waist.
gwasgar *m*: ar wasgar scattered.
gwasgaredig *adj* scattered.
gwasgarog *adj* dispersed.
gwasgaru *v* to scatter.
gwasgedd *m* (·au) pressure.
gwasg·fa *f* (·feydd) pang.
gwasgiad *m* (·au) a squeeze.
gwasgod *f* (·au) waistcoat.
gwasgu *v* to squeeze.
gwasod *adj* in heat.
gwastad *adj* level; always.
gwastad, gwastadedd *m* (·au) plain, level.
gwastadol *adj* perpetual.
gwastadrwydd *m* evenness.
gwastatáu, gwastatu *v* to level.
gwastatir *m* (·oedd) plain.
gwastraff *m* waste.
gwastrafflyd *adj* wasteful.
gwastraffu *v* to waste.
gwastraffus *adj* extravagant.
gwastr·awd *m* (·odion) groom.
gwatwar *m* mockery. • *v* to mock.
gwatwarus *adj* mocking.
gwatwar·wr *m* (·wyr) mocker.
gwau *m* knitting.
gwau, gweu *v* to weave.
gwaun *f* (gweunydd) moorland.
gwawch *f* yell.
gwawd *m* scorn.
gwawdio *v* to ridicule.
gwawdlyd *adj* scornful.
gwawl *m* radiance.
gwawn *m* gossamer.
gwawr *f* dawn.

gwawrio *v* to dawn.
gwayw *m* (gwewyr) pang.
gwayw·ffon *f* (·ffyn) spear.
gwdihŵ *f* owl.
gwddf, gwddwg *m* (gyddfau, gyddygau) neck.
gwe *f* (·oedd) web.
gwead *m* (·au) texture.
gwe(af) *from* gwau.
gwed(ir) *from* gwadu.
gwedd *f* (·au) appearance. • *f* (·oedd) yoke.
gweddaidd *adj* suitable.
gwedd·er *m* (·rod) wether.
gwedd·i *f* (·ïau) prayer.
gweddill *m* (·ion) remnant.
gweddïo *v* to pray.
gweddol *adj* fairly.
gweddu *v* to suit.
gweddus *adj* seemly.
gweddustra *m* propriety.
gweddw *f* (·on) widow.
gweddwdod *m* widowhood.
gwefl *f* (·au) lip.
gwefr *m* (·au) thrill.
gwefreiddio *v* to electrify.
gwefreiddiol *adj* electrifying.
gwefus *f* (·au) lip.
gwegian *v* to totter.
gwegil *m/f* nape.
gweheirdd *from* gwahardd.
gwehelyth *m/f* lineage.
gwehilion *pl* dregs.
gwehydd, gwẽydd (gwehyddion) weaver.
gweiddi *v* to shout.
gweigion *adj* (*pl*) empty.
gweilch *see* gwalch.
gweilgi *f* the deep.
gweill *see* gwäell.
gweini *v* to serve.
gweiniau *see* gwain.
gweinidog *m* (·ion) minister.
gweinidogaeth *f* ministry.
gweinidogaethu *v* to officiate.

gweinion *adj* (*pl*) weak.
gweinydd *m* (·ion) waiter.
gweinyddes *f* (·au) waitress.
gweinyddiaeth *f* (·au) administration.
gweinyddol *adj* administrative.
gweinyddu *v* to administer.
gweinydd·wr *m* (·wyr) administrator.
gweinyddwraig *f* administratrix.
gwêir *from* gwau.
gweirglodd *f* (·iau) meadow.
gweiriau, gweirydd *see* gwair.
gweiryn *m* (gwair) blade of grass.
gweisg *see* gwasg.
gweision *see* gwas.
gweith·dy *m* (·dai) workshop.
gweithfeydd *pl* industrial works.
gweithgar *adj* diligent.
gweithgaredd, gweithgarwch *m* (·au)
   activity.
gweithgor *m* (·au) working party.
gweithgynhyrchu *v* to manufacture.
gweithiau *see* gwaith.
gweithio *v* to work.
gweith·iwr *m* (·wyr) worker.
gweithred *f* (·oedd) action.
gweithredoedd *pl* deeds.
gweithredol *adj* executive.
gweithredu *v* to act.
gweithred·wr *m* (·wyr) operator.
gwêl *from* gweld.
gweladwy *adj* visible.
gwelâu *see* gwely.
gweld, gweled *v* to see.
gweledig *adj* visible.
gweledigaeth *f* (·au) vision.
gweledol *adj* visual.
gwelw *adj* pale.
gwelwder, gwelwedd *m* pallor.
gwelwi *v* to pale.
gwel·y *m* (·yau, ·âu, gwlâu) bed.
gwell *adj* better.
gwella *v* to get better.
gwell·aif, gwell·au *m* (·eifiau) shears.
gwellhad *m* recovery.
gwellian·t *m* (·nau) improvement.

gwelltglas *pl* grass.
gwelltog *adj* grassy.
gwelltyn *m* (gwellt) straw.
gwellwell *adj* better and better.
gwemp *adj* (*f*) fair.
gwen *adj* (*f*) white.
gwên *f* (gwenau) smile.
gwenc·i *f* (·iod) weasel.
gwendid *m* (·au) weakness.
Gwener *f* Friday; Venus.
gwenerol *adj* venereal.
gwenfflam *adj* blazing.
gweniaith *f* flattery.
gwenieithio *v* to blandish.
gwenieith·iwr *m* (·wyr) flatterer.
gwenieithus *adj* flattering.
gwenithen *f* (gwenith) wheat.
gwenithfaen *m*/*f* granite.
gwennaf *from* gwen.
gwen·nol *f* (·oliaid) swallow.
gwenu *v* to smile.
genwyn *m* poison.
genwynig *adj* poisonous.
gwenwynllyd *adj* venemous.
genwyno *v* to poison.
gwenyg *see* gwaneg.
gwenynen *f* (gwenyn) bee.
gweog *adj* webbed.
gwep *f* jib.
gwêr *m* tallow.
gwerdd *adj* (*f*) green.
gwerddon *f* (·au) oasis.
gweren *f* suet.
gwerin *f* folk.
gweriniaeth *f* (·au) republic.
gwerinol *adj* common.
gwerin·wr *m* (·wyr) countryman.
gwern *f* (·i, ·ydd) alder.
gwernen *f* (·ni, ·nau) alder.
gwers *f* (·i) lesson.
gwerslyfr *m* (·au) textbook.
gwersyll *m* (·oedd) camp.
gwersylla, gwersyllu *v* to camp.
gwerth *m* (·oedd) value.
gwerthfawr *adj* precious.

gwerthfawrogi *v* to appreciate.
gwerthfawrogiad *m* appreciation.
gwerthfawrogol *adj* appreciative.
gwerthian·t *m* (·nau) sale.
gwerthu *v* to sell.
gwerth·wr *m* (·wyr) seller.
gwerthyd *f* (·au, ·oedd) axle.
gweryd *m* earth; grave.
gweryrad *m* whinny.
gweryru *v* to neigh.
gwest·ai *m* (·eion) guest.
gwest·y *m* (·ai, ·yau) guest-house.
gweu *v* to weave, to knit.
gweunydd *see* **gwaun**.
gwêwyd *from* **gwau**.
gwewyr *see* **gwayw**.
gwêydd *see* **gwehydd, gwêydd**.
gwêyll *see* **gwaëll**.
gwg *m* frown.
gwgu *v* to frown.
gwialen *f* (gwiail) cane.
gwib *f* rush.
gwib·daith *f* (·deithiau) outing.
gwiber *f* (·od) viper.
gwich *f* (·iau) squeal.
gwich·iad *m* (·iaid) winkle.
gwichian *v* to squeal.
gwichlyd *adj* squeaky.
gwiddon *f* witch.
gwifr, gwifr·en *f* (·au) wire.
gwig *f* woodland.
gwingo *v* to writhe.
gwin *m* (·oedd) wine.
gwinau *adj* auburn.
gwinllan *f* (·nau, ·noedd) vineyard.
gwinwydden *f* (gwinwydd) vine.
gwir *adj* true.
gwireb *f* maxim.
gwireddu *v* to make true.
gwirfodd *m* voluntary consent.
gwirfoddol *adj* voluntary.
gwirfoddoli *v* to volunteer.
gwirfoddol·wr *m* (·wyr) volunteer.
gwirgroen *m* dermis.
gwiriad *m* a check.

gwirio *v* to verify.
gwirion *adj* silly.
gwiriondeb *m* silliness.
gwirionedd *m* truth.
gwirioneddol *adj* true.
gwirioni *v* to dote.
gwirod *m* (·ydd) liquor.
gwisg *f* (·oedd) clothing.
gwisgi *adj* nimble.
gwisgo *v* to wear.
gwiw *adj* worthy.
gwiwer *f* (·od) squirrel.
gwlad *f* (gwledydd) country.
gwladaidd *adj* rustic.
gwladf·a *f* (·eydd) colony.
gwladgarol *adj* patriotic.
gwladgarwch *m* patriotism.
gwladgar·wr *m* (·wyr) patriot.
gwladol *adj* state.
gwladoli *v* to nationalise.
gwladwein·ydd *m* (·wyr) statesman.
gwlad·wr *m* (·wyr) countryman.
gwladwriaeth *f* (·au) state.
gwladychu *v* to colonise.
gwlân *m* (gwlanoedd) wool.
gwlanen *f* (·ni) flannel.
gwlanog *adj* woolly.
gwlatgar *adj* patriotic.
gwlâu *see* **gwely**.
gwleb *adj* (*f*) wet.
gwledig *adj* rural.
gwledydd *see* **gwlad**.
gwledd *f* (·oedd) feast.
gwledda *v* to feast.
gwleidydd *m* (·ion) politician.
gwleidyddiaeth *f* politics.
gwleidyddol *adj* political.
gwleidydd·wr *m* (·wyr) politician.
gwlith *m* dew.
gwlith·en *f* (·od, gwlithenni) slug.
gwlithyn *m* dewdrop.
gwlyb *adj* wet.
gwlybaniaeth *m* moisture.
gwlybwr *m* fluid.
gwlych *m* liquid; gravy.

gwlychu *v* to wet.
gwlydd *pl* stalks.
gwm *m* gum.
gwn *m* (gynnau) gun. • *from* gwybod.
gŵn *m* (gynau) gown.
gwndwn *m* ley.
gwnêl, gwnelo *from* gwneud.
gwneud, gwneuthur *v* to do (*see* Appendix).
gwneuthuriad *m* composition.
gwneuthur·wr *m* (·wyr) maker.
gwniadur *m* (·on) thimble.
gwniadwaith *m* needlework.
gwniad·wraig, gwniad·wreg *f* (·wragedd) seamstress.
gwnïo *v* to sew.
gwobr *f* (·au, ·wyon) prize.
gwobrwyo *v* to reward.
gŵr *m* (gwŷr) man; husband.
gwrach *f* (·od, ·ïod) witch.
gwragedd *see* gwraig.
gwraidd, gwreiddyn *m* (gwreiddiau) root.
gwraig *f* (gwragedd) woman; wife.
gwrandaw(af) *from* gwrando.
gwrandawiad *m* (·au) hearing.
gwranda·wr *m* (·wyr) listener.
gwrando *v* to listen.
gwrant(af) *from* gwarantu.
gwrcath, gwrc·i, gwrcyn *m* (·od, ·ïod, ·od) tom-cat.
gwregys *m* (·au) seat-belt.
gwregysu *v* to girdle.
gwrêng *m* common people.
gwreichionen *f* (gwreichion) spark.
gwreichioni *v* to sparkle.
gwreichionyn *m* (gwreichion) spark.
gwreiddiau *see* gwraidd, gwreiddyn.
gwreiddio *v* to take root.
gwreiddiol *adj* original.
gwreiddioldeb *m* originality.
gwreiddyn *see* gwraidd.
gwrendy *from* gwrando.
gwresog *adj* hot.
gwresogi *v* to heat.

gwresogydd *m* (·ion) heater.
gwrhyd, gwryd *m* fathom.
gwrhydri *m* valour.
gwrid *m* blush.
gwrido *v* to blush.
gwridog *adj* rosy-cheeked.
gwritgoch *adj* ruddy.
gwrogaeth *f* homage.
gwrol *adj* brave.
gwroldeb *m* valour.
gwron *m* (·iaid) brave man.
gwrt·aith *m* (·eithiau) fertiliser.
gwrthban *m* (·nau) blanket.
gwrteithio *v* to manure.
gwrthban *m* (·nau) blanket.
gwrthbl·aid *f* (·eidiau) the opposition.
gwrthbrofi *v* to disprove.
gwrthbwynt *m* counterpoint.
gwrthdaro *v* to clash.
gwrthdrawiad *m* (·au) collision.
gwrthdystiad *m* (·au) protest.
gwrthdystio *v* to protest.
gwrth·ddweud *v* to contradict.
gwrthddywediad *m* (·au) contradiction.
gwrthfiotig *m* antibiotic.
gwrthgilio *v* to backslide.
gwrthgil·iwr *m* (·wyr) backslider.
gwrthgl·awdd *m* (·oddiau) rampart.
gwrthglocwedd *adj* anticlockwise.
gwrthgyferbyniad *m* (·au) contrast.
gwrthgyferbyniol *adj* opposite.
gwrthgyferbynnu *v* to contrast.
gwrthian·t *m* (·nau) resistance.
gwrthnysig *adj* perverse.
gwrthod *v* to refuse.
gwrthodedig *adj* rejected.
gwrthodiad *m* (·au) refusal.
gwrthrewydd *m* antifreeze.
gwrthrych *m* (·au) object.
gwrthrychol *adj* objective.
gwrthryfel *m* (·oedd) rebellion.
gwrthryfela *v* to rebel.
gwrthryfelgar *adj* rebellious.
gwrthryfel·wr *m* (·wyr) a rebel.
gwrthsafiad *m* stance against.

gwrthsefyll *v* to withstand.
gwrthsoddi *v* to countersink.
gwrthun *adj* repugnant.
gwrthuni *m* repugnance.
gwrthwenwyn *m* antidote.
gwrthwyneb *m* contrary.
gwrthwynebiad *m* (·au) objection.
gwrthwynebu *v* to oppose.
gwrthwynebus *adj* antagonistic.
gwrthwyneb·wr *m* (·wyr) opponent.
gwrthyd *from* **gwrthod**.
gwrych *m* (·oedd) hedge.
gwrychyn *m* (gwrych) hackle.
gwryd *m* fathom.
gwrym *m* (·iau) welt.
gwrysgen *f* (gwrysg) haulm.
gwrysgyn *m* (gwrysg) haulm.
gwryw *adj* male.
gwrywaidd *adj* masculine.
gwrywgydiaeth *f* homosexuality.
gwrywgyd·iwr *m* (·wyr) homosexual.
gwsber·en *f* (·ins, gwsberis) goose-berry.
gwth, gwthiad *m* (·iau, ·au) shove.
gwthio *v* to push.
gwyach *f* (·od) grebe.
gwybedyn *m* (gwybed) midges.
gwybod *v* to know.
gwybodaeth *f* knowledge; information.
gwybodus *adj* learned.
gwybyddus *adj* known.
gwych *adj* excellent.
gwychder *m* splendour.
gwydn *adj* tough.
gwydnwch, gwytnwch *m* toughness.
gwydr *m* (·au) glass.
gwydr·aid *m* (·eidiau) glassful.
gwydro *v* to glaze.
gwydryn *m* (·nau) tumbler.
gŵydd *m* presence.
gŵydd *f* (gwyddau) goose.
gwŷdd *m* (gwyddion) loom; plough.
gwŷdd *pl* trees.
gwydd(ai) *from* **gwybod**.

gwyddbwyll *f* chess.
Gwyddel *m* (·od) Irishman.
Gwyddeleg *f* Irish.
gwyddfid *m* honeysuckle.
gwyddoniadur *m* (·on) encyclopedia.
gwyddoniaeth *f* science.
gwyddonol *adj* scientific.
gwyddon·ydd *m* (·wyr) scientist.
gwyddor *f* (·au) rudiment(s); science:
  yr wyddor the alphabet.
gwyfyn *m* (·od) moth.
gŵyl *f* (gwyliau) holiday; festival.
gŵyl Dewi, gŵyl Ddewi St David's Day.
gwylaidd *adj* unassuming.
gwylan *f* (·od) seagull.
gwyleidd·dra *m* modesty.
gwyl·fa *f* (·âu) lookout.
gwyliadwriaeth *f* alertness.
gwyliadwrus *adj* cautious.
gwyliedydd *m* watchman.
gwylio *v* to watch.
gwyl·iwr *m* (·wyr) watcher.
gwylmabsant *f* wake.
gwylnos *f* (·au) vigil.
gwylog *f* (·od) guillemot.
gwyll *m* gloom.
gwyll·iad *m* (·iaid) bandit.
gwyllt *adj* wild.
gwylltineb *m* wildness.
gwylltio, gwylltu *v* to become angry.
gwymon *m* seaweed.
gwymp *adj* fine.
gwyn *adj* white.
gwŷn *m* (gwyniau) ache; rage.
gwynder *m* whiteness.
gwynegon *pl* rheumatism.
gwynegu *v* to throb.
gwynfa *f* paradise.
gwynfyd *m* (·au) bliss.
gwynfydedig *adj* blessed.
gwyngalch *m* whitewash.
gwyngalchu *v* to whitewash.
gwyn·iad *m* (·iaid) fish unique to Bala Lake.

gwynias *adj* white-hot.
gwynio *v* to ache.
gwynned *from* **gwyn**.
gwynnin *m* sap-wood.
gwynnu *v* to whiten.
gwynnwy *m* albumen.
gwynt *m* (·oedd) wind.
gwyntio, gwynto *v* to smell.
gwyntog *adj* windy.
gwyntyll *f* (·au) fan.
gwypo *from* **gwybod**.
gŵyr[1] *from* **gwybod**.
gŵyr[2] *adj* aslant.
gŵyr[3] *mutated form of* **cwyr**.
gwŷr *see* **gŵr**.
gwyr·an *m/f* (·ain) barnacle.
gwyrdroad *m* (·au) perversion.
gwyrdroëdig *adj* perverted.
gwyrdroi *v* to distort.
gwyrdd *adj* green.
gwyrddlas *adj* sea-green.
gwyrddlesni *m* verdure.
gwyrgam *adj* crooked.
gwyriad *m* (·au) deviation.
gwyro *v* to bend.
gwyrth *f* (·iau) miracle.
gwyrthiol *adj* miraculous.
gwyryf, gwyry (·(f)on) virgin.

gwyryfol *adj* virgin.
gwŷs *f* (**gwysion**) summons.
gwysio *v* to summon.
gwystl *m* (·on) hostage.
gwystlo *v* to pledge.
gwytned *from* **gwydn**.
gwytnwch *see* **gwydnwch**.
gwythïen *f* (**gwythiennau**) vein.
gwyw *adj* withered.
gwywo *v* to wither.
gyda, gydag *prefix* with.
gyddfau, gyddygau *see* **gwddf, gwddwg**.
gyddfol *adj* guttural; jugular.
gylch *from* **golchi**.
gylfin *m* (·au) beak.
gylfinir *m* (·od) curlew.
gynau *see* **gŵn**.
gynnau *see* **gwn**.
gynnau *adv* just now.
gynt *adv* formerly.
gyr *m* (·roedd) flock.
gyrdd *see* **gordd**.
gyrfa *f* (·oedd) career.
gyrru *v* to drive.
gyrrwr *m* (**gyrwyr**) driver.
gyrwynt *m* (·oedd) hurricane.

H

ha *abb* hectar (ha).
hacio *v* to hack.
haclif *f* (·iau) hacksaw.
hacred *from* **hagr**.
had *m* seed.
haden *f* (**hadau**) a seed.
hadu *v* to go to seed.
had·yn *m* (·au) seed.
haearn *m* (**heyrn**) iron.
haearnaidd *adj* iron-like.
haeddiannau *see* **haeddiant**.
haeddiannol *adj* deserving.
haeddian·t *m* (·nau) merit.

haeddu *v* to deserve.
hael *adj* generous.
haelfrydedd *m* generosity.
haelfrydig *adj* liberal.
haelioni *m* generosity.
haelionus *adj* generous.
haen, haenen *f* (·au, ·nau) layer.
haeriad *m* (·au) allegation.
haerllug *adj* arrogant.
haerllugrwydd *m* cheek.
haeru *v* to allege.
haf *m* (·au) *m* summer.
hafaidd *adj* summery.

hafal *adj* equal.
hafaliad *m* (·au) equation.
hafalnod *m* (·au) equal sign.
hafan *f* haven.
haflug *m/f* plenty.
hafn *m/f* (·au) pass.
hafod *f* (·au, ·ydd) upland farm.
hafflau *m* clutches.
hagr *adj* ugly.
hagru *v* to disfigure.
hagrwch *m* ugliness.
haid *f* (**heidiau**) swarm.
haidd *see* **heidden**.
haig *f* (**heigiau**) shoal.
haint *m/f* (**heintiau**) disease.
halen *m* salt.
halio *v* to hall.
halogedig *adj* defiled.
halogi *v* to defile.
halwyn *m* (·au) salt.
hallt *adj* salty.
halltu *v* to salt.
hamb·wrdd *m* (·yrddau) tray.
hamdden *m/f* leisure.
hamddena *v* to laze.
hamddenol *adj* leisurely.
hances *f* (·i) handkerchief.
haneri *pl* half-backs (rugby).
haneru *v* to halve.
hanes *m* (·ion) tale; history.
hanes·ydd *m* (·wyr) historian.
hanfod *m* (·ion) essence.
hanfodol *adj* essential.
haniaeth *f* (·au) abstraction.
haniaethol *adj* abstract.
hanner *m* (**haneri**) half.
hanner tôn *m* (~ **tonau**) semitone.
hanu *v* to derive from.
hap *f* (·iau) chance.
hapchwarae *m* (·on) gambling.
hapnod *m* (·au) an accidental.
hapus *adj* happy.
hapusrwydd *m* happiness.
hardd *adj* handsome.
harddu *v* to beautify.

harddwch *m* beauty.
harmon·i *m* (·ïau) harmony.
harn·ais *m* (·eisiau) harness.
harneisio *v* to harness.
hastus *adj* rushed.
hatling *f* mite (*widow's mite*).
hau *v* to sow.
haul *m* (**heuliau**) sun.
hawdd *adj* easy.
hawddfyd *m* prosperity.
hawddgar *adj* amiable.
hawddgarwch *m* amiability.
hawl *f* (·iau) right.
hawl *from* **holi**.
hawl·fraint *f* (·freintiau) copyright.
hawlio *v* to claim.
haws *adj* easier.
heb *prep* without.
heblaw *prep* besides.
hebog *m* (·au, ·iaid) hawk.
Hebread *m* (**Hebreaid**) Hebrew.
hebrwng *v* to accompany.
hebryngydd *m* guide.
hed *from* **ehedeg**.
hedegog *adj* flying.
hedfan *v* to fly.
hedyn *m* (**hadau**) seed.
heddgeid·wad *m* (·waid) policeman.
heddiw *adv* today.
heddlu *m* police force.
hedd·was *m* (·weision) policeman.
heddwch, hedd *m* peace.
heddychiaeth *f* pacifism.
heddychlon, heddychol *adj* peaceful.
heddych·wr *m* (·wyr) pacifist.
hefelydd *m* peer.
hefyd *adv* also.
heff·er *f* (·rod) heifer.
heglog *adj* leggy.
heglu *v* to leg it.
heibio *adv* past.
heicio *v* to hike.
heidiau *see* **haid**.
heidio *v* to swarm.
heidden *f* (**haidd**) (grain of) barley.

heigiau *see* **haig.**

heilltion *adj* (*pl*) salty.

heini *adj* active.

heintiau *see* **haint.**

heintio *v* to infect.

heintus *adj* infectious.

heirdd *adj* (*pl*) beautiful.

hel *v* to send.

hela *v* to hunt.

helaeth *adj* extensive.

helaethrwydd *m* extent.

helaethu *v* to enlarge.

helbul *m* (·**on**) trouble.

helbulus *adj* troublesome.

helcyd *v* to lug.

helf·a *f* (·**eydd**, ·**âu**) (a) hunt.

hel·gi *m* (·**gwn**) hound.

heli *m* sea.

hel·iwr *m* (·**wyr**) hunter.

helm *f* (·**au**) helmet; (·**ydd**) rick.

helogan *f* celery.

helpu *v* to help.

helygen *f* (**helyg**) willow.

helynt *f* (·**ion**) trouble.

hell *adj* (*f*) ugly.

hemio *v* to hem; to belt.

hen *adj* old.

henadur *m* (·**iaid**) alderman.

henaduriaeth *f* presbytery.

henaidd *adj* old-fashioned.

henaint *m* old age.

hen dad-cu, hen-daid *m* great-grandfather.

hendref *f* (·**i**) lowland farm.

heneb·yn *m* (·**ion**) ancient monument.

heneiddio *v* to grow old.

hen fam-gu, hen-nain *f* great-grandmother.

henffasiwn *adj* old-fashioned.

henffych *exclam* greetings!

hen-nain *f* (**hen-neiniau**) great-grandmother.

heno *adv* tonight.

henoed *m* elderly people.

henur·iad *m* (·**iaid**) an elder.

heol, hewl *f* (**heolydd**) road.

hepgor *v* to forgo.

hepian *v* to doze.

her *f* (·**iau**) challenge.

herc *f* (·**iau**) hop.

hercian *v* to hobble.

herciog *adj* limping.

herfeiddiol *adj* defiant.

hergwd *m* push.

herio *v* to challenge.

herodraeth *f* heraldry.

herw *m*: **ar herw** outlawed.

herwgipio *v* to hijack, to kidnap.

herwgip·iwr *m* (·**wyr**) kidnapper.

herwhela *v* to poach.

her·wr *m* (·**wyr**) outlaw.

hesb *adj* (*f*) barren.

hesbin, hesben *f* (·**od**) (yearling) ewe.

hesgen *f* (**hesg**) sedge.

het *f* (·**iau**) hat.

hetar *m* (·**s**) iron.

heth *f* cold spell.

heuaf *from* **hau.**

heuldro *m* (·**eon**) solstice.

heuliau *see* **haul.**

heulog *adj* sunny.

heulwen *f* sunshine.

heu·wr *m* (·**wyr**) sower.

heyrn *see* **haearn.**

hi *pron* she; her.

hidio *v* to mind.

hidl *f* (·**au**) sieve. • *adj* streaming.

hidlen *f* (·**ni**) filter.

hidlo *v* to filter.

hil *f* (·**ion**, ·**oedd**) race.

hiliogaeth *f* descendants.

hiliol *adj* racist.

hilyddiaeth *f* racism.

hin *f* weather.

hiniog *see* **rhiniog.**

hinon *f* fair weather.

hins·awdd *m/f* (·**oddau**) climate.

hir *adj* long.

hiraeth *m* nostalgia.

hiraethu *v* to long for.

hiraethus *adj* homesick.
hirbell *adj* afar.
hirben *adj* shrewd.
hirgrwn *adj* oval.
hirgron *adj* (*f*) oval.
hirhoedledd *m* longevity.
hirhoedlog *adj* long-lived.
hirlwm *m* lean period.
hirwyntog *adj* long-winded.
hirymarhous *adj* long-suffering.
hithau *pron* she too; her too.
hoced *m/f* chicanery.
hoe *f* rest.
hoedl *f* lifetime.
hoel, hoel·en *f* (·**ion**) nail.
hoelbren *m* (·**nau**) dowel.
hoelio *v* to nail.
hoen *m/f* zest.
hoenus *adj* vivacious.
hof *f* (·**iau**) hoe.
hofio *v* to hoe.
hofran *v* to hover.
hofranfad *m* (·**au**) hovercraft.
hofrenydd *m* (·**ion**) helicopter.
hoff *adj* favourite.
hoffi *v* to like.
hoffter *m* (·**au**) fondness.
hoffus *adj* likeable.
hogen, hogan *f* (·**nod, gennod**) lass.
hogi *v* to sharpen.
hogwr *m* sharpener.
hog·yn *m* (·**iau**) lad.
hongiad *m* (·**au**) suspension.
hongian *v* to hang.
holgar *adj* inquisitive.
holi *v* to question.
holiadur *m* (·**on**) questionnaire.
hol·wr *m* (·**wyr**) question-master.
holwyddoreg *f* catechism.
holl *adj* all.
hollalluog *adj* omnipotent.
hollfyd *m* universe.
holliach *adj* sound.
hollol *adj* entire.
hollt *m/f* (·**au**) cleft.

hollti *v* to split.
hollwybodol *adj* omniscient.
hollysydd *m* omnivore.
hon *pron* this (*f*).
honcian *v* to limp.
honedig *adj* alleged.
honiad *m* (·**au**) claim.
honni *v* to allege.
honno *pron* that (*f*).
hopran *f* mill-hopper.
hosan *f* (·**au, sanau**) sock.
hosanna *exclam* hosanna.
hoyw *adj* gay.
hual *m* (·**au**) fetter.
huawdl *adj* eloquent.
hud *m* magic.
hudlath *f* (·**au**) magic wand.
hudo *v* to enchant.
hudol, hudolus *adj* beguiling.
hudoliaeth *f* enchantment.
huddygl *m* soot.
hufen *m* cream.
hufen·fa *f* (·**feydd**) creamery.
hugan *f* (·**au**) cloak; gannet.
huling *f* a covering.
hulio *v* to cover.
hun *f* slumber.
hun, hunan *pron* self.
hunan-barch *m* self-respect.
hunanbwysig *adj* bumptious.
hunandosturiol *adj* self-pitying.
hunandybus *adj* self-important.
hunanddisgyblaeth *f* self-discipline.
hunanfeddiannol *adj* self-possessed.
hunangofian·t *m* (·**nau**) autobiography.
hunangyfiawn *adj* self-righteous.
hunangynhaliol *adj* self-sufficient.
hunanhyder *m* self-confidence.
hunaniaeth *f* identity.
hunanladdiad *m* suicide.
hunanlywodraeth *f* autonomy.
hunanol *adj* selfish.
hunanoldeb *m* selfishness.
hunanymwadiad *m* self-denial.
hunanymwybodol *adj* self-conscious.

hunllef f (·au) nightmare.

huno v to sleep.

huodledd m eloquence.

huotled from **huawdl**.

hur m hire.

hur-bwrcas m hire-purchase.

hurio v to hire.

hurt adj stupid.

hurtio, hurto v to stupify.

hurtrwydd m stupidity.

hurtyn m (·nod) idiot.

hwb, hwp m a shove.

hwch f (**hychod**) sow.

hwiangerdd f (·i) nursery rhyme.

hwliganiaeth f hooliganism.

hwn pron this (m).

hwnnw pron that (m).

hwnt adv yonder.

hwp see **hwb, hwp**.

hwrdd m (**hyrddod**) ram.

hwre exclam take this.

hws·mon m (·**myn**) husbandman.

hwy, nhw pron them.

hwy from **hir**.

hwy·ad, hwy·aden f (·**aid**) duck.

hwyhau v to lengthen.

hwyl f (·**iau**) sail; mood.

hwylbren m (·**nau**, ·**ni**) mast.

hwylio v to sail.

hwyliog adj humorous.

hwylus adj convenient.

hwyluso v to facilitate.

hwylustod m convenience.

hwynt-hwy pron they themselves.

hwyr adj late.

hwyrach adv perhaps; later.

hwyrddyfod·iad m (·**iaid**) latecomer.

hwyrfrydig adj reluctant.

hwyrhau v to become late.

hwyrol adj evening.

hwythau pron they too.

h.y. abb i.e.

hy, hyf adj bold.

hybarch adj very reverend.

hyblyg adj flexible.

hyblygrwydd m flexibility.

hybu v to promote.

hychod see **hwch**.

hyd m length. • prep until.

hydawdd adj soluble.

hyder m confidence.

hyderu v to rely.

hyderus adj confident.

hydraidd adj pervious.

hydred m (·**au**) longitude.

hydredol adj longitudinal.

Hydref m October.

hydref m autumn.

hydrefol adj autumnal.

hydrin adj tractable.

hydwyth adj resilient.

hydwythedd m elasticity.

hydyn adj docile.

hydd m (·**od**) stag.

hyddysg adj learned.

hyf see **hy**.

hyfder, hyfdra m audacity.

hyfedr adj expert.

hyfryd adj lovely.

hyfrydu v to delight.

hyfrydwch m delight.

hyfwyn adj genial.

hyfforddai m trainee.

hyfforddi v to train.

hyfforddiant m training.

hyffordd·wr m (·**wyr**) trainer.

hyffordd·wraig f (·**wragedd**) instructress.

hygar adj amiable.

hyglyw adj audible.

hygoelus adj gullible.

hygrededd m credibility.

hygyrch adj accessible.

hygyrchedd m accessibility.

hyhi pron she herself.

hylaw adj handy.

hylendid m hygiene.

hylif m (·**au**) liquid.

hylifo v to liquify.

hylifydd m (·**ion**) liquidiser.

hylosg *adj* combustible.
hylosgiad *m* combustion.
hyll *adj* ugly.
hyllt *from* **hollti**.
hylltra, hylltod *m* ghastliness, ugliness.
hyn *pron* these.
hŷn *adj* older.
hynafg·wr *m* (·**wyr**) old man.
hynaf·iad *m* (·**iaid**) ancestor.
hynafiaeth *f* (·**au**) antiquity.
hynafiaethol *adj* antiquarian.
hynafiaeth·ydd *m* (·**wyr**) antiquary.
hynafol *adj* ancient.
hynaws *adj* genial.
hynawsedd *m* geniality.
hyned *from* **hen**.
hynny *pron* those; that.
hynod *adj* remarkable.
hynodrwydd *m* peculiarity.

hynt *f* course.
hyrddio *v* to hurl.
hyrddod *see* **hwrdd**.
hyrwyddo *v* to further.
hysb *adj* barren.
hysbyddu *v* to drain.
hysbys *adj* evident.
hysbyseb *f* advertisment.
hysbysebu *adj* to advertise.
hysbys·fwrdd *m* (·**fyrddau**) notice-board.
hysbysiad *m* (·**au**) announcement.
hysbysion *pl* notices.
hysbysrwydd *m* information.
hysbysu *v* to inform.
hysian, hysio *v* to incite.
hytrach *adv*: **yn hytrach** rather.
hywedd *adj* trained.
hyweddu *v* to train.

I

i *prep* to. • *pron* me; my.
iâ *m* ice.
iach *adj* healthy.
iachâd *m* cure.
iacháu *v* to make better.
iachawdwr *m* saviour.
iachawdwriaeth *f* salvation.
iachus *adj* bracing.
iad *f* (·**au**) cranium.
iâen *f* (**iaēnnau**) sheet of ice.
iaith *f* (**ieithoedd**) language.
iâr *f* (**ieir**) hen.
iard *f* (·**iau, ierdydd**) yard.
iarll *m* (**ieirll**) earl.
iarlles *f* countess.
ias *f* (·**au**) shiver.
iasoer *adj* chilling.
iasol *adj* eerie.
iau *f* (**ieuau, ieuoedd**) yoke. • *m* liver.
iau *adj* younger.
Iau *m* Thursday; Jupiter.
iawn *adv* very. • *adj* right.

iawndal *m* compensation.
iawnderau *pl* rights.
iddi, iddo, iddynt *from* **i**.
ie *adv* yes.
iechyd *m* health.
ieir *see* **iâr**.
ieirll *see* **iarll**.
ieitheg *f* philology.
ieithoedd *see* **iaith**.
ieithwedd *f* style.
ieithydd *m* (·**ion**) linguist.
ieithyddiaeth *f* philology.
ieithyddol *adj* linguistic.
ierdydd *see* **iard**.
iet *f* (·**iau**) gate.
ieuanc, ifanc *adj* young.
ieuau *see* **iau**.
ieuenctid *m* youth.
ieuo *v* to yoke.
ieuoedd *see* **iau**.
ifanc *adj* young.
ig *m* (·**ion**) hiccup.

igam-ogam *adj* zigzag.
igian *v* to hiccup.
iglw *m* (**iglŵau, iglws**) igloo.
ing *m* (**·oedd**) anguish.
ingol *adj* agonising.
ildio *v* to yield.
ill *pron* they.
imperialaeth *f* imperialism.
imperialaidd *adj* imperial.
impio *v* to graft; to sprout.
imp·yn *m* (**·iau**) sprout; graft.
imwneiddio *v* to immunise.
Ind·iad *m* (**·iaid**) Indian.
indrawn *m* maize.
innau *see* **minnau**.
inswleiddio *v* to insulate.
iòd *see* **iot, iòd**.
iolyn *m* nincompoop.
Iôn, Iôr *m* (the) Lord.
ïon *m* (**iônau**) ion.
Ionawr *m* January.
iorwg *m* ivy.
iot, iòd *m* jot; iota.
ir, iraidd *adj* succulent.
iraid *m* (**ireidiau**) lubricant.
iro *v* to oil.
is *adj* lower.
isadran *f* (**·nau**) subsection.

isaf *adj* lowest.
isaf·swm *m* (**·symiau**) minimum.
is-bwyllgor *m* (**·au**) subcommittee.
isel *adj* low.
iselder *m* (**·au**) depression.
iseldir *m* (**·oedd**) lowland.
iselhau *v* to lower.
iselradd *adj* inferior.
isetholiad *m* (**·au**) by-election.
is-gadeirydd *m* vice-chairman.
is-ganghellor *m* vice-chancellor.
is-gapt·en *m* (**·einiaid**) lieutenant.
isgell *m* stock.
is-iarll *m* (**is-ieirll**) viscount.
is-lais *m* (**·leisiau**) undertone.
islaw *prep* below.
isobar *m* (**·rau**) isobar.
isod *adv* below.
isradd *m* (**·au**) (mathematical) root.
israddol *adj* subordinate.
israddoldeb *m* inferiority.
israniad *m* (**·au**) subdivision.
isrannu *v* to subdivide.
isymwybod *m* subconscious.
ith·faen *m* (**·feini**) granite.
iwrch *m* (**iyrchod**) roebuck.
iyrches *f* roe-deer.

J

J *abb* joule (J).
jac codi baw *m* JCB.
jac-y-do *m* jackdaw.
jadan, jaden *f* harridan.
jamio *v* to jam.
jariaid *f* (**jareidiau**) jarful.
jazz *m* jazz.
jêl *f* jail.
jest *adv* almost.
jib *m* (**·s**) grimace.
jibidêrs *pl* smithereens.
ji-binc *m* (**jibincod**) chaffinch.

jîns *m* jeans.
jiráff *m* (**jiraffod**) giraffe.
jiwbilî *m/f* (**jiwbilîau**) jubilee.
jòb *f* (**jobsys**) job.
jôc *f* (**jôcs**) joke.
jocan *v* to joke.
jocôs *adj* contented.
joch *m* (**·iau**) swig.
jolihoetio, jolihoitio *v* to gallivant.
jŵg *m/f* (**jygiau**) jug.
jygaid *m* jugful.

L

labelu *v* to label.
labor·dy *m* (**·dai**) laboratory.
lafant *m* lavender.
lagŵn *m* (**lagwnau**) lagoon.
lambastio *v* to lambaste.
lamineiddio *v* to laminate.
lan *adv* up.
lander *m* (**·i**, **·au**) gutter.
lansio *v* to launch.
lapio *v* to wrap.
larts *adj* conceited.
lar·wm *m* (**·ymau**) alarm.
las *m* (**lasys**) lace.
law yn llaw *adj* hand-in-hand.
lawnt *f* (**·iau**) lawn.
lawr *adv* down. • *m* **bara lawr** laver bread.
lecsiwn *f* (**lecsiynau**) election.
ledio *v* to lead.
ledled *adv* throughout.
lefain *m* leaven.
lefeinio *v* to leaven.
lefr·en *f* (**·od**) leveret.
leinio *v* to line; to thrash.
lelog *m/f* lilac.
lembo *m* numbskull.
lemonêd, lemwnêd *m* lemonade.
les *f* (**·oedd**) lease; (**·au**) lace.

letysen *f* (**letys**) lettuce.
libart *m* mountain pasture.
lifr·ai *m/f* (**·eiau**) livery.
ling-di-long, linc-di-lonc *adv* leisurely.
lili *f* (**lilïau**) lily.
lindysen *f* (**lindys**) caterpillar.
lindysyn *m* (**lindys**) caterpillar.
lintel *f* (**·ydd**) window-sill.
liw dydd, liw nos *adv* by (day, night).
lobi *m/f* (**lobïau**) lobby.
locust *m* (**·iaid**) locust.
lodes *f* (**·i**, **·au**) girl.
loetran *v* to loiter.
lòg *m* (**logiau**) log.
lol *f* nonsense.
lolf·a *f* (**·eydd**) lounge.
lolian *v* to joke; to lounge.
lôn *f* (**lonydd**) lane.
loncian *v* to jog.
lonc·iwr *m* (**·wyr**) jogger.
lordio *v* to domineer.
lorri *f* (**lorïau**) lorry.
losin *m/pl* sweets.
lwcus *adj* lucky.
lwfans *m* (**·au**) allowance.
lwmp(yn) *m* (**lympiau**) lump.

Ll

llabed *f* (**·au**) flap; lapel.
llab·wst *m* (**·ystau**) lout.
llabyddio *v* to stone.
llac *adj* slack.
llaca *m* muck.
llacio *v* to slacken.
llacrwydd *m* laxity.
llach, lach *f* (**·iau**) lash.
llachar *adj* glittering.
lladmerydd *m* (**·ion**) interpreter.
lladrad *m* (**·au**) theft.

lladradaidd *adj* surreptitious.
lladrata *v* to steal.
lladron *see* **lleidr**.
lladd *v* to kill.
lladd-dy *m* (**lladd-dai**) abattoir.
lladdfa *f* massacre.
llaes *adj* flowing.
llaesu *v* to slacken.
llaeth *m* milk.
llaeth·dy *m* (**·dai**) dairy.
llaethog *adj* milky.

llafar *adj* vocal.
llafarganu *v* to chant.
llafar·iad *f* (**·iaid**) vowel.
llafn *m* (**·au**) blade.
llafur *m* labour; toil.
llafurio *v* to toil.
llafurus *adj* laborious.
llafur·wr *m* (**·wyr**) labourer.
llai *adj* smaller.
llaid *m* mud.
llain *f* (**lleiniau**) strip (of land).
llais *m* (**lleisiau**) voice.
llaith *adj* damp.
llall *pron* (**lleill**) other.
llam *m* (**·au**) leap.
llamhidydd *m* (**llamidyddion**) porpoise.
llamsachus *adj* prancing.
llamu *v* to leap.
llan *f* (**·nau**) (parish) church.
llanastr *m* disorder.
llanc *m* (**·iau**) lad.
llances *f* (**·i**, **·au**) lass.
llannerch *f* (**llennyrch**) glade.
llanw *v* to fill. • *m* (**·au**) tide.
llariaidd *adj* benign.
llarieidd·dra *m* meekness.
llarieiddio *v* to soothe.
llarpiau *pl* tatters.
llarpio *v* to tear to shreds.
llarpiog *adj* tattered.
llarwydden *f* (**llarwydd**) larch.
llatai *m* (**llateion**) negesydd cariad.
llath, llathen *f* (**·au**, **·ni**) yard.
llathaid *f* (**llatheidi, llatheidiau**) yard's length.
llathraid, llathraidd *adj* glossy.
llau *see* **lleuen**.
llaw *m* (**dwylo, dwylaw**) hand.
llawcio, llowcio *v* to gulp.
llawchwith *adj* left-handed.
llawdriniaeth *f* (**·au**) operation.
llawdrwm *adj* hypercritical.
llawdde *adj* right-handed.
llawen *adj* happy.
llawenhau *v* to rejoice.

llawenychu *v* to rejoice.
llawenydd *m* happiness.
llawer *adv* much.
llawes *f* (**llewys**) sleeve.
llawfeddyg *m* (**·on**) surgeon.
llawfeddygaeth *f* surgery.
llaw-fer *f* shorthand.
llawfor·wyn *f* (**·ynion**) maidservant.
llawlyfr *m* (**·au**) handbook.
llawn *adj* full. • *adv* quite.
llawnder, llawndra *m* fullness.
llawr *m* (**lloriau**) floor.
llawryf *m* (**·au**, **·oedd**) laurel.
llawysgrif *f* (**·au**) manuscript.
llawysgrifen *f* handwriting.
LICLI *abb* Lowest Common Multiple (LCM).
lle *m* (**·oedd**, **·fydd**) place.
llecyn *m* (**·nau**) spot.
llech, llechen *f* (**llechi**) slate.
llech·faen *m/f* (**·feini**) slate.
llechres *f* (**·i**) list.
llechu *v* to lurk.
llechwedd *m* (**·au**) hillside.
llechwraidd *adj* furtive.
lled *m* width. • *adv* fairly.
lledaenu *v* to spread.
lled-ddargludydd *m* (**·ion**) semiconductor.
lled·en *f* (**·od**) plaice.
llediaith *f* twang.
llednais *adj* courteous.
lleidneisrwydd *m* modesty.
lled-orwedd *v* to recline.
lledr *m* leather.
lledred *m* (**·au**) latitude.
lledrith *m* magic.
lledrithiol *adj* illusory.
lledu *v* to widen.
lleddf *adj* mournful; minor (music).
lleddfu *v* to soothe.
lledd(ir) *from* **lladd**.
llef *f* (**·au**) cry.
llefain *v* to cry.
llefair *from* **llefaru**.

llefaru *v* to speak.
llefarydd *m* spokesperson.
llefelyn, llyfelyn *m* (**·od**) sty.
lleferydd *m/f* speech.
llefn *adj* (*f*) smooth.
llefrith *m* milk.
llefydd *see* **lle**.
llegach *adj* feeble.
lleng *f* (**·oedd**) legion.
llengfil·wr *m* (**·wyr**) legionnaire.
lleiaf *adj* smallest.
lleiafrif *m* (**·oedd**) minority.
lleiafrifol *adj* minority.
lleiaf·swm *m* (**·symiau**) minimum.
lleian *f* (**·od**) nun.
lleian·dy *m* (**·dai**) nunnery.
lleidiog *adj* muddy.
lleidr *m* (**lladron**) thief.
lleidd·iad *m* (**·iaid**) killer.
lleihad *m* decrease.
lleihau *v* to lessen.
lleill *see* **llall**.
lleiniau *see* **llain**.
lleinw *from* **llanw**.
lleisiau *see* **llais**.
lleisio *v* to voice.
lleisiol *adj* vocal.
lleisiwr *m* vocalist.
lleithder *m* moisture.
llem *adj* (*f*) acute.
llem(ir) *from* **llamu**.
llen *f* (**·ni**) curtain.
llên *f* literature.
llencyn *m* stripling.
llencyndod *m* adolescence.
llengar *adj* literary.
llengig *m/f* diaphragm.
llên-ladrad *m* (**·au**) plagiarism.
llenni *see* **llen**.
llennyrch *see* **llannerch**.
llenor *m* (**·ion**) author.
llenw(ir) *from* **llanw**.
llenydda *v* to practise literature.
llenyddiaeth *f* (**·au**) literature.
llenyddol *adj* literary.

lleol *adj* local.
lleoli *v* to locate.
lleoliad *m* (**·au**) location.
llercian *v* to lurk.
lles *m* benefit.
llesâd *m* benefit.
llesáu *v* to be of benefit.
llesg *adj* weak.
llesgáu *v* to weaken.
llesgedd *m* weakness.
llesm·air *m* (**·eiriau**) swoon.
llesmeirio *v* to swoon.
llesmeiriol *adj* enchanting.
llesol *adj* beneficial.
llest·air *m* (**·eiriau**) obstruction.
llesteirio *v* to impede.
llestr *m* (**·i**) dish; vessel.
lletach *from* **llydan**.
lle tân *m* (**llefydd tân**) fireplace.
lletchwith *adj* awkward.
lletchwithdod *m* awkwardness.
lletem *f* (**·au**) wedge.
lletraws *adj* diagonal.
lletwad *f* (**·au**) ladle.
llety *m* (**·au**) lodging house.
lletya *v* to lodge.
lletygarwch *m* hospitality.
llethol *adj* overpowering.
llethr *m/f* (**·au**) slope.
llethrog *adj* sloping.
llethu *v* to overwhelm.
lleuad *f* (**·au**) moon.
lleuen *f* (**llau**) louse.
lleufer *m* light.
lleuog *adj* lousy.
lleurith *m* (**·iau**) mirage.
llew *m* (**·od**) lion.
llewes *f* lioness.
llewpart *m* (**·iaid**) leopard.
llewych *m* light.
llewyg *m* (**·on**) swoon.
llewygu *v* to faint.
llewyrch *m* brightness.
llewyrchu *v* to shine.
llewyrchus *adj* flourishing.

llewys *see* **llawes**.

lleyg *adj* lay.

lleygwr *m* (·**wyr**) layman.

LlGC *abb* Llyfrgell Genedlaethol Cymru.

lli·ain *m* (·**einiau**) towel; linen.

lliaws *m* multitude.

llid *m* wrath.

llidiar·t *m/f* (·**dau**) gate.

llidiog, llidus *adj* inflamed.

llidiowgrwydd *m* wrath.

llieiniau *see* **lliain**.

llif, lli *m* (·(**f**)**ogydd**) current.

llif *f* (·**iau**) saw.

llifanu *v* to whet.

llifddor *f* (·**au**) floodgate.

llifeiriant *m* spate.

llifeirio *v* to flow.

llifio *v* to saw.

llifion *see* **llifyn**.

llifo *v* to gush; to dye; to whet.

llifogydd *see* **llif**.

llifol·au *m* (·**euadau**) floodlight.

llifoleuo *v* to floodlight.

llifyddol *adj* fluid.

llifyn *m* (·**nau**, **llifion**) dye.

llilin *adj* streamlined.

llin *m* flax.

llinach *f* lineage.

llindagu *v* to strangle.

llinell *f* (·**au**) line.

lliniarol *adj* soothing.

lliniaru *v* to alleviate.

llinos *f* (·**od**) linnet.

llinyn *m* (·**nau**) string.

llinynnol *adj* stringed.

llipa *adj* limp.

llipryn *m* (·**nod**) weakling.

llith *f* (·**au**, ·**oedd**) lesson. • *m* (·**iau**) mash.

llithio *v* to entice.

llithren *f* slide.

llithriad *m* (·**au**) slip.

llithrig *adj* slippery.

llithrigrwydd *m* slipperiness.

llithro *v* to slip.

lliw *m* colour.

lliwgar *adj* colourful.

lliwio *v* to colour.

lliwur *m* (·**au**) dye.

llo *m/f* (·**i**, ·**eau**) calf.

lloc *m* (·**iau**) enclosure.

llocio *v* to pen.

lloches *f* (·**au**) refuge.

llochesu *v* to shelter.

llodig *adj* in heat (of sow).

llodrau *pl* trousers.

lloer *f* (·**au**) moon.

lloeren *f* (·**ni**, ·**nau**) satellite.

lloergan *m* moonlight.

lloerig *adj* mad.

llofnod *m* (·**ion**, ·**au**) signature.

llofnodi *v* to sign.

llofr *adj* (*f*) cowardly.

llofrudd *m* (·**ion**) murderer.

llofruddiaeth *f* (·**au**) murder.

llofruddio *v* to murder.

lloffa *v* to glean.

lloffion *pl* gleanings.

llofft *f* (·**ydd**) upstairs.

lloff·wr *m* (·**wyr**) gleaner.

llog *m* (·**au**) interest.

llogell *f* (·**au**) pocket.

llogi *v* to hire.

llog·wr *m* (·**wyr**) hirer.

llong *f* (·**au**) ship.

llongddrylliad *m* (·**au**) shipwreck.

llong·wr *m* (·**wyr**) sailor.

lloi *see* **llo**.

llom *adj* (*f*) bare.

llon *adj* happy.

llond *m* full.

llonder *m* gaiety.

llongyfarch *v* to congratulate.

llongyfarchiad *m* (·**au**, **llongyfarchion**) congratulation.

llonned *from* **llon**.

llonni *v* to cheer.

llonnod *m* (**llonodau**) sharp (music).

llonydd *adj* still. • *m* quiet.

llonyddu *v* to still.

llonyddwch *m* stillness.

lloriau *see* **llawr**.

llorio *v* to floor.

llorp *f* (·**iau**) shaft.

llorwedd *adj* horizontal.

llosg *adj* burning.

llosgach *m* incest.

llosgadwy *adj* combustible.

llosgfynydd *m* (·**oedd**) volcano.

llosgi *v* to burn.

llosgiad *m* (·**au**) burn.

llosg·wrn *m* (·**yrnau**) tail.

llosgydd *m* (·**ion**) incinerator.

llostlydan *m* (·**od**) beaver.

llsgr. *abb* manuscript (ms).

llu *m* (·**oedd**) throng.

llucheden *f* (**lluched**) thunderbolt.

lluchio *v* to throw.

lluch·iwr *m* (·**wyr**) thrower.

lludw, lludu *m* ash.

lludded *m* fatigue.

lluddedig *adj* fatigue.

lluest *m* tent.

llugoer *adj* tepid.

lluman *m* (·**au**) banner.

llumanu *v* to flag.

lluman·wr *m* (·**wyr**) linesman.

llun *m* (·**iau**) picture.

Llun *m* Monday.

llungop·i *m* (·**ïau**) photocopy.

lluniad *m* (·**au**) drawing.

lluniadu *v* to draw.

lluniaeth *m* sustenance.

lluniaidd *adj* graceful.

llunio *v* to fashion.

llun·iwr *m* (·**wyr**) maker.

lluo *see* **llyo, lluo**.

lluosflwydd *adj* perennial.

lluosi *v* to multiply.

lluosiad *m* (·**au**) multiplication.

lluosill *adj* polysyllabic.

lluosog *adj* numerous; plural.

lluosogi *v* to multiply.

lluosrif *m* (·**au**) multiple.

lluo·swm *m* (·**symiau**) product (mathematics).

llurgunio *v* to distort.

llurig *f* (·**au**) cuirass.

llurs *f* (·**od**) razorbill.

llusen *f* (**llus, llusi**) whinberry.

llusern *m* (·**au**) lamp.

llusg *adj* drawn.

llusgo *v* to drag.

llutrod *m* mire.

lluwch *m* (·**feydd**) snowdrift.

lluwchio *v* to drift.

llw *m* (·**on**) oath.

llwch *m* dust.

llwdn *m* (**llydnod**) young animal.

llwfr *adj* cowardly.

llwfrgi, llyfrgi *m* coward.

llwfrdra *m* cowardice.

llwglyd *adj* famished.

llwgr *adj* corrupt.

llwgrwobrwyo *v* to bribe.

llwgu *v* to starve.

llwm *adj* bare.

llwnc *m* gullet.

llwncdestun *m* a toast.

llwrw *adv*: **llwrw ei ben** headlong.

llwy *f* (·**au**) spoon.

llwy·aid *f* (·**eidiau**) spoonful.

llwybr *m* (·**au**) path.

llwybreiddio *v* to make one's way.

llwyd *adj* grey.

llwydaidd *adj* drab.

llwydni, llwydi *m* mildew.

llwydo *v* to turn mouldy.

llwydrew *m* hoar frost.

llwydrewi *v* to frost up.

llwyddiannus *adj* successful.

llwyddian·t, llwydd *m* (·**nau**) success.

llwyddo *v* to succeed.

llwyfan *m/f* (·**nau**) stage.

llwyfandir *m* (·**oedd**) plateau.

llwyfannu *v* to stage.

llwyfen *f* (**llwyf**) elm.

llwyn *m* (·**i**) grove. • *f* (·**au**) loin.

llwynog *m* (·**od**) fox.

llwynoges *f* vixen.
llwyr *adj* complete.
llwyrymwrthod·wr *m* (·wyr) teetotaller.
llwyted *from* **llwyd**.
llwyth *m* (·i) load; (·au) tribe.
llwytho *v* to load.
llwythog *adj* laden.
llycrach *from* **llwgr**.
llychlyd *adj* dusty.
Llychlyn·nwr *m* (·wyr) Viking.
llychwino *v* to tarnish.
llydain *adj* (*pl*) wide.
llydan *adj* wide.
llydnu *v* to foal.
llyfn *adj* smooth.
llyfnder, llyfndra *m* smoothness.
llyfnhau *v* to smooth.
llyfnu *v* to harrow.
llyfr *m* (·au) book.
llyfrach *from* **llwfr**.
llyfrbryf *m* (·ed) bookworm.
llyfrgell *f* (·oedd) library.
llyfrgell·ydd *m* (·wyr) librarian.
llyfrgi *see* **llwfrgi**.
llyfrith·en *f* (·od) sty.
llyfrwerth·wr *m* (·wyr) bookseller.
llyfryddiaeth *f* (·au) bibliography.
llyfryn *m* (·nau) booklet.
llyfu, llyo *v* to lick.
llyffant *m* (·od) toad; frog.
llyffeth·air *f* (·eiriau) fetter.
llyffetheirio *v* to shackle.
llyg *m* shrew.
llygad *m* (llygaid) eye.
llygad-dynnu *v* to attract.
llygad-dyst *m* (·ion) eyewitness.
llygad maharen *m* (llygaid meheryn) limpet.
llygad y dydd *m* (llygaid y dydd) daisy.
llygadu *v* to eye.
llygaeron *pl* cranberries.
llygaid *see* **llygad**.
llygatgam *adj* squint-eyed.
llygatgraff *adj* sharp-eyed.

llygedyn *m* gleam.
llygoden *f* (llygod) mouse.
llygoden fawr *f* (llygod mawr) rat.
llygoden gota *f* (llygod cwta) guinea-pig.
llygotwr *m* mouser.
llygredig *adj* corrupt.
llygredigaeth *f* corruption.
llygredd *m* depravity.
llygru *v* to contaminate.
llynges *f* (·au) navy.
llyngesydd *m* admiral.
llyngyren *f* (llyngyr) tapeworm.
llym *adj* sharp.
llym·aid *m* (·eidiau) sip.
llym·arch *m* (·eirch) oyster.
llymder *m* sharpness.
llymed *from* **llwm** *and* **llym**.
llymeitian *v* to tipple.
llymion *from* **llwm** *and* **llym**.
llymru *n* flummery.
llyn *m* (·noedd) lake.
llyncu *v* to swallow.
llynedd *adv* last year.
llyo *v* to lick.
llys *m* (·oedd) court.
llys-chwaer *f* (·chwiorydd) stepsister.
llysenw *m* (·au) nickname.
llys-fab *m* (·feibion) stepson.
llysfam *f* (·au) stepmother.
llysferch *f* (·ed) stepdaughter.
llys-frawd *m* (·frodyr) stepbrother.
llysg *from* **llosgi**.
llysgen·hadaeth *f* (·adaethau) embassy.
llysgen·nad *m* (·hadon) ambassador.
llysieueg *f* botany.
llysieu·wr, llysieuydd *m* (·wyr) herbalist; vegetarian.
llysieuyn *m* (llysiau) plant.
llysleuen *f* (llyslau) aphid.
llysnafedd *m* mucus.
llystad *m* (·au) stepfather.
llystyfiant *m* vegetation.
llysysydd *m* (·ion) herbivore.

llysywen f (**llyswennod, llyswod**) eel.
llythrennau see **llythyren**.
llythrennedd m literacy.
llythrennog adj literate.
llythrennol adj literal.
llythrennu v to inscribe.
llythyr m (**-au, -on**) letter.
llythyr·dy m (**-dai**) post office.
llythyren f (**llythrennau**) letter.
llythyru v to correspond.
llythyr·wr m (**-wyr**) letter writer.
llyw m (**-iau**) rudder.

llywaeth adj tame.
llyweth f (**-au**) ringlet.
llywio v to steer.
llywionen, llywanen f sheet.
llyw·iwr m (**-yr**) helmsman.
llywodraeth f (**-au**) government.
llywodraethol adj governing.
llywodraethu v to govern.
llywodraeth·wr m (**-wyr**) governor.
llywydd m (**-ion**) president.
llywyddiaeth f presidency.
llywyddu v to preside.

M

m abb metre.
mab m (**meibion**) son.
maban m baby.
maboed m childhood.
mabolgampau pl athletics.
mabsant m patron saint.
mabwysiad m adoption.
mabwysiadu v to adopt.
macrell m/f (**mecryll**) mackerel.
macsu v to brew.
macwy m (**-aid**) page (boy).
mach m (**meichiau**) surety.
machlud v to set. • m sunset.
mad adj seemly.
madarch pl mushrooms.
madfall f (**-od**) lizard.
madroni v to become giddy.
madru v to putrefy.
madruddyn m cartilage.
maddau v to forgive.
maddeuant m forgiveness.
maddeugar adj forgiving.
maddeuol adj pardoning.
mae (from **bod**) is, are.
maeddu v to conquer.
maen m (**main, meini**) stone.
maenor, maenol f (**-au**) manor.
maenor·dy m (**-dai**) manor-house.

maentumio v to maintain.
maer m (**meiri**) mayor.
maeres f mayoress.
maes m (**meysydd**) field.
maestir m (**-oedd**) plain.
maestref f (**-i**) suburb.
maesu v to field.
maes·wr m (**-wyr**) fielder.
maeth m nourishment.
maethlon adj nourishing.
mafonen f (**mafon**) raspberry.
magïen f (**magïod**) glow-worm.
magl f (**-au**) snare.
maglu v to snare.
magnel f (**-au**) cannon.
magnetedd m magnetism.
magneteiddio v to magnetise.
magu v to breed.
magwraeth f upbringing.
magwyr f (**-ydd**) wall.
maharen m (**meheryn**) ram.
mai conj that.
Mai m May.
maidd m whey. • v from **meiddio**.
main adj thin. • pl see **maen**.
mainc f (**meinciau**) bench.
maint m (**meintiau**) size.
maintioli m stature.

maip *see* **meipen**.

maith *adj* long.

mâl *adj* ground.

malais *m* malice.

maldod *m* pampering.

maldodi *v* to pamper.

maleisus *adj* malicious.

maleithiau *pl* chilblains.

malio *v* to heed.

malu *v* to grind.

malurio *v* to pulverise.

malwen, malwoden *f* (**malwod**) snail.

malwr *m* grinder.

mall *adj* blasted.

malltod *m* blight.

mam *f* (·**au**) mother.

mamaeth *f* nurse.

mamfaeth *f* foster-mother.

mam-gu *f* grandmother.

mamiaith *f* mother-tongue.

mamog *f* (·**iaid**) pregnant sheep.

mamolaeth *f* maternity.

mamol·yn *m* (·**ion**) mammal.

man *m* (·**nau**) place. • *f* **yn y fan** immediately.

mân *adj* small.

manblu *pl* down.

man·dwll *m* (·**dyllau**) pore.

mandyllog *adj* porous.

maneg *f* (**menig**) glove.

mangre *f* (·**oedd**) place.

manion *adj* (*pl*) trivia.

mannau *see* **man**.

mant·ais *f* (·**eision**) advantage.

manteisio *v* to take advantage.

manteisiol *adj* advantageous.

mantell *f* (**mentyll**) mantle.

mantol *f* (·**ion**) balance.

mantolen *f* (·**ni**) balance-sheet.

mân-werthu *v* to retail.

mân-werth·wr *m* (·**wyr**) retailer.

manwl *adj* detailed.

manwl-gywir *adj* precise.

**manylrwydd, manyldeb, manylder,
manyldra** *m* the detail.

manylu *v* to detail.

manyl·yn *m* (·**ion**) a detail.

mapio *v* to map.

map·iwr *m* (·**wyr**) cartographer.

marblen *f* (**marblis, marblys**) marble.

marcio *v* to mark.

march *m* (**meirch**) stallion.

marchnad *f* (·**oedd**) market.

marchnata *v* to market.

marchnat·wr *m* (·**wyr**) merchant.

marchnerth *m* horsepower.

marchog *m* (·**ion**) knight.

marchogaeth *v* to ride.

marchwellt *m* coarse grass.

marian *m* strand.

marlat, marlad *m* drake.

marmor *m* marble.

marsiandïaeth *f* merchandise.

marsiand·ïwr *m* (·**ïwyr**) merchant.

marswpial *m* (·**od**) marsupial.

marw *v* to die. • *adj* dead.

marwaidd *adj* lifeless.

marwdon *f* dandruff.

marweidd-dra *m* sluggishness.

marwnad *f* (·**au**) elegy.

marwol *adj* lethal.

marwolaeth *f* (·**au**) death.

marworyn *m* (**marwor**) ember.

marwydos *pl* embers.

màs *m* (**masau**) mass (physics).

ma's, maes *adv* out.

masarn *f* (**masarn**) maple.

masgl *m* (·**au**) pod.

masi·wn *m* (·**yniaid**) mason.

masnach *f* (·**au**) trade.

masnachol *adj* commercial.

masnachu *v* to trade.

masnach·wr *m* (·**wyr**) merchant.

maswedd *m* wantonness.

masweddol, masweddus *adj* ribald.

mas·wr *m* (·**wyr**) outside half.

mater *m* (·**ion**) matter.

materol *adj* materialistic.

matr·as *m/f* (·**esi**) mattress.

mats·en *f* (·**ys**) match.

math f (**·au**) sort.
mathemateg f mathematics.
mathemategol adj mathematical.
mathemategwr, mathemategydd m mathematician.
mawl m worship. • v from **moli**.
mawnen f (**mawn**) peat.
mawnog f (**·ydd**) peat bog.
mawr adj big.
mawredd m grandeur.
mawreddog adj pompous.
mawrfrydig adj magnanimous.
mawrhau v to enlarge.
mawrhydi m majesty.
Mawrth m Tuesday; March; Mars.
mawrygu v to glorify.
MC abb Methodist(iaid) Calfinaidd.
mebyd, maboed m childhood.
mecaneg f mechanics.
mecan·waith m (**·weithiau**) mechanism.
mecanyddol adj mechanical.
mecryll see **macrell**.
mechnïaeth f bail.
medel f (**·au**) reaping.
medel·wr m (**·wyr**) reaper.
medi v to reap.
Medi m September.
medr m (**·au**) skill.
medru v to be able.
medrus adj skilful.
medrusrwydd m skill.
medrydd m (**·ion**) gauge.
medd m mead.
medd, meddai v says, said.
meddal adj soft.
meddalnod m (**·au**) flat (music).
meddalu v to soften.
meddalwch m softness.
meddalwedd m software.
medd-dod, meddwdod m intoxication.
meddiannau see **meddiant**.
meddiannol adj possessive.
meddiannu v to take possession of.

meddian·t m (**·nau**) possession.
meddu v to possess.
meddw adj drunk.
meddwdod m drunkenness.
meddwi v to get drunk.
medd·wl m (**·yliau**) the mind. • v to think.
meddwol adj intoxicating.
meddw·yn m (**·on**) drunkard.
meddyg m (**·on**) doctor.
meddygaeth f medicine.
meddyg·fa f (**·feydd**) surgery.
meddyginiaeth f (**·au**) medication.
meddygol adj medical.
meddylgar adj thoughtful.
meddyl(iaf) from **meddwl**.
meddyliau see **meddwl**.
meddyliol adj mental.
meddyl·iwr m (**·wyr**) thinker.
mefusen f (**mefus**) strawberry.
meg(ir) from **magu**.
megin f (**·au**) bellows.
megis conj like.
Mehefin m June.
meheryn see **maharen**.
meibion see **mab**.
meicrobioleg m/f microbiology.
meicro-brosesydd m microprocessor.
meicro-sglod·yn m (**·ion**) microchip.
meich·iad m (**·iaid**) swine-herd.
meichiau m surety.
meidrol adj finite.
meiddio v to dare.
meilart m drake.
meillionen f (**meillion**) clover.
meimio v to mime.
meinciau see **mainc**.
meincnod m (**·au**) benchmark.
meinder m slenderness.
meindio v to mind.
meined from **main**.
meingefn m small of the back; spine (of book).
meini see **maen**.
meinion adj (pl) slender.

meinir *f* maiden.
meintiau *see* **maint**.
meinwe *m* (·**oedd**) tissue.
meinwen *f* maiden.
meipen *f* (**maip**) swede.
meirch *see* **march**.
meiri *see* **maer**.
meirioli *v* to thaw.
meirw, meirwon *pl* the dead.
meistr *m* (·**i**, ·**iaid**) master.
meistres *f* (·**i**) mistress.
meistrolaeth *f* mastery.
meistrolgar *adj* masterly.
meistroli *v* to master.
meitin *m* some time.
meitrog *adj* mitred.
meithed *from* **maith**.
meithrin *v* to nourish.
meithrin·fa *f* (·**feydd**) nursery.
mêl *m* honey.
mela *v* to gather honey.
melan *f* depression.
melfaréd *m* corduroy.
melfed *m* velvet.
melfedaidd *adj* velvety.
melin *f* (·**au**) mill.
melinydd *m* miller.
mel(ir) *from* **malu**.
melodaidd *adj* melodious.
melod·i *f* (·**ïau**) melody.
melyn *adj* yellow.
melynaidd *adj* yellowish.
melynder, melyndra *m* yellowness.
melyngoch *adj* orange.
melynu *v* to yellow.
melys *adj* sweet.
melysion *pl* sweets.
melyster, melystra *m* sweetness.
melysu *v* to sweeten.
mellten *f* (**mellt**) lightning.
melltennu, melltio *v* to flash.
melltigedig *adj* accursed.
melltith *f* (·**ion**) curse.
melltithio *v* to curse.

memr·wn *m* (·**ynau**) parchment.
men *f* (·**ni**) wagon.
mên *adj* mean.
mendio *v* to mend.
menig *see* **maneg**.
menni *see* **men**.
menter, mentr *f* venture.
mentro *v* to venture.
mentrus *adj* adventurous.
mentr·wr *m* (·**wyr**) entrepreneur.
mentyll *see* **mantell**.
menu, mennu *v* to affect.
menyn, ymenyn *m* butter.
menyw *f* (·**od**) woman.
mêr *m* marrow.
merch *f* (·**ed**) girl; daughter.
Mercher *m* Wenesday; Mercury.
mercheta *v* to womanise.
merchetaidd *adj* effeminate.
merchyg *from* **marchogaeth**.
merdd·wr *m* (·**yfroedd**) stagnant water.
merfaidd *adj* insipid.
merl·en *f* (·**od**) pony (female).
merlota *v* to pony-trek.
merl·yn *m* (·**od**) pony.
merllyd *adj* insipid.
merllys·en *m* (**merllys**, ·**iau**) asparagus.
merthyr *m* (·**on**) martyr.
merthyrdod *m* martyrdom.
merthyru *v* to martyr.
merwino *v* to benumb.
mesen *f* (**mes**) acorn.
mesmereiddio *v* to mesmerise.
mesul *prep* by.
mesur, mesuro *v* to measure.
mesur *m* (·**au**) measurement.
mesuradwy *adj* measurable.
mesuriad *m* (·**au**) measurement.
mesurydd *m* (·**ion**) meter.
metabolaeth *f* metabolism.
metel *m* (·**au**) metal.
metelaidd *adj* metallic.
meteleg *m/f* metallurgy.

meteoroleg *f* meteorology.

meteoroleg·ydd *m* (·**wyr**) meteorologist.

methdaliad *m* bankruptcy.

methdal·wr *m* (·**wyr**) bankrupt.

methedig *adj* disabled.

methian·t *m* (·**nau**) failure.

methodoleg *f* methodology.

methu *v* to fail.

meudwy *m* (·**aid**, ·**od**) hermit.

meudwyaidd *adj* retiring.

mewian, mewial *v* to mew.

mewn *prep* in.

mewnblyg *adj* introverted.

mewn·bwn *m* (·**bynnau**) input.

mewndirol *adj* inland.

mewnforio *v* to import.

mewnforion *pl* imports.

mewnfudo *v* to immigrate.

mewnfud·wr *m* (·**wyr**) immigrant.

mewnlifiad *m* influx.

mewnol *adj* internal.

mewn·wr *m* (·**wyr**) scrum half.

meysydd *see* **maes**.

mi *pron* I, me.

miaren *f* (**mieri**) bramble.

microbrosesydd *m* (·**ion**) microprocessor.

microdon *f* (·**nau**) microwave.

microgyfrifiadur *m* (·**on**) microcomputer.

mieri *see* **miaren**.

mig *f*: **chwarae mig** to play hide and seek.

mignen *f* (·**ni**) marsh.

mig·wrn *m* (·**yrnau**) ankle; knuckle.

mil *m* (·**od**) animal.

mil *f* (·**oedd**) thousand.

milain, mileinig *adj* vicious.

milfed *adj* thousandth.

milfeddyg *m* (·**on**) vet.

milfeddygol *adj* veterinary.

milflwyddiant *m* millennium.

mil·gi *m* (·**gwn**) greyhound.

mili·ast *f* (·**eist**) female greyhound.

mili·wn *f* (·**ynau**) million.

miliwnydd, miliynydd *m* (**miliynyddion**) millionaire.

mil·wr *m* (·**wyr**) soldier.

milwriaethus *adj* militant.

milwrio *v* to militate.

milwrol *adj* military.

mill *see* **millyn**.

milltir *f* (·**oedd**) mile.

millyn *m* (**mill**) violet.

min *m* (·**ion**) edge.

miniog *adj* sharp.

minlliw *m* lipstick.

minnau, innau *pron, conj* I for my part.

min·tai *f* (·**teioedd**) troop.

mintys *m* mint.

min·ws *m* (·**ysau**) minus.

mirain *adj* fair.

mireinder *m* beauty.

miri *m* merriment.

mis *m* (·**oedd**) month.

misglen *f* (**misgl**) mussel.

misglwyf *m* menses.

misol *adj* monthly.

misol·yn *m* (·**ion**) (monthly) magazine.

mitsio *v* to play truant.

miw *m*: **siw na miw** no sound.

mo *abb* no.

mochaidd *adj* filthy.

mochyn *m* (**moch**) pig.

mochynnaidd *adj* filthy.

moderneiddio *v* to modernise.

modfedd *f* (·**i**) inch.

modrwy *f* (·**au**) ring.

modrwyog *adj* curly.

modryb *f* (·**edd**) aunt.

modur *m* (·**on**) automobile.

modur·dy *m* (·**dai**) garage.

moduro *v* to motor.

modur·wr *m* (·**wyr**) motorist.

modd *m* (·**ion**) means.

modd *m* (·**au**) mode.

moddion *m* medicine.

moel *adj* bald.

moeli v to become bald.
moelni m baldness.
moelyd v to topple.
moes v give!
moesau pl morals.
moesgar adj courteous.
moesgarwch m politeness.
moesol adj moral.
moesoldeb m morality.
moeswers f (·i) moral.
moesymgrymu v to bow.
moethus adj sumptuous.
moethusrwydd m luxury.
mogfa f asthma.
mogi, mygu v to smother.
mohoni, moni from **mo**.
molawd m/f eulogy.
moli v to praise.
moliannu v to praise.
molian·t m (·nau) praise.
moll adj (f) sultry.
mollt m (myllt) wether (sheep).
moment·wm m (·a) momentum.
monarchiaeth f monarchy.
monopoli m (monopolïau) monopoly.
mon·swn m (·synau) monsoon.
mor adv as; so.
môr m (moroedd) sea.
mor·daith f (·deithiau) voyage.
mordwyo v to navigate.
morddwyd f (·ydd) thigh.
moresg pl sedge.
mor·fa m (·feydd) fen.
môr·farch m (môr-feirch) walrus.
morfil m (·od) whale.
môr·for·wyn f (·ynion) mermaid.
mor·fran f (·frain) cormorant.
morffoleg m/f morphology.
morg·ais m (·eisi, ·eisiau) mortgage.
morgeisio v to mortgage.
mor·glawdd m (·gloddiau) embankment.
morgrugyn m (morgrug) ant.
môr·hwch f (môr-hychod) dolphin.
morio v to sail.

môr·leidr m (môr-ladron) pirate.
morlo m (·i) seal.
morlyn m (môr-lynnoedd) lagoon.
morol adj maritime.
moronen f (moron) carrot.
morthwyl, mwrthwl m (·ion, myrthyl-au) hammer.
morthwylio v to hammer.
mor·wr m (·wyr) sailor.
morwriaeth f seamanship.
morwydden f (morwydd) mulberry.
morwyn f (morynion) maid.
morwyndod m virginity.
morwynol adj maiden.
moryd f (·au) estuary.
muchudd m jet.
mud, mudan adj silent.
mudandod m silence.
mudferwi v to simmer.
mudiad m (·au) movement.
mudian·t m (·nau) motion.
mudlosgi v to smoulder.
mudo v to migrate.
mudol adj migratory.
mul m (·od) mule.
mul·fran f (·frain) cormorant.
munud m/f minute.
mur m (iau) wall.
murddun m (·nod) ruin.
murlun m (·iau) mural.
murmur m (·on) murmur.
mursendod m affectation.
mursennaidd adj prudish.
musgrell adj feeble.
MW abb Merched y Wawr.
mwclis pl beads.
mwdlyd adj muddy.
mwdwl m (mydylau) haycock.
mẁg m (mygiau) mug.
mwg m smoke.
mwgwd m (mygydau) mask.
mwng m (myngau) mane.
mwlsyn m nincompoop.
mwll adj muggy.
mwm·i m/f (·ïau) mummy.

mwmian, mwmial *v* to mutter.
mwnci *m* (**mwncïod**) monkey.
mwnt *m* motte, mound.
mwnwgl *m* (**mynyglau**) neck.
mwrllwch *m* smog.
mwrn *adj* sultry.
mwrthwl *m* (**myrthylau**) hammer.
mwsogl, mwswgl *m* moss.
mwstás(h) *m* moustache.
mwstro *v* to hurry.
mwy *adj* more.
mwyach *adv* any more.
mwyaduron see **mwyhadur**.
mwyafrif *m* (**·au, ·oedd**) majority.
mwyalchen *f* (**mwyeilch**) blackbird.
mwyara *v* to gather blackberries.
mwyaren *f* (**mwyar**) blackberry.
mwydion *pl* pulp; pith.
mwydo *v* to soak.
mwydro *v* to confuse.
mwydyn *m* (**mwydod**) worm.
mwyeilch see **mwyalchen**.
mwyfwy *adv* increasingly.
mwyhadur *m* (**mwyaduron**) amplifier.
mwyhau *v* to enlarge.
mwyn *adj* fine.
mwyn *m* (**·au**) mineral.
mwynder *m* gentleness.
mwyneidd·dra *m* gentleness.
mwyn·glawdd *m* (**·gloddiau**) mine.
mwyngloddio *v* to mine.
mwynhad *m* pleasure.
mwynhau *v* to enjoy.
mwynian·t *m* (**·nau**) pleasure.
mwyn·wr *m* (**·wyr**) miner.
mwys *adj* ambiguous.
mwyth *adj* delicate.
mwythau *pl* caresses.
mwytho *v* to fondle.
m.y.a. *abb* milltir yr awr (mph).
mydr *m* (**·au**) metre.
mydryddiaeth *f* versification.
mydryddol *adj* metrical.
mydylau see **mwdwl**.
myfi *pron* me myself.

myfïol *adj* egoistic.
myfyrdod *m* (**·au**) meditation.
myfyrgar *adj* meditative.
myfyrio *v* to meditate.
myfyr·iwr *m* (**·wyr**) student.
myfyr·wraig *f* (**·wragedd**) (female) student.
mygdarth *m* fumes.
mygedol *adj* honorary.
mygiau see **mwg**.
myglyd *adj* smoky.
myglys *m* tobacco.
mygu *v* to smoke; to suffocate.
mygydau see **mwgwd**.
mygydu *v* to blindfold.
myngau see **mwng**.
mylled *from* **mwll**.
myllni *m* mugginess.
myllt see **mollt**.
MYM *abb* Mudiad Ysgolion Meithrin.
mympwy *m* (**·on**) whim.
mympwyol *adj* whimsical.
mymryn *m* (**·nau**) bit.
myn·i *m* (**·ïau**) kid (goat).
myn *prep* by.
mynach *m* (**·od, mynaich**) monk.
mynachlog *f* (**·ydd**) monastery.
mynawyd *m* (**·au**) awl.
mync·i *m* (**·ïau**) hames.
mynd, myned *v* to go (see Appendix).
myned·fa *f* (**·feydd**) entrance.
mynediad *m* (**·au**) admission.
myneg·ai *m* (**·eion**) index.
myneg·bost *m* (**·byst**) signpost.
mynegeio *v* to index.
mynegi *v* to tell.
mynegian·t *m* (**·nau**) expression.
mynegol *adj* indicative.
mynnod see **myn**.
mynnu *v* to insist.
mynor *m* (**·ion**) marble.
mynwent *f* (**·ydd**) cemetery.
mynwes *f* (**·au**) bosom.
mynwesol *adj* dear.
mynych *adj* frequent.

mynychu *v* to frequent.
mynydd *m* (**-oedd**) mountain.
mynydd iâ *m* iceberg.
mynydda *v* mountaineer.
mynydd-dir *m* hill country.
mynyddig *adj* mountainous.
mynydd-wr *m* (**-wyr**) mountaineer.
mynyglau *see* **mwnwgl**.

myrdd, myrdd·iwn *m* (**-iynau**) myriad.
myrr *m* myrrh.
myrtwydden *f* (**myrtwydd**) myrtle.
myrthylau *see* **morthwyl, mwrthwl**.
mysg *m*: **ym mysg** midst.
myswynog *f* (**-ydd**) barren cow.
mytholeg *f* mythology.
mythologol *adj* mythological.

N

N *abb* newton.
na *conj* nor. • *adv* no.
nacâd *m* refusal.
nacaol *adj* negative.
nacáu *v* to refuse.
nad *adv* not.
nâd *f* (**nadau**) cry.
nâd-fi'n-angof *m* forget-me-not.
Nadolig *m* (**-au**) Christmas.
Nadoligaidd *adj* Christmassy.
nadredd, nadroedd *see* **neidr**.
nadu *v* to bray; to prevent.
naddion *pl* chips.
naddo *adv* no.
naddu *v* to carve.
nag *conj* than.
nage *adv* not so.
nai *m* (**neiaint**) nephew.
naid *f* (**neidiau**) leap.
naid *from* **neidio**.
naill *pron* the one; either.
nain *f* (**neiniau**) grandmother.
nam *m* (**-au**) blemish.
namyn *prep* except.
nant *f* (**nentydd**) stream.
Natsi *m* (**Natsïaid**) Nazi.
natur *f* nature; temper.
naturiaeth-wr *m* (**-wyr**) naturalist.
naturiol *adj* natural.
naturioldeb *m* naturalness.
naw *num* nine.
nawdd *m* patronage.
nawddogi *v* to patronise.

nawddoglyd, nawddogol *adj* patron-
ising.
nawdd·sant *m* (**-seintiau**) patron saint.
nawf *from* **nofio**.
nawfed *adj* ninth.
nawn *m* noon.
nawr *adv* now.
naws *f* (**-au**) disposition.
neb *m* anyone; no one.
nedden *f* (**nedd**) nit.
nef, nefoedd *f* heaven.
nefol, nefolaidd *adj* heavenly.
neges *f* (**-au, -euon**) message; errand.
negeseua *v* to run errands.
neges-ydd *m* (**-wyr**) messenger.
negodi *v* to negotiate.
negydd *m* (**-ion**) negative.
negyddol *adj* negative.
negyddu *v* to negate.
neiaint *see* **nai**.
neidiau *see* **naid**.
neidio *v* to leap.
neid-iwr *m* (**-wyr**) leaper.
neidr *f* (**nadredd, nadroedd**) snake.
Neifion *m* Neptune.
neilltu *m* one side.
neilltuo *v* to separate.
neilltuol *adj* special.
neiniau *see* **nain**.
neisied *f* (**-i**) handkerchief.
neithdar *m* nectar.
neithior *f* (**-au**) wedding breakfast.
neithiwr *adv* last night.

nemor *adv* hardly.

nen *f* (·nau, ·noedd) heavens.

nen·fwd *f* (·fydau) ceiling.

nentydd *see* **nant**.

nepell *adv* far: **nid nepell** near.

nerfol *adj* nervous.

nerfus *adj* nervous.

nerfusrwydd *m* nervousness.

nerth *m* (·oedd) strength.

nerthol *adj* mighty.

nes *adj* nearer.

nes *adv* until.

nesaf *adj* next.

nesáu, nesu *v* to draw near.

nesnes *adv* ever nearer.

nesu *v* to draw near.

neu *conj* or.

neuadd *f* (·au) hall.

newid *m* (·iadau) change. • *v* to change.

newidiol *adj* changeable.

newidyn *m* variable.

newydd *m* (·ion) news. • *adj* new.

newydd-anedig *adj* new-born.

newyddbeth *m* (a) novelty.

newydd-deb *m* novelty.

newydd-ddyfod·iad *m* (·iaid) new-comer.

newyddiaduraeth, newyddiaduriaeth *f* journalism.

newyddiadur·wr *m* (·wyr) journalist.

newyddian *m* (·od) novice.

newyddion *see* **newydd**.

newyn *m* famine.

newynog *adj* hungry.

newynu *v* to starve.

nhw *pron* they, them.

ni *pron* we, us.

ni, nid *negative conj* not.

nico *m* goldfinch.

nifer *mlf* (·oedd) number.

niferus *adj* numerous.

nif·wl *m* (·ylau) nebula.

ninnau *pron conj* we for our part.

nion·yn *m* (·od) onion.

nis *adv* not.

nith *f* (·oedd) niece.

nithio *v* to winnow.

niwcl·ews *m* (·ysau) nucleus.

niwed *m* (niweidiau) harm.

niweidio *v* to harm.

niweidiol *adj* harmful.

niwl *m* (·oedd) fog.

niwlog *adj* foggy.

niwtraleiddio *v* to neutralise.

niwtraliaeth *f* neutrality.

nobl *adj* fine.

nob·yn *m* (·iau) knob.

nod *mlf* (·au) objective.

nodedig *adj* notable.

nodi *v* to note.

nodiadau *see* **nodyn**.

nodiadur *m* (·on) notebook.

nodiant *m* notation.

nodwedd *f* (·ion) feature.

nodweddiadol *adj* characteristic.

nodweddu *v* to typify.

nodwydd *f* (·au) needle.

nod·yn *m* (·au, ·iadau) note.

nodd *m* juice.

nodded *m* protection.

nodd·fa *f* (·feydd) refuge.

noddi *v* to patronise.

nodd·wr *m* (·wyr) patron.

noe *f* (·au) dish.

noeth *adj* bare.

noethi *v* to bare.

noeth lymun, noethlymun *adj* nude.

noethni *m* nakedness.

nofel·ydd *m* (·wyr) novelist.

nofio *v* to swim, to float.

nof·iwr *m* (·wyr) swimmer.

nogio *v* to jib.

nôl *v* to fetch.

nomad *m* (·iaid) nomad.

nos *f* (·au) night.

nosi *v* to get dark.

nosol *adj* nocturnal.

nos·on, nos·waith *f* (·weithiau) evening; night.

noswyl *f* eve of festival.
noswylio *v* to take an evening break.
nudd, nudden *f* mist.
nwy *m* (·**on**) gas.
nwyd *m* (·**au**) passion.
nwydus *adj* passionate.
nwyddau *pl* goods.
nwyf *m* vivacity.
nwyfiant *m* vigour.
nwyfus *adj* vivacious.
nychdod *m* feebleness.

nychlyd *adj* sickly.
nychu *v* to languish.
nyddu *v* to spin.
nydd·wr *m* (·**wyr**) spinner.
nyni *pron* us.
nyrs *m/f* (·**ys**) nurse.
nyrsio *v* to nurse.
nyt·en *f* (·**iau**) nut.
nyth *m/f* (·**od**) nest.
nyth·aid *m* (·**eidiau**) nestful.
nythu *v* to nest.

O

o *prep* from.
oblegid *conj* on account of.
obry *adv* below.
OC *abb* Oed Crist (AD).
ocs·iwn *f* (·**iynau**) auction.
ocsygen *m* oxygen.
ochain, ochneidio *v* to sigh.
ochen·aid *f* (·**eidiau**) groan.
ochr *f* (·**au**) side.
ochrgamu *v* to side-step.
ochri *v* to side.
ôd *m* snow.
o dan *prep* below.
odiaeth *adj* exquisite.
odid *adv* hardly.
odl *f* (·**au**) rhyme.
odli *v* to rhyme.
odrif *m* (·**au**) odd number.
odrwydd *m* eccentricity.
odyn *f* (·**au**) kiln.
oddeutu *adv* approximately.
oddi *prep* from.
oddieithr, oddigerth *prep* unless.
oed, oedran *m* (·**nau**) age; (**oedau**) tryst.
oedfa *f* (·**on**) service.
oedi *v* to postpone.
oediad *m* (·**au**) delay.
oedol·yn *m* (·**ion**) adult.
oedran *m* age.

oedrannus *adj* elderly.
oedd *from* **bod**.
oelio *v* to oil.
oen *m* (**ŵyn**) lamb.
oena *v* to lamb.
oenig *f* ewe lamb.
oer *adj* cold.
oeraidd *adj* chilly.
oerfel, oerni *m* cold.
oergell *f* (·**oedd**) refrigerator.
oeri *v* to get cold.
oernadu *v* to howl.
oerni *m* (the) cold.
oes *f* (·**au**, ·**oedd**) age.
oes *from* **bod**.
oesol *adj* perpetual.
ofari *m* (**ofarïau**) ovary.
ofer *adj* worthless.
ofera *v* to squander.
oferedd *m* dissipation.
ofergoel *f* (·**ion**) (a) superstition.
ofergoeledd *m* superstition.
ofergoeliaeth *f* superstition.
ofergoelus *adj* superstitious.
ofn *m* (·**au**) fear.
ofnadwy *adj* awful.
ofni *v* to fear.
ofnus *adj* fearful.
ofnusrwydd *m* timidity.
ofydd *m* (·**ion**) ovate.

offeir·iad *m* (**·iaid**) priest.
offeiriadaeth *f* priesthood.
offeiriades *f* priestess.
offeiriadol *adj* priestly.
offer *pl* implements.
offeren *f* (**·nau**) mass.
offeryn *m* (**offer, ·nau**) instrument.
offerynnol *adj* instrumental.
offeryn·nwr *m* (**·wyr**) instrumentalist.
offr·wm *m* (**·ymau**) offering.
offrymu *v* to sacrifice.
offthalmolegydd *m* ophthalmologist.
og, oged *f* (**·au**) harrow.
ogedu *v* to harrow.
ogof *f* (**·âu, ·eydd**) cave.
ogof·wr *m* (**·wyr**) pot-holer.
ogylch *prep* about.
ongl *f* (**·au**) angle.
onglog *adj* angular.
onglydd *m* (**·ion**) protractor.
oherwydd *conj* because.
ohonof *from* o.
ôl *m* (**olion**) impression. • *adj* behind.
olaf *adj* last.
olddod·iad, ôl-ddod·iad *m* (**·iaid**) suffix.
olew *m* oil.
ôl-ddyddio *v* to post-date.
ôl-ddyled *f* (**ôl-ddyledion**) arrears.
olewydden *f* (**olewydd**) olive tree.
olion *see* ôl¹.
ôl-nodyn *m* postscript.
olrhain *v* to trace.
ol-wr *m* (**·wyr**) back (rugby).
olwyn *f* (**·ion**) wheel.

olwyno *v* to wheel.
olwynog *adj* wheeled.
Olympaidd *adj* Olympic.
olyniaeth *f* succession.
olynol *adj* consecutive.
olyn·ydd *m* (**·wyr**) successor.
oll *adv* all.
ON *abb* ôl-nodyn (PS).
ond *conj* but.
oni, onid *adv* unless.
onis *conj* if it is not.
onnen *f* (**ynn, onn**) ash tree.
OON *abb* ôl-ôl-nodiad (PPS).
opera *f* (**operâu**) opera.
opteg *f* optics.
opteg·wr, opteg·ydd *m* (**·wyr**) optician.
optimistiaeth *f* optimism.
ordeinio *v* to ordain.
ordinhad *f* (**·au**) sacrament.
oren *m* (**orenau**) orange.
organaidd *adj* organic.
organeb *f* organism.
organydd *m* (**·ion**) organist.
orgraff *f* orthography.
oriau *see* awr.
oriawr *f* watch.
oriel *f* (**·au**) gallery.
orig *f* a little while.
oriog *adj* fickle.
os *conj* if.
osgo *m* stance.
osgoi *v* to avoid.
osôn *m* ozone.
ots, ods *m* care.
owmal *m* enamel.

P

pa *adj* what, which.
pab *m* (**·au**) pope.
pabaidd *adj* papal.
pabell *f* (**pebyll**) tent.
pab·i *m* (**·ïau, ·s**) poppy.
pabwyr *m* wick.

pabwyren *f*, **pabwyryn** *m* (**pabwyr**) rush(es).
Pabydd *m* (**·ion**) (a) Roman Catholic.
Pabyddiaeth *f* Roman Catholicism.
pabyddol *adj* Catholic.
pacio *v* to pack.

padell f (**·au, ·i, pedyll**) pan.

padell·aid f (**·eidiau**) panful.

pader m (**·au**) prayers.

padlen f (**·nau**) paddle.

pae m pay.

paent m paint.

paentiad m (**·au**) painting.

paentio, peintio v to paint.

pafiliwn m (**pafiliynau**) pavilion.

pafin m pavement.

paffio v to box.

paff·iwr m (**·wyr**) boxer.

pagan m (**·iaid**) pagan.

paganaidd adj pagan.

pang·fa f (**·feydd**) fit.

paham, pam adv why.

paid from **peidio**.

paill m pollen.

pair m (**peiriau**) cauldron. • v from **peri**.

pais f (**peisiau**) petticoat.

paith m (**peithiau**) prairie.

pâl f (**palau**) spade.

pâl m (**palod**) puffin.

paladr m (**pelydr**) ray.

palalwyfen f (**palalwyf**) linden (tree).

palf f (**·au**) palm.

palfalu v to grope.

palis m (**·au**) partition.

palmant m (**·au, palmentydd**) pavement.

palmantu v to pave.

palmwydden f (**palmwydd**) palm.

palu v to dig.

pall m lack.

pallu v to fail.

pam adv why.

pâm m (**pamau**) bed (of earth).

pamffled·yn m (**·au**) pamphlet.

pan conj when.

pan adj fulling.

panasen f (**pannas**) parsnip.

pancosen f (**pancos**) pancake.

pan·dy m (**·dai**) fulling mill.

pannas see **panasen**.

pannu v to full cloth.

pannwl m (**panylau**) dimple.

pan·nwr m (**·wyr**) fuller.

pant m (**·iau**) hollow.

pantio v to dent.

pantiog adj dented.

panylau see **pannwl**.

papur m (**·au**) paper.

papurfrwyn pl papyrus.

papuro v to paper.

pâr m (**parau, peiri**) pair.

pâr from **peri**.

para, parhau v to last.

parabl m (**·au**) speech.

parablu v to prattle.

paradwys f paradise.

paraf from **peri**.

paratoi v to prepare.

parcio v to park.

parch m respect.

parchedig adj revered.

Parchg abb parchedig (Revd).

parchu v to respect.

parchus adj respectable.

parchusrwydd m respectability.

pard·wn m (**·ynau**) pardon.

parddu m soot.

pardduo v to malign.

par·ed m (**·wydydd**) wall.

parhad m continuation.

parhaol adj perpetual.

parhau v to continue.

parhaus adj continuing.

parl·wr m (**·yrau**) parlour.

parlys m paralysis.

parlysu v to paralyse.

parod adj ready.

parod·i m (**·ïau**) parody.

parodrwydd m readiness.

parôl m parole.

parot m (**·iaid**) parrot.

paroted from **parod**.

part·i m (**·ïon**) party.

partneriaeth f (**·au**) partnership.

parth m (**·au**) region.

parthed *prep* concerning.
parwydydd *see* **pared**.
pàs *f* (**pasiau**) pass; (a) lift.
pas *m* whooping cough.
Pasg *m* Easter.
pasgaf *from* **pesgi**.
pasgedig *adj* fatted.
pasian·t *m* (**·nau**, **·tau**) pageant.
pasio *v* to pass.
past *m* (**·au**) paste.
past·ai *f* (**·eiod**) pie.
pastio *v* to paste.
past·wn *m* (**·ynau**) cudgel.
patriarchaidd *adj* patriarchal.
pat·rwm, pat·rwn *m* (**·rymau**, **·rynau**) pattern.
patrymog *adj* patterned.
pathew *m* (**·od**) dormouse.
patholeg *f* pathology.
pau *f* (**peuau**) country.
paun *m* (**peunod**) peacock.
pawen *f* (**·nau**) paw.
pawr *from* **pori**.
pe *conj* if.
pebyll *see* **pabell**.
pecyn *m* (**·nau**) package.
pechadur *m* (**·iaid**) sinner.
pechadures *f* sinner (female).
pechadurus *adj* sinful.
pechod *m* (**·au**) sin.
pechu *v* to sin.
pedair *num* (*f*) four.
pedlera *v* to peddle.
pedol *f* (**·au**) horseshoe.
pedoli *v* to shoe.
ped·rain *f* (**·reiniau**) hindquarters.
pedrongl *f* (**·au**) quadrangle.
pedwar *num* four.
pedwaredd *adj* (*f*) fourth.
pedwerydd *adj* fourth.
pedyll *see* **padell**.
pefrio *v* to sparkle.
pegio *v* to peg.
peg·wn *m* (**·ynau**) pole.
pegynol *adj* axial.

peidio *v* to cease.
peilot *m* (**·iaid**) pilot.
peillio *v* to pollinate.
peintiad *m* (**·au**) painting.
peintio to paint.
peint·iwr *m* (**·wyr**) painter.
peip·en *f* (**·iau**) pipe.
peiran *m* (**·nau**) corrie.
peirch *from* **parchu**.
peiri *see* **pâr**.
peirianneg *m* engineering.
peiriannau *see* **peiriant**.
peiriannol *adj* mechanical.
peirian·nydd *m* (**·wyr**, **·yddion**) engineer.
peirian·t *m* (**·nau**) machine.
peirianwaith *m* machinery.
peirianyddol *adj* mechanical.
peiriau *see* **pair**.
peisiau *see* **pais**.
peiswyn *m* chaff.
peithiau *see* **paith**.
pêl *f* (**peli**) ball.
pelawd *f* (**·au**) over (cricket).
pêl-droed *f* football.
pêl-droed·iwr *m* (**·wyr**) footballer.
pelen *f* (**·ni**) ball.
pêl-fas *f* baseball.
pêl-fasged *f* basketball.
pelferyn *f* (**·nau**) ball-bearing.
pêl-rwyd *f* netball.
pelten *f* (a) blow.
pelydr *see* **paladr**.
pelydru *v* to radiate.
pelydr·yn *m* (**·au**) ray.
pell *adj* far.
pellen *f* (**·ni**) ball (of wool).
pellennig *adj* remote.
pellgyrhaeddol *adj* far-reaching.
pellhau *v* to move away.
pellter *m* (**·au**) distance.
pen *m* (**·nau**) head.
penaethiaid *see* **pennaeth**.
penagored *adj* undecided.
penarglwyddiaeth *f* sovereignty.

penawdau *see* pennawd.
penbaladr *adv* universal.
penbleth *f* quandry.
pen blwydd *m* (pennau blwydd) birthday.
penboeth *adj* hot-headed.
penboeth·yn *m* (-iaid) fanatic.
pen·bwl *m* (-byliaid) tadpole.
pencadlys *m* (-oedd) headquarters.
pencamp·wr *m* (-wyr) champion.
pencampwriaeth *f* (-au) championship.
pen·cerdd *m* (-ceirddiaid) head musician.
pen·ci *m* (-cwn) dogfish.
penchwiban *adj* frivolous.
pendant *adj* positive.
pendantrwydd *m* decisiveness.
pendefig *m* (-ion) lord.
pendefigaeth *f* aristocracy.
pendefigaidd *adj* aristocratic.
penderfyniad *m* (-au) decision.
penderfynol *adj* resolute.
penderfynu *v* to decide.
pendifaddau *adv* verily.
pendil *m* (-iau) pendulum.
pendramwnwgl *adj* headlong.
pendraphen *adj* helter-skelter.
pendro *f* giddiness.
pendroni *v* to brood.
pendwmpian *v* to drowse.
penddaredd *m* giddiness.
penddelw *f* (-au) bust.
pendduyn *m* (-nod) boil; blackhead.
penelin *m*/*f* (-oedd) elbow.
pengaled *adj* stubborn.
pen-glin *m* (pennau gliniau) knee.
penglog *f* (-au) skull.
Pengryn·iad *m* (-iaid) Roundhead.
penhwy·ad *m* (-aid) pike.
peniad *m* (-au) header.
penigamp *adj* first-rate.
penillion *see* pennill.
penio *v* to head.
peniog *adj* brainy.

penisel *adj* downcast.
pen-lin *hon* (penliniau) knee.
penlinio *v* to kneel.
penllâd *m* supreme good.
penllanw *m* high water.
penllinyn *m* end.
pen·naeth *m* (-aethiaid) chief.
pennaf *adj* chief.
pennau *see* pen.
pen·nawd *m* (-awdau) heading.
pen·nill *m* (-illion) verse.
pen·nod *f* (-odau) chapter.
pennoeth *adj* bare-headed.
pen·nog *m* (-waig) herring.
pennu *v* to determine.
penodi *v* to appoint.
penodau *see* pennod.
pen-ôl *m* (penolau) backside.
penrhydd *adj* uncurbed.
penrhydd *adj* unbridled.
penrhyddid *m* licentiousness.
penrhyn *m* (-nau) promontory.
pen·saer *m* (-seiri) architect.
pensaernïaeth *f* architecture.
pensel *f* (-i) pencil.
pensi·wn *m* (-ynau) pension.
penstiff *adj* stubborn.
pensyfrdan *adj* stunned.
pensyth *adj* perpendicular.
pentan *m* inglenook.
penteulu *m* householder.
pentewyn *m* (-ion) firebrand.
pentir *m* (-oedd) headland.
pentref *m* (-i) village.
pentref·wr *m* (-wyr) villager.
pent·wr *m* (-yrrau) pile.
penty *m* cottage, shed.
pentyrru *v* to heap.
penwaig *see* pennog.
penwan *adj* silly.
penwythnos *m*/*f* (-au) weekend.
penyd *m* (-iau) penance.
penysgafn *adj* dizzy.
penysgafnder *m* giddiness.
pêr¹, peraidd *adj* sweet.

pêr² *see* **peren**.

peraidd *adj* pure.

perarogl *m* (·**au**) perfume.

peraroglus *adj* perfumed.

percoladur *m* (·**on**) percolator.

perch(ais) *from* **parchu**.

perchen·nog *m* (·**ogion**) owner.

perchenogaeth *f* ownership.

perchenogi *v* to possess.

perchyll *see* **porchell**.

perdysen *f* (**perdys**) shrimp.

pereidd-dra *m* sweetness.

pereiddied *from* **peraidd**.

pereiddio *v* to sweeten.

peren *f* (**pêr**) pear.

pererin *m* (·**ion**) pilgrim.

pererindod *mlf* (·**au**) pilgrimage.

perfedd *m* (·**ion**) intestine.

perffaith *adj* perfect.

perffeithio *v* to perfect.

perffeithrwydd *m* perfection.

perffeithydd *m* perfectionist, perfect-er.

perfformiad *m* (·**au**) performance.

perfformio *v* to perform.

peri *v* to cause.

perlewyg *m* (·**on**) trance.

perlysiau *pl* herbs; spices.

perllan *f* (·**nau**) orchard.

persain *adj* melodious.

persain *adj* melodious.

persawr *m* fragrance.

persawrus *adj* fragrant.

perseiniol *adj* melodious.

persli *m* parsley.

person *m* (·**au**) person; (·**iaid**) parson.

personol *adj* personal.

personoliaeth *f* (·**au**) personality.

perswâd *m* persuasion.

perswadio *v* to persuade.

pert *adj* pretty.

perth *f* (·**i**) hedge.

perthnasau *see* **perthynas**.

perthnasol *adj* relevant.

perthyn *v* to be related; to belong.

perthynas *mlf* (**perthnasau**) relative.

perthynol *adj* relative.

perwyl *m* purpose.

pery *from* **para, parhau**.

perygl *m* (·**ion**) danger.

peryglu *v* to endanger.

peryglus *adj* dangerous.

pesgi *v* to get fat; to fatten.

pesimist *m* (·**iaid**) pessimist.

pesimistaidd *adj* pessimistic.

pesimistiaeth *f* pessimism.

peswch, pesychu *v* to cough.

peswch, pesychiad *m* (·**au**) (a) cough.

petawn i *v* were I, etc.

petrisen *f* (**petris**) partridge.

petrus *adj* hesitant.

petruso *v* to hesitate.

petruster *m* hesitation.

petryal *m* (·**au**) oblong.

peth *m* (·**au**) thing.

petheuach *pl* odds and ends.

peuau *see* **pau**.

peunes *f* peahen.

peunod *see* **paun**.

pianydd *m* (·**ion**) pianist.

piau *v* to possess.

pib *f* (·**au**) pipe; diarrhoea.

pibell *f* (·**au**, ·**i**) pipe.

pibell·aid *f* (·**eidiau**) pipeful.

piben *f* (·**ni**) pipe.

pibo *v* to pipe; to squirt.

pibonwy *pl* icicles.

pibydd *m* (·**ion**) piper.

picas *mlf* pickaxe.

picedu *v* to picket.

picell *f* (·**au**) spear.

picellu *v* to spear.

piced·wr *m* (·**wyr**) (a) picketer.

pic·fforch *f* (·**ffyrch**) pitchfork.

picio *v* to pop (out).

piclo *v* to pickle.

picti·wr *m* (·**yrau**) picture.

pictiwrs *pl* cinema.

pic·warch *f* (·**weirch**) pitchfork.

picwnen *f* (**picwn**) wasp.

pidyn *m* penis.
piffian *v* to giggle.
pig *f* (·au) beak.
pigfain *adj* pointed.
pigiad, pigad *m* (·au) a prick.
pigion *pl* selections.
pigm·i *m* (·ïaid) pygmy.
pigo *v* to pick.
pigog *adj* prickly.
pigoglys *m* spinach.
pig·yn *m* (·au) prick.
pil *m* peel.
pilen *f* (·nau) membrane.
piler *m* (·i) pillar.
pilio, pilo *v* to peel.
pilipala *m* butterfly.
pilsen *f* (pils) pill.
pilyn *m* (·nau) garment.
pin *m* (pinnau) pin.
pin *see* **pinwydden**.
pinafal *m* (·au) pineapple.
pinc *m* (·od) chaffinch.
pincas *m* pincushion.
piner *m* pinafore.
pinio *v* to pin.
pin·iwn *m* (·iynau) opinion.
pinnau *see* **pìn**.
pinsiad *m* (a) pinch.
pinsio *v* to pinch.
pins·iwrn, pins·iwn *m* (·iyrnau, ·iynau)
 pincers.
pinwydden *f* (pinwydd, coed pin)
 pine tree.
pioden *f* (piod) magpie.
piser *m* (·i) pitcher.
pisgwydden *f* (pisgwydd) lime tree.
pistyll *m* (·oedd) well.
pistyllio *v* to spout.
pisyn *m* (·nau, pisys) piece.
pitïo *v* to pity.
pitw *adj* paltry.
piw *m* (·au) udder.
piwis *adj* peevish.
Piwritan *m* (·iaid) Puritan.
piwritanaidd *adj* puritanical.

pla *m* (plâu) plague.
pladur *f* (·iau) scythe.
plaen *adj* plain.
plaen, plân *m* (·au, plaeniau) plane
 (carpenter).
plagio *v* to pester.
plaid *f* (pleidiau) party.
plân *m* (planau) plane (geometry);
 (plaenau) plane (carpentry).
planced *f* (·i) blanket.
planed *f* (·au) planet.
planhigfa *f* (planigfeydd) plantation.
planhig·yn *m* (·ion) plant.
plannu *v* to plant.
plant *see* **plentyn**.
planta *v* to beget children.
plantos *pl* little children.
planwydden *f* (planwydd) plane trees.
plas *m* (·au) mansion.
plastig *m* (·ion) (a) plastic.
plastro *v* to plaster.
plasty *m* (plastai) mansion.
plât *m* (platiau) plate.
plat·aid *m* (·eidi, ·eidiau) plateful.
ple *m* plea.
pledio *v* to plead.
pledren *f* (·ni, ·nau) bladder.
pleidiau *see* **plaid**.
pleidiol *adj* partial.
pleid·lais *f* (·leisiau) vote.
pleidleisio *v* to vote.
plencyn *m* (planciau) plank.
plenn(ais) *from* **plannu**.
plentyn *m* (plant) child.
plentyndod *m* childhood.
plentynnaidd *adj* infantile.
pleser *m* (·au) pleasure.
pleserus *adj* pleasant.
plesio *v* to please.
plet, pleten *f* (pletau) crease.
pletio *v* to pleat.
pleth *f* (·au) plait.
plethu *v* to plait.
plicio *v* to pluck.
plisgyn *m* (plisg) pod.

plisman, plismon *m* **(plismyn)** policeman.

plismona *v* to police.

plismones *f* policewoman.

plith *m* midst.

ploc·yn *m* (**·iau**) block.

ploryn *m* (**·nod, plorod**) acne.

pluen *f* (**plu**) feather.

pluo, plufio *v* to pluck.

pluog *adj* feathered.

plwc *m* (**plyciau**) pluck.

plwg *m* (**plygiau**) plug.

plwm *m* lead.

plws *m* (**plysau**) plus.

Plwton *f* Pluto.

plwyf *m* (**·i**) parish.

plwyfol *adj* parochial.

plwyfolion *pl* parishioners.

plyciau see **plwc**.

plycio *v* to jerk.

plyg *m* (**·ion**) fold.

plyg·ain *m/f* (**·einiau**) dawn; matins.

plygeiniol *adj* early (morning).

plygell *m* (**·au**) folder.

plygiad, plygiant *m* (**·au**) crease.

plygiau see **plwg**.

plygu *v* to bend.

plymio *v* to plumb.

plysau see **plws**.

pob *adj* each; baked.

pobi *v* to bake.

pobiad *m* (**·au**) (a) baking.

pobl *f* (**·oedd**) people.

poblog *adj* populous.

poblogaeth *f* population.

poblogaidd *adj* popular.

poblogeiddio *v* to poularise.

poblogi *v* to populate.

poblogrwydd *m* popularity.

pobydd *m* (**·ion**) baker.

poced *m/f* (**·i**) pocket.

poced·aid *f* (**·eidiau**) pocketful.

pocedu *v* to pocket.

pocer, procer *m* (**·i**) poker.

poen *m/f* (**·au**) pain.

poendod *m* pest.

poeni *v* to hurt; to worry.

poenus *adj* painful.

poenydio *v* to torment.

poenyd·iwr *m* (**·wyr**) tormentor.

poenyn *m* tease.

poer *m* saliva.

poeri *v* to spit.

poeth *adj* hot.

poethder *m* heat.

poethi *v* to heat.

polareiddio *v* to polarise.

polyn *m* (**polion**) pole.

pomgranad *m* (**·au**) pomegranate.

pompren *f* footbridge.

ponc *f* (**·au, ·iau**) hillock.

ponsio *v* to bungle.

pont *f* (**·ydd**) bridge.

pontio *v* to bridge.

popeth *m* everything.

poplysen *f* (**poplys**) poplar.

poptu *m* all sides.

pop·ty *m* (**·tai**) oven.

porchell *m* (**perchyll**) porker.

porf·a *f* (**·eydd**) grass.

porffor *adj* purple.

pori *v* to graze.

pornograffiaeth *f* pornography.

portread *m* (**·au**) portrait.

portreadu *v* to portray.

porth *m* (**pyrth**) door. • *f* (**pyrth**) harbour.

porthi *v* to feed.

porthiannus *adj* well-fed.

porthiant *m* food.

porthladd *m* (**·oedd**) harbour.

porthmon *m* (**porthmyn**) drover.

porthor *m* (**·ion**) porter.

pos *m* (**·au**) puzzle.

posibil·rwydd *m* (**·iadau**) possibilities.

poster *m* (**·i**) poster.

postio *v* to post.

post·man, post·mon *m* (**·myn**) postman.

postyn, post *m* (**pyst**) post.

potel f (-i) bottle.
potel·aid f (-eidi, -eidiau) bottleful.
potelu v to bottle.
potes m broth.
potio v to pot; to booze.
potsio v to poach.
pothell f (-au, -i) blister.
powdr, powdwr m (-au) powder.
powld adj cheeky.
powlen f (-ni) bowl.
powlennaid f bowlful.
powlio v to bowl.
praff adj stout.
praffter m girth.
praidd m (preiddiau) flock.
prancio v to caper.
prawf, praw m (profion) proof.
prawf from **profi**.
preblan v to chatter.
pregeth f (-au) sermon.
pregethu v to preach.
pregeth·wr m (-wyr) preacher.
preiddiau see **praidd**.
preifat adj private.
preifateiddio v to privatise.
preifatrwydd m privacy.
preiffion see **praff**.
preimin m ploughing match.
pren m (-nau) wood.
prennaidd adj wooden.
prentis m (-iaid) apprentice.
prentisiaeth f apprenticeship.
prentisio v to apprentice.
prepian v to babble.
pres m brass; money.
preseb m (-au) crib.
presennol adj present.
presenoldeb m presence.
preswyl adj residential.
preswyl·fa f (-feydd) dwelling.
preswylio v to dwell.
preswyl·ydd m (-wyr) dweller.
pric m (-iau) stick.
prid adj expensive.
pridwerth m ransom.

pridd m (-oedd) soil.
priddio, priddo v to earth up.
prif adj chief.
prif·ardd m (-eirdd) chief poet.
prifathrawes f (-au) headmistress.
prifathr·o m (-awon) headmaster.
prifddinas f (-oedd) capital city.
prifiant m growth.
prifio v to grow.
priflyth·yren f (-rennau) capital letter.
prifol adj cardinal.
prifysgol f (-ion) university.
priff·ordd m (-yrdd) highway.
prin adj scarce.
prinder m scarcity.
prinhau v to become scarce.
printiedig adj printed.
printio v to print.
priod adj married; appropriate.
priod m/f spouse.
priodas f (-au) marriage.
priodasol adj marital.
priod-ddull m (-iau) idiom.
priodfab, priodasfab m bridegroom.
priodferch, priodasferch f bride.
priodi v to marry.
priodol adj proper.
priodoldeb m (-au) propriety.
priodoledd f (-au) attribute.
priodoli v to attribute.
prior m (-iaid) prior.
prior·dy m (-dai) priory.
pris m (-iau) price.
prisiad, prisian·t m (-au, -nau) valuation.
prisio v to value.
pris·iwr m (-wyr) valuer.
proc m (-iau) (a) poke.
procio v to poke.
proest m (-au) half-rhyme.
profedigaeth f (-au) tribulation.
profi v to test; to prove.
profiad m (-au) experience.
profiadol adj experienced.

profiannaeth *f* probation.
profion *see* **prawf**.
proflen *f* (·**ni**) (copy) proof.
proffes *f* (·**au**) (a) profession.
proffes·iwn *m* (·**iynau**) profession.
proffesiynol *adj* professional.
proffesu *v* to profess.
proffidiol *adj* profitable.
proffwyd *m* (·**i**) prophet.
proffwydo *v* to prophesy.
proffwydol *adj* prophetic.
proffwydoliaeth *f* (·**au**) prophecy.
prosesydd geiriau *m* (·**ion geiriau**) word processor.
Protestannaidd *adj* Protestant.
prudd *adj* serious.
pruddglwyfus *adj* melancholic.
pryd[1] *m* (·**iau**) time; (·**au**) meal.
pryd[2] *adj* when.
pryder *m* (·**on**) worry.
pryderu *v* to fret.
pryderus *adj* anxious.
prydferth *adj* beautiful.
prydferthu *v* to adorn.
prydferthwch *m* beauty.
prydles *f* (·**au**, ·**i**) lease.
prydlon *adj* punctual.
prydlondeb *m* punctuality.
prydydd *m* (·**ion**) bard.
prydyddiaeth *f* poetry.
pryddest *f* (·**au**) bardic poem.
pryf, pry *m* (·**ed**) fly.
pryfetach *pl* vermin; flies.
pryfocio *v* to provoke.
pryfoclyd *adj* provocative.
pryfysydd *m* (·**ion**) insectivore.
prŷn *v from* **prynu**. • *adj* bought.
prynedigaeth *f/m* redemption.
prynhawn *m* (·**iau**) afternoon.
prynhawnol *adj* afternoon.
prynu *v* to buy.
pryn·wr *m* (·**wyr**) buyer.
prysglwyn *m* (·**i**) copse.
prysgwydden *f* (**prysgwydd**) shrub.
prysur *adj* busy.

prysurdeb *m* busyness.
prysuro *v* to hasten.
pulpud *m* (·**au**) pulpit.
pumawd *m* (·**au**) quintet.
pumed *adj* fifth.
pump, pum *num* five.
pun·t *f* (·**noedd**, ·**nau**) pound.
pur *adj* pure. • *adv* quite.
purdan *m* purgatory.
purdeb *m* purity.
pur·fa *f* (·**feydd**) refinery.
purion *adj* right.
puro *v* to purify.
purydd *m* (·**ion**) purist.
put·ain *f* (·**einiaid**) prostitute.
puteindra *m* prostitution.
pwca, pwc·i *m* (·**od**, ·**ïod**) imp.
pwdin *m* (·**au**) pudding.
pwdlyd *adj* sulky.
pwdr *adj* rotten.
pwdryn *m* waster.
pwdu *v* to sulk.
pŵer *m* (**pwerau**) power.
pwer·dy *m* (·**dai**) powerhouse.
pwerus *adj* powerful.
pwff *m* (**pyffiau**) puff.
pwffian, pwffio *v* to puff.
pwl *m* (**pyliau**) (a) fit.
pŵl *adj* matt.
pwll *m* (**pyllau**) pool.
pwmp *m* (**pympiau**) pump.
pwmpen *f* (·**ni**) marrow.
pwn *m* (**pynnau**) pack.
pwnc *m* (**pynciau**) subject.
pwniad, pwnad *m* (·**au**) nudge.
pwnio *v* to nudge.
pwrcas *m* (·**au**) (a) purchase.
pwrcasu *v* to purchase.
pwrpas *m* (·**au**) purpose.
pwrpasol *adj* purposeful.
pwrs *m* (**pyrsau**) purse.
pwt *m* (**pytiau**) bit.
pwti *m* putty.
pwy *pron* who.
pwyll *m* caution.

pwyllgor *m* (·**au**) committee.
pwyllgor·wr *m* (·**wyr**) committee-man.
pwyllo *v* to pause.
pwyllog *adj* prudent.
pwynt *m* (·**iau**) point.
pwyntio *v* to point.
pwyo *v* to batter.
pwys *m* (·**i**) pound; (·**au**) weight.
pwysau *m* weight.
pwysedd *m* (blood) pressure.
pwys·i *m* (·**iau**) posy.
pwysig *adj* important.
pwysigrwydd *m* importance.
pwys·lais *m* (·**leisiau**) emphasis.
pwysleisio *v* to emphasise.
pwyso *v* to weigh.
pwys·wr *m* (·**wyr**) weigher.
pwysyn *m* (·**nau**) (a) weight.
pwyth *m* (·**au**) stitch.
pwytho *v* to stitch.
pybyr *adj* staunch.
pydew *m* well, pit.
pydredd *m* decay.
pydru *v* to rot.
pyffiau *see* pwff.
pyg *m* pitch.

pygddu *adj* pitch black.
pyliau *see* pwl.
pylni *m* dullness.
pylu *v* to blunt.
pyllau *see* pwll.
pympiau *see* pwmp.
pymtheg, pymtheng *num* fifteen.
pymthegfed *adj* fifteenth.
pymthengwaith *adv* fifteen times.
pynciau *see* pwnc.
pyncio *v* to sing.
pynfarch *m* pack-horse; mill-race.
pynnau *see* pwn.
pyrsau *see* pwrs.
pyrth *see* porth.
pyrwydden *f* (**pyrwydd**) spruce.
pysen *f* (**pys**) pea.
pysgodyn *m* (**pysgod**) fish.
pysgota *v* to fish.
pysgot·wr *m* (·**wyr**) fisherman.
pyst *see* postyn.
pystylad *v* to stamp.
pytat·en *f* (·**ws**) potato.
pytiau *see* pwt.
pythefnos *m/f* (·**au**) fortnight.
pythefnosol *adj* fortnightly.

Ph

Pharise·ad *m* (·**aid**) Pharisee.
Philist·iad *m* (·**iaid**) Philistine.

Philistiaeth *f* Philistinism.

R

rab(b)i *m* (·**niaid**) rabbi.
rabinaidd *adj* rabbinical.
raced *m/f* (·**i**) racket.
radicalaidd *adj* radical.
ras *f* (·**ys**) race.
ras·al *f* (·**elydd**) razor.
rasio *v* to race.
realydd *m* realist.
recordiad *m* (·**au**) recording.
recordydd *m* (·**ion**) recorder.

reit *adv* quite.
ridens *f* fringe.
roboteg *f* robotics.
rŵan *adv* now.
rwbel *m* rubble.
rwden *f* (**rwdins**) swede.
rwdlan, rwdlian *v* to natter on.
Rwsiad *m* (**Rwsiaid**) Russian.
rwyf *from* bod.
rys·áit *f* (·**eitiau**) recipe.

Rh

rhaca f (·nau) rake.
rhacanu v to rake.
rhacsyn, rhecsyn m (rhacs) rags.
rhad adj cheap. • m (·au) blessing.
rhadlon adj gracious.
rhadlonrwydd m graciousness.
rhaeadr f (·au, rhêydr) waterfall.
rhaff f (·au) rope.
rhaffu, rhaffo v to string together.
rhag prep lest.
rhag·air m (·eiriau) foreword.
rhagarweiniad m introduction.
rhagarweiniol adj introductory.
rhagbaratoawl adj preparatory.
rhag·brawf m (·brofion) prelim.
rhagdybio, rhagdybied v to assume.
rhagddod·iad m (·iaid) prefix.
rhag·ddweud v to foretell.
rhageiriau see rhagair.
rhagenw m (·au) pronoun.
rhagflaenu v to precede.
rhagflaen·ydd m (·wyr) predecessor.
rhagflas m foretaste.
rhagfur m (·iau) rampart.
rhagfynegi v to foretell.
Rhagfyr m December.
rhaglaw m (·iaid, rhaglofiaid) governor.
rhaglen f (·ni) programme.
rhaglennu v to program.
rhaglofiaid see rhaglaw.
rhagluniaeth f providence.
rhagluniaethol adj providencial.
rhagofalon pl precautions.
rhag·olwg m (·olygon) prospect.
rhagor m more.
rhagor·fraint f (·freintiau) privilege.
rhagori v to excel.
rhagoriaeth f (·au) superiority.
rhagorol adj excellent.
rhagredegydd m forerunner.
rhagrith m (·ion) hypocrisy.
rhagrithio v to be hypocritical.

rhagrithiol adj hypocritical.
rhagrith·iwr m (·wyr) hypocrite.
rhagrybuddio v to forewarn.
rhag·weld, rhagweled v to foresee.
rhagymadrodd m (·ion) introduction.
rhai adj some.
rhaib f spell.
rhaid m (rheidiau) necessity.
rhaidd f (rheiddiau) antler.
rhain pron these.
rhamant f romance.
rhamantus adj romantic.
Rhamantiaeth f Romanticism.
rhan f (·nau) part.
rhanadwy adj divisible.
rhanbarth m (·au) region.
rhanbarthol adj regional.
rhanedig adj divided.
rhaniad m (·au) division.
rhannol adj in part.
rhannu v to share.
rhated from rhad.
rhathell f (·au) rasp.
rhaw f (·iau, rhofiau) shovel.
rhawd f course, career.
rhawg adv after a time.
rhawn m horsehair.
rhech f fart.
rhechain, rhechian v to fart.
rhedeg v to run.
rhedegog adj running.
rhediad m (·au) run, flow.
rhed·wr m (·wyr) runner.
rhedynen f (rhedyn) fern.
rhefr m anus.
rheffyn m (·nau) halter.
rheg f (·feydd) swear word.
rhegen yr ŷd f corncrake.
rhegi v to swear.
rheng f (·oedd) row.
rheibio v to bewitch; to ravage.
rheibus adj rapacious.
rheidiau see rhaid.

rheidrwydd *m* compulsion.
rheiddiadur *m* (·on) radiator.
rheiddiau *see* **rhaidd**.
rheil·en *f* (·iau) rail.
rheil·ffordd *f* (·ffyrdd) railway.
rheini *pron* those.
rheitied *from* **rhaid**.
rheithfarn *f* (·au) verdict.
rheithgor *m* jury.
rheithor *m* (·ion, ·iaid) rector.
rhelyw *m* remainder.
rhemp *f* excess.
rhenn(ais) *from* **rhannu**.
rhent *m* (·i) rent.
rhentu *v* to rent.
rheol *f* (·au) rule.
rheolaeth *f* control.
rheolaidd *adj* regular.
rheoleiddio *v* to regulate.
rheoli *v* to rule.
rheol·wr *m* (·wyr) ruler.
rhes *f* (·i, ·au) row.
rhesel, rhestl *f* (·i, ·au) rack.
rhes·en *f* (·i) parting.
rhesinen *f* (rhesin) raisin.
rhestr *f* (·i, ·au) (a) list.
rhestru *v* to list.
rhes·wm *m* (·ymau) reason.
rhesymeg *f* logic.
rhesymegol *adj* logical.
rhesymol *adj* reasonable.
rhesymu *v* to reason.
rhethreg *f* rhetoric.
rhew *m* frost.
rhewbwynt *m* (·iau) freezing-point.
rhewgell *f* (·oedd) freezer.
rhewi *v* to freeze.
rhewlif *m* (·au) glacier.
rhewllyd *adj* icy.
rhewynt *m* (·oedd) ice-cold wind.
rhĕydr *see* **rhaeadr**.
rhi *m* king.
rhia·in *f* (·nedd) maiden.
rhialtwch *m* jollification.
rhiant *m* (rhiaint, rhieni) parent.

rhibidirês *f* string (of).
rhibin *m* streak.
rhic *m* (·iau) notch.
rhidens *pl* fringe.
rhidyll *m* (·au) sieve.
rhidyllu *v* to sieve.
rhieni *pl* parents.
rhif *m* (·au) number.
rhifo *v* to number; to count.
rhifol *m* (·ion) numeral.
rhifyddeg *f* arithmetic.
rhifyn *m* (·nau) issue.
rhigol *f* (·au, ·ydd) groove.
rhig·wm *m* (·ymau) rhyme.
rhigym·wr *m* (·wyr) rhymester.
rhingyll *m* (·iaid) sergeant.
rhimyn *m* (·nau) rim.
rhin *f* (·iau) virtue.
rhincian *v* to gnash.
rhiniog *m* (·au) threshold.
rhinwedd *m/f* (·au) virtue.
rhinweddol *adj* virtuous.
rhisgl *m* bark.
rhith *m* (·iau) guise.
rhithio *v* to appear.
rhithyn *m* particle.
rhiw *f* (·iau) hill.
rhocen, rhoces *f* (·i) lass.
rhochian *v* to grunt.
rhod *f* (·au) wheel.
rhoden *f* (·ni) rod.
rhod·fa *f* (·feydd) promenade.
rhodio *v* to walk.
rhodres *m* ostentation.
rhodresgar *adj* ostentatious.
rhodd *f* (·ion) gift.
rhoddi *v* to give.
rhodd·wr *m* (·wyr) donor.
rhof·iad *f* (·ieidiau) shovelful.
rhofiau *see* **rhaw**.
rhoi, rhoddi *v* to give.
rholbren *m* (·ni) rolling pin.
rholio *v* to roll.
rholyn *m* (rholiau) roll.
rhonc *adj* rank.

rhos *f* (·**ydd**) moor.
rhostio *v* to roast.
rhosyn *m* (·**nau, rhosod**) rose.
rhu, rhuad *m* (·**au**) (a) roar.
rhudd *adj* ruddy.
rhuddem *f* ruby.
rhuddin *m* heart of timber.
rhuddo *v* to scorch.
rhuddygl *m* radish.
rhugl *adj* fluent.
rhuo *v* to roar.
rhusio *v* to take fright.
rhuthr *m* (·**au, ·adau**) rush; attack.
rhûwr *m* roarer.
rhwbio, rhwto *v* to rub.
rhwd *m* rust.
rhwng *prep* between.
rhwth *adj* gaping.
rhwyd *f* (·**au, ·i**) net.
rhwyden *f* (·**ni**) retina.
rhwydo *v* to net.
rhwyd·waith *m* (·**weithiau**) network.
rhwydd *adj* easy.
rhwyddineb *m* ease.
rhwyf *f* (·**au**) oar.
rhwyfo *v* to row.
rhwyfus *adj* restless.
rhwyf·wr *m* (·**wyr**) oarsman.
rhwyg *f* (·**iadau**) tear.
rhwygo *v* to tear.
rhwyll *f* (·**au**) lattice.
rhwyllog *adj* perforated.
rhwyllwaith *m* fretwork.
rhwym *m* (·**au**) tie. • *adj* constipated.
rhwymedig *adj* bound.
rhwymedigaeth *f* (·**au**) bond.
rhwymedd *m* constipation.
rhwymo *v* to bind.
rhwym·wr *m* (·**wyr**) binder.
rhwymyn *m* (·**nau**) bandage.
rhwysg *m* pomp.
rhwystr *m* (·**au**) obstruction.
rhwystro *v* to hinder.
rhy[1] *adv* too.
rhy[2] *from* **rhoi**.

rhybed *m* (·**ion**) rivet.
rhybudd *m* (·**ion**) warning.
rhybuddio *v* to warn.
rhych *m/f* (·**au**) furrow.
rhychiog, rhychog *adj* corrugated, furrowed.
rhychwant *m* (·**au**) span.
rhychwantu *v* to span.
rhyd *f* (·**au**) ford.
rhydlyd *adj* rusty.
rhydu, rhwdu *v* to rust.
rhydwel·i *f* (·**iau**) artery.
rhydd *adj* loose.
rhydd *from* **rhoddi**.
rhydd·fraint *f* (·**freiniau**) emancipation.
Rhyddfrydiaeth *f* Liberalism.
rhyddfrydig *adj* liberal.
Rhyddfrydol *adj* Liberal.
Rhyddfryd·wr *m* (·**wyr**) (a) Liberal.
rhyddhad *m* liberation, relief.
rhyddhau *v* to release.
rhyddiaith *f* prose.
rhyddid *m* freedom.
rhyddieithol *adj* prosaic.
rhyfedd *adj* strange.
rhyfeddod *m* (·**au**) marvel.
rhyfeddol *adj* marvellous.
rhyfeddu *v* to amaze.
rhyfel *m/f* (·**oedd**) war.
rhyfela *v* to wage war.
rhyfelgar *adj* bellicose.
rhyfel·wr *m* (·**wyr**) warrior.
rhyferthwy *m* tempest.
rhyfon *pl* currants.
rhyfyg *m* presumption.
rhyfygu *v* to presume.
rhyfygus *adj* presumptuous.
rhyg *m* rye.
rhygnu *v* to grate.
rhygyngu *v* to canter.
rhyng(ddi) *see* **rhwng**.
rhyngu bodd *v* to satisfy.
rhyngwladol *adj* international.
rhynllyd *adj* shivering.

rhynnu v to freeze.
rhysedd m abundance.
rhython pl cockles.
rhythu v to stare.
rhyw adj some. • f (·iau) sex.
rhywbeth m something.
rhywbryd adv sometime.
rhywfaint m some amount.

rhywfodd, rhywsut adv somehow.
rhywiog adj proper.
rhywiol adj sexual.
rhywle adv somewhere.
rhywogaeth f (·au) species.
rhywsut adv somehow.
rhyw-un m (·rai) someone.

S

Sab(b)ath, Saboth m (**Sabathau, Sabothau**) Sabbath.
sach f (·au) sack.
sach-aid f (·eidiau) sackful.
sachlïain m sackcloth.
sad adj stable.
sadio v to steady.
sadrwydd m steadiness.
Sadwrn m (**Sadyrnau**) Saturday.
Sadwrn f Saturn.
saer m (**seiri**) carpenter.
saernïaeth f workmanship.
saernïo v to construct.
Saesneg f English.
Saeson see **Sais**.
saeth f (·au) arrow.
saethu v to shoot.
saethydd m (·ion) archer.
saethyddiaeth f archery.
saf from **sefyll**.
safadwy adj steadfast.
safann-a m (·au) savannah.
safbwynt m (·iau) standpoint.
safiad m (a) stand.
safle m/f (·oedd) site.
safn f (·au) mouth.
safnrhwth adj gaping.
safon f (·au) standard.
safoni v to standardise.
safonol adj standard.
saff adj safe.
saffrwm, saffrwn m crocus.
sang f (·au) chock-a-block.

sangu, sengi v to tread.
saib, seibian-t m (**seibiau, ·nau**) pause.
saif from **sefyll**.
saig f (**seigiau**) dish.
sail f (**seiliau**) foundation.
saim m (**seimiau**) grease.
sain f (**seiniau**) sound.
saint see **sant**.
Sais m (**Saeson**) Englishman.
saith num seven.
sâl adj ill.
salm f (·au) psalm.
salm-dôn f (**salmdonau**) chant.
salmydd m psalmist.
salw adj ugly.
salwch m illness.
Sallwyr m Psalter.
samona v to fish for salmon.
sanau see **hosan**.
sanctaidd, santaidd adj sacred.
sancteiddio v to sanctify.
sancteiddrwydd m holiness.
sant m (**saint, seintiau**) saint.
santes f female saint.
sarff f (**seirff**) serpent.
sarhad m insult.
sarhau v to insult.
sarhaus adj insulting.
sarn f (·au) causeway.
sarnu v to spill.
sarrug adj surly.
sas-iwn m/f (·iynau) Methodist Association.

sathredig *adj* debased.
sathru *v* to trample.
sawdl *m/f* (**sodlau**) heel.
sawl *pron* whoso.
sawr *m* savour.
sawru *v* to smell.
sawrus *adj* savoury.
saws *m* sauce.
sbâr *adj* spare.
sbardun, ysbardun *m* (·**au**) accelerator.
sbario *v* to spare.
sbectol *f* spectacles.
sbectrwm *m* (**sbectra**) spectrum.
sbeislyd *adj* spicy.
sbeitio *v* to spite.
sbeitlyd *adj* spiteful.
sbio *v* to look.
sbel *f* period.
sbon *adj*: **newydd sbon** brand-new.
sbonc *f* leap.
sboncen *f* squash.
sboncio *v* to bounce.
sbri *m* fun.
sbrigyn *m* (·**nau**) sprig.
sbwng, ysbwng *m* (**sbyngau**) sponge.
sbŵl *m* (**sbwliau**) spool.
sbwriel *m* rubbish.
sbwylio *v* to spoil.
sbyngau *see* **sbwng**.
sebon *m* (·**au**) soap.
seboni *v* to flatter.
sebon·wr *m* (·**wyr**) flatterer.
secretu *v* to secrete.
sebra *m* (·**od**) zebra.
sech *adj* (*f*) dry.
sedd *f* (·**au**) seat.
sef *conj* namely.
sefydledig *adj* established.
sefydliad *m* (·**au**) institution.
sefydlog *adj* settled.
sefydlogrwydd *m* stability.
sefydlu *v* to establish.
sefyll *v* to stand.
sefyllfa *f* (·**oedd**) situation.

sefyllian *v* to stand about.
segur *adj* unemployed.
segurdod *m* idleness.
sengi *see* **sangu**.
sengl *adj* single.
seia·t *f* (·**dau**) religious meeting.
seibian·t *m* (·**nau**) leisure.
seiciatreg *m/f* psychiatry.
seiciatrydd *m* psychiatrist.
seicoleg *m/f* psychology.
seicolegol *adj* psychological.
seicolegydd *m* psychologist.
seigiau *see* **saig**.
seiliau *see* **sail**.
seilio *v* to base.
seimiau *see* **saim**.
seimlyd, seimllyd *adj* greasy.
seindorf *f* band.
seingl·awr *m* (·**oriau**) keyboard.
seiniau *see* **sain**.
seinio *v* to sound.
seintiau *see* **sant**.
seintwar *f* sanctuary.
seirff *see* **sarff**.
seiri *see* **saer**.
Seisnig *adj* English.
Seisnigeiddio *v* to Anglicise.
seithfed *adj* seventh.
seithug *adj* wasted.
seithwaith *adv* seven times.
sêl *f* zeal; seal; sale.
seld *f* (·**au**) dresser.
selio *v* to seal.
selog *adj* zealous.
selsigen *f* (**selsig**) sausage.
seml *adj* (*f*) simple.
sen *f* (·**nau**) reproof.
senedd *f* (·**au**) parliament.
seneddol *adj* parliamentary.
sensitifrwydd *m* sensitivity.
sensoriaeth *f* censorship.
sentimentaliaeth *f* sentimentality.
sêr *see* **seren**.
sercol *m* charcoal.
serch *m* love. • *conj* although.

serchog, serchus *adj* affectionate.
sêr-ddewin *m* (·**iaid**) astrologer.
sêr-ddewiniaeth *f* astrology.
seremoni *f* (**seremonïau**) ceremony.
seremonïol *adj* ceremonial.
seren *f* (**sêr**) star.
serenâd *m* serenade.
serennog, serog *adj* starry.
serennu *v* to twinkle.
serth *adj* steep.
seryddiaeth *f* astronomy.
serydd·wr *m* (·**wyr**) astronomer.
sesbin *m* shoehorn.
sêt *f* (**seti**) seat.
setin *m* (·**oedd**) hedge.
seth *adj* (*f*) straight.
sewin, siwin *m* sea-trout.
sffêr *f* (**sfferau**).
sfferaidd *adj* spherical.
sgadenyn *m* (**sgadan**) herring.
sgaprwth *adj* uncouth.
sgarmesydd *m* (·**ion**) fighter (plane).
sgeintio *v* to sprinkle.
sgerb·wd *m* (·**ydau**) skeleton.
sgert *f* (·**iau**) skirt.
sgìl *m* (**sgiliau**) skill.
sgil *m* (on the) back (of).
sgio *v* to ski.
sgiw *f* (·**ion**) settle.
sgiw *adj*: **ar sgiw** askew.
sglefren *f* slide.
sglefrio *v* to skate.
sglefrholio *v* to roller-skate.
sglein *m* shine.
sgleinio *v* to shine.
sglod·yn *m* (·**ion**) chip.
sgolor *m* (·**ion**) (able) schoolchild.
sgrech *f* (·**iadau**) scream.
sgrechain, sgrechian *v* to shriek.
sgrwb *m* stiffness.
sgrwbio *v* to scrub.
sguthan *f* (·**od**) wood pigeon.
sgwâr *m*/*f* (**sgwariau**) square.
sgwaryn *m* (·**nau**) square.
sgwd *m* (**sgydau**) cascade.

sgwïer *m* (**sgwieriaid**) squire.
sgwlyn *m* headmaster.
sgwrio *v* to scour.
sgwrs *f* (**sgyrsiau**) conversation.
sgwrsio *v* to talk.
sgydau *see* **sgwd**.
sgyrsiau *see* **sgwrs**.
si, su *m* (**sïon, suon**) buzz; whisper.
siaced *f* (·**i**) jacket.
siachmat *m* checkmate.
siafio *v* to shave.
sialc *m* (·**au**) chalk.
siambr *f* chamber.
siampŵ *m* (·**au**) shampoo.
sianel *f* (·**i**) channel.
siâp *m* (**siapau, siapiau**) shape.
siapo, siapio *v* to take shape.
siapus *adj* shapely.
siâr *f* (**siariau**) share.
siarad *v* to speak.
siaradus *adj* garrulous.
siarad·wr *m* (·**wyr**) speaker.
siario *v* to share.
siarp *adj* sharp.
siarsio *v* to warn.
siasbi *m* shoehorn.
siawns *f* chance.
sibrwd *v* to whisper.
sibr·wd *m* (·**ydion**) whisper.
sicr *adj* sure.
sicrhau *v* to ensure.
sicrwydd *m* assurance.
sidan *m* (·**au**) silk.
sidanaidd *adj* silky.
sideru *v* to make lace.
sidydd *m* zodiac.
siersi *m*/*f* sweater.
sieryd *from* **siarad**.
siesbin *m* shoehorn.
siew *f* (·**iau**) show.
siffrwd *v* to rustle.
sigâr *f* (**sigarau**) cigar.
sigarét *f* (**sigaretau**) cigarette.
siglad *m* (·**au**) (a) shaking.
sigledig *adj* shaky.

siglen f (·**ni**, ·**nydd**) swamp; swing.

sigl-i-gwt m wagtail.

siglo v to shake.

sil m spawn.

silff f (·**oedd**) shelf.

silidón m minnow.

silwair m silage.

sill, sillaf f (·**au**) syllable.

sillafiad m spelling.

sillafu v to spell.

simdde, simnai f (**simneiau**) chimney.

simsan adj unsteady.

simsanu v to totter.

sinach f skinflint.

sin·ws m (·**ysau**) sinus.

sîo v to hum.

sioe f (·**au**) show.

siôl f (**siolau**) shawl.

siom m/f disappointment.

siomedig adj disappointed.

siomedigaeth f (·**au**) disappointment.

siomi v to disappoint.

Siôn Corn m Santa Claus.

sionc adj nimble.

sioncrwydd m alacrity.

sioncyn y gwair m grasshopper.

siop f (·**au**) shop.

siopa v to shop.

siop·wr m (·**wyr**) shopkeeper.

sipian, sipio v to sip; to zip.

siprys m mixed corn.

sipsi m (·**wn**) gypsy.

sir f (·**oedd**) county.

siriol adj pleasant.

sirioldeb m serenity.

sirioli v to cheer up.

sirydd, siryf m (·**ion**) (high) sheriff.

sisial v to whisper.

sis·wrn m (·**yrnau**) scissors.

siwgr m sugar.

siwmper f (·**i**) jumper.

siwr, siŵr adj sure.

siwrn·ai f (·**eiau**, ·**eion**) journey.

slafaidd adj slavish.

slefren fôr f jellyfish.

slei adj sly.

sleifio v to slink.

sleis·en f (·**ys**) slice.

slic adj slippery.

slotian v to tipple.

smala adj droll.

smaldod m banter.

smalio v to joke, to pretend.

smonach f mess.

smot·yn m (·**iau**) spot.

smwddio v to iron.

smwt adj snub.

smygu v to smoke.

sniffian, snwffian v to sniff.

snisin m snuff.

snobyddiaeth f snobbishness.

snobyddlyd adj snobbish.

sobr adj serious.

sobri v to sober.

sobrwydd m sobriety.

sodlau see **sawdl**.

sodr, sawdur m (**sodrau**) solder.

sodro v to solder.

sodd·grwth m (·**grythau**) cello.

soeglyd adj soggy.

sofl·iar f (·**ieir**) quail.

soflyn m (**sofl**) stubble.

sofraniaeth f (·**au**) sovereignty.

solet adj solid.

solffaeo v to sing sol-fa.

sôn v to mention.

soniarus adj sonorous.

sorod pl dross.

sorri v to sulk.

sorth adj (f) sullen.

sosb·an f (·**annau**, ·**enni**) saucepan.

sosej f (·**ys**) sausage.

soser f (·**i**) saucer.

sosialaeth f socialism.

sosial·ydd m (·**wyr**) socialist.

sothach m rubbish.

sownd adj fast.

St abb sant (St).

staen m (·**iau**) stain.

staenio *v* to stain.
stâl *f* (**stalau**) stall.
stampio *v* to stamp.
statudol *adj* statutory.
stên *f* (**stenau**) pitcher.
sterylledig *adj* sterilised.
steryllu *v* to sterilise.
sticil, sticill *f* stile.
stilio *v* to question.
stôl *f* (**stolion**) stool; chair.
stomp *f* bungle.
stond *adj* stock (still).
stondin *m/f* (·**au**) stall.
stor·dy *m* (·**dai**) storehouse.
stor·i *f* (·**ïau**, ·**iâu**, **straeon**) story.
stor·ïwr *m* (·**ïwyr**) story-teller.
stormus *adj* stormy.
straegar *adj* gossipy.
straeon *see* **stori**.
stranc *f* (·**iau**) prank.
strancio *v* to struggle.
strap·en *f* (·**iau**) strap.
strategaeth *f* strategy.
strategol *adj* strategic.
streic (·**iau**) strike.
stribed *m* (·**i**) strip.
strim-stram-strellach *adv* helter-skelter.
strôc *f* (**strociau**) seizure.
strwythur *m* structure.
stryd *f* (·**oedd**) street.
stumog *f* (·**au**) stomach.
stwc *m* (**stycau**) oil.
stwffio *v* to stuff.
stwffwl *m* (**styffylau**) staple.
stwnsh *m* mash.
stwnsio, stwmpo *v* to mash.
stŵr *m* rumpus.
stwrllyd *adj* rowdy.
styd·en *f* (·**iau**) stud.
su *m* hum.
sudd *m* (·**ion**) juice.
suddlon *adj* succulent.
suddo *v* to sink.
sugnedd *m* (·**au**) quagmire.

sugno *v* to suck.
Sul *m* (·**iau**) Sunday.
Sulgwyn *m* Whitsun.
suo *v* to hum.
sur *adj* sour.
surbwch *adj* surly.
surdoes *m* leaven.
surni *m* sourness.
suro *v* to sour.
sut *pron* how; what sort.
sw *m* (**sŵau**) zoo.
swaden *f* clout.
swatio *v* to squat.
swci *adj* tame.
swclen *f* filly.
swclyn *m* colt.
swcro *v* to succour.
swch *f* (**sychau**) ploughshare.
sweden *f* (**swêds**) swede.
swil *adj* shy.
swildod *m* shyness.
switsio *v* to switch.
swllt *m* (**sylltau**) shilling.
swm *m* (**symiau**) sum.
swmbwl *m* (**symbylau**) goad.
swmp *m* bulk.
swmpus *adj* bulky.
sŵn *m* (**synau**) noise.
swnian *v* to grumble.
swnio *v* to sound.
swnllyd *adj* noisy.
swnt *m* (·**iau**) strait.
sŵoleg *f* zoology.
sŵoleg·wr, sŵoleg·ydd *m* (·**wyr**) zoologist.
swp *m* (**sypiau**) pile.
swper *m/f* (·**au**) supper.
swpera *v* to eat supper.
swrealaeth *f* surrealism.
swrn *f* (**syrnau**) ankle.
swrth *adj* sullen.
sws *m* (·**ys**) kiss.
swta *adj* abrupt.
swydd *f* (·**i**) job.
swydd·fa *f* (·**feydd**) office.

swyddog *m* (·**ion**) officer.
swyddogaeth *f* (·**au**) function.
swyddogol *adj* official.
swyn *m* (·**ion**) charm.
swyngyfaredd *f* (·**ion**) enchantment.
swyno *v* to enchant.
swynol *adj* enchanting.
swyn·wr *m* (·**wyr**) enchanter.
sy, sydd *v* are.
syber *adj* gracious.
sycamorwydden *f* (**sycamorwydd**) sycamore.
sych *adj* dry.
sychau *see* **swch**.
sychder *m* dryness, drought.
syched *m* thirst.
sychedig *adj* thirsty.
sychedu *v* to thirst.
sychlyd *adj* dry.
sychu *v* to dry.
sychydd *m* dryer.
sydyn *adj* sudden.
sydynrwydd *m* suddenness.
sydd *v* is, are.
syfien *f* (**syfi**) strawberry.
syflyd *v* to flinch.
syfrdan *adj* stunned.
syfrdandod *m* stupor.
syfrdanol *adj* stunning.
syfrdanu to shock.
syl·faen *m/f* (·**feini**) foundation.
sylfaenol *adj* fundamental.
sylfaenu *v* to found.
sylfaen·wr, sylfaen·ydd *m* (·**wyr**) founder.
sylw *m* (·**adau**) observation.
sylwadaeth *f* observation.
sylwebaeth *f* commentary.
sylwebydd *m* (·**ion**) commentator.
sylwedydd *m* (·**ion**) observer.
sylwedd *m* substance.
sylweddol *adj* substantial.

sylweddoli *v* to realise.
sylwgar *adj* observant.
sylwi *v* to notice.
sylltau *see* **swllt**.
syllu *v* to gaze.
symbolaidd *adj* symbolic.
symbylau *see* **swmbwl**.
symbyliad *m* incentive.
symbylu *v* to encourage.
syml *adj* simple.
symleiddio *v* to simplify.
symlrwydd *m* simplicity.
symol *adj* fair.
symud *v* to move.
symudiad *m* (·**au**) movement.
symudol *adj* mobile.
syn *adj* amazed.
synau *see* **sŵn**.
syndod *m* wonder.
synfyfyrio *v* to muse.
synhwyrau *see* **synnwyr**.
synhwyro *v* to sense.
synhwyrol *adj* sensible.
syniad *m* (·**au**) idea.
synied, synio *v* to imagine.
synned *from* **syn**.
synnu *v* to be surprised.
syn·nwyr *m* (·**hwyrau**) sense.
sypiau *see* **swp**.
sypyn *m* (·**nau**) heap.
syr *m* sir.
syrcas *f* circus.
syrffed *m* surfeit.
syrffedu *v* to be fed up.
syrr *from* **sorri**.
syrthiedig *adj* fallen.
syrthio *v* to fall.
syrthni *m* lethargy.
syth *adj* straight.
sythu *v* to benumb.
sythwelediad *m* insight.

T

t. *abb* tudalen p.

tablen *f* beer.

tab·wrdd *m* (·**yrddau**) tabor.

tacio *v* to tack.

taclau *pl* kit.

taclo *v* to tackle.

taclus *adj* tidy.

tacluso *v* to trim.

taclusrwydd *m* neatness.

tacteg *f* (·**au**) tactics.

Tachwedd *m* November.

tad *m* (·**au**) father.

tad-cu *m* grandfather.

tadmaeth *m* (**tadau maeth**) foster-father.

tadogaeth *f* derivation.

tadogi *v* to ascribe.

tadol *adj* fatherlike.

tad-yng-nghyfraith *m* father-in-law.

taenelliad *m* sprinkling.

taenellu *v* to sprinkle.

taenu *v* to spread.

taeog *m* (·**ion**) serf.

taeogaidd *adj* churlish.

taer *adj* earnest.

taeru *v* to insist.

tafarn *f* (·**au**) pub.

tafarn·dy *m* (·**dai**) public house.

tafarn·wr *m* (·**wyr**) publican.

tafell *f* (·**au**, ·**i**) slice.

taflegr·yn *m* (·**au**) missile.

tafleis·ydd *m* (·**wyr**) ventriloquist.

taflen *f* (·**ni**) leaflet.

taflennu *v* to tabulate.

tafliad *m* (·**au**) a throw.

taflod *f* (·**ydd**) loft.

taflu *v* to throw.

tafluniad *m* (·**au**) projection.

taflunydd *m* (·**ion**) projector.

tafod *m* (·**au**) tongue.

tafodi *v* to scold.

tafod·iaith *f* (·**ieithoedd**) dialect.

tafodieithol *adj* colloquial.

tafod-leferydd *m* speech.

tafol *f* scales.

tafolen *f* (**tafol**) dock (plant).

tafoli *v* to weigh up.

tagell *f* (·**au**) chin; gill.

tag·fa *f* (·**feydd**) blockage.

tagu *v* to choke.

tagydd *m* (a) choke.

tangnefedd *m/f* peace.

tangnefeddus *adj* peaceful.

tangnefeddwyr *pl* peacemakers.

tai *see* **tŷ**.

taid *m* (**teidiau**) grandfather.

tair *num* (*f*) three.

taith *f* (**teithiau**) journey.

tal *adj* tall.

tâl, taliad *m* (**taliadau**) fee.

taladwy *adj* payable.

tal·aith *f* (·**eithiau**) state.

talar *f* (·**au**) headland (ploughing).

talcen *m* (·**ni**, ·**nau**) forehead.

talch *m* (**teilchion**) smithereen.

talchu *v* to shatter.

taldra *m* height.

taleb *f* (·**au**) voucher.

taleithiol *adj* provincial.

talentog *adj* talented.

talfyriad *m* (·**au**) abridgement.

talfyrru *v* to abbreviate.

talgrynnu *v* to round off.

taliad *m* (·**au**) payment.

talïaidd *adj* noble.

talm, talwm *m* (·**au**) period.

talog *adj* lively.

talp *m* (·**au**) chunk.

talpiog *adj* lumpy.

talu *v* to pay.

tal·wrn *m* (·**yrnau**) cockpit.

tam·aid *m* (·**eidiau**) bit.

tameidiog *adj* bitty.

tamprwydd *m* dampness.

tan *prep* under. • *conj* until.

tân *m* (**tanau**) fire.

tanbaid *adj* fiery.
tanbeidio *v* to glow.
tanbeidiol *adj* glowing.
tanchwa *f* (·oedd) explosion.
tanddaearol *adj* underground.
taner·dy *m* (·dai) tannery.
tanfor *adj* submarine.
tangloddio *v* to undermine.
taniad *m* ignition.
tanio *v* to ignite.
tan·iwr *m* (·wyr) firer.
tanlinellu *v* to underline.
tanllwyth *m* (·i) blazing fire.
tanllyd *adj* fiery.
tannau *see* **tant**.
tannu *v* to spread.
tanodd *adv* beneath.
tan·t *m* (·nau) string.
tanwydd *m* (·au) fuel.
tanysgrifiad *m* (·au) subscription.
tanysgrifio *v* to subscribe.
tanysgrif·iwr *m* (·wyr) subscriber.
tâp *m* (**tapiau**) tape.
taradr *m* (**terydr**) auger.
taran *f* (·au) thunder.
taranfollt *f* thunderbolt.
taranu *v* to thunder.
tarddiad *m* (·au) source.
tarddian·t *m* (·nau) eruption.
tarddle *m* (·oedd) source.
tarddu *v* to derive from.
tarfu *v* to interrupt.
targed *m* (·au) target.
tarian *f* (·au) shield.
taro *v* to hit.
tarten *f* (·nau, ·ni) tart.
tarth *m* (·au) vapour.
tarw *m* (**teirw**) bull.
tarwden *f* ringworm.
tas *f* (**teisi**) haystack.
tasg *f* (·au) task.
tasgu *v* to splash.
taten *f* (**tatws, tato, tatw**) potato.
tau *from* **tewi**.
taw[1] *m* silence.

taw[2] *conj* that.
TAW *abb* Treth ar Werth (VAT).
taw(af) *from* **tewi**.
tawch *m* vapour.
tawdd *adj* molten. • *v from* **toddi**.
tawedog *adj* taciturn.
tawel *adj* quiet.
tawelu *v* to calm.
tawelwch *m* stillness.
tawnod *m* (·au) rest.
te *m* tea.
tebot *m* (·au) teapot.
tebyg *adj* similar.
tebygol *adj* likely.
tebygolrwydd *m* likelihood.
tebygrwydd *m* similarity.
tebygu *v* to liken.
tecáu *v* to get finer.
teced *from* **teg**.
teclyn *m* (**taclau**) tool.
techneg *f* (·au) technique.
technegol *adj* technical.
techneg·ydd *m* (·wyr) technician.
tefl(ais) *from* **taflu**.
teg *adj* fair.
tegan *m* (·au) toy.
tegeirian *m* orchid.
tegell *m* (·au, ·i) kettle.
tegwch *m* beauty.
teidiau *see* **taid**.
teifl *from* **taflu**.
teigr *m* (·od) tiger.
teilchion *see* **talch**.
teil·iwr *m* (·wriaid) tailor.
teilsen *f* (**teils**) tile.
teilwng *adj* worthy.
teilwra *v* to tailor.
teilyngdod *m* merit.
teilyngu *v* to merit.
teimlad *m* (·au) feeling.
teimladol *adj* sentimental.
teimladwy *adj* impassioned.
teimlo *v* to feel.
teimlydd *m* (·ion) antenna.
teios *pl* cottages.

teipiadur *m* (·**on**) typewriter.
teipio *v* to type.
teipydd *m* (·**ion**) typist.
teipyddes *f* (·**au**) typist.
teipysgrif *f* (·**au**) typescript.
teirf *from* **tarfu**.
teirw *see* **tarw**.
teisen *f* (·**nau**) cake.
teisi *see* **tas**.
teithi *pl* characteristics.
teithiau *see* **taith**.
teithio *v* to travel.
teithiol *adj* travelling.
teith·iwr *m* (·**wyr**) traveller.
tel(ais) *from* **talu**.
telathrebiaeth *f* telecommunication.
telathrebu *v* to print.
telediad *m* telecast.
teledu *m* television.
teleffon, teliffon *m* (·**au**) telephone.
telerau *pl* terms.
telor *m* (·**iaid**) warbler.
telori *v* to warble.
telpyn *m* (**talpau**) lump.
telyn *f* (·**au**) harp.
telyneg *f* (·**ion**) lyric.
telynegol *adj* lyrical.
telynor *m* (·**ion**) harpist.
telynores *f* (·**au**) harpist.
teml *f* (·**au**) temple.
tempro *v* to temper.
temp·o *m* (·**i**) tempo.
temtas·iwn *m/f* (·**iynau**) temptation.
temtio *v* to tempt.
ten *adj* (*f*) tight.
tenant *m* (·**iaid**) tenant.
tenantiaeth *f* tenancy.
tenau *adj* thin.
tendio *v* to tend.
teneued *from* **tenau**.
teneuo *v* to thin.
tenewyn *m* (·**nau**) flank.
tennis *m* tennis.
ten·nyn *m* (·**ynnau**) tether.
têr *adj* clear.

teras *m* (·**au**) terrace.
terf(ais) *from* **tarfu**.
terfyn *m* (·**au**) boundary.
terfynell *f* (·**au**) terminal.
terfynol *adj* final.
terfyniad *m* (·**au**) ending.
terfynu *v* to terminate.
terfysg *m* (·**oedd**) tumult.
terfysgaeth *f* terrorism.
terfysglyd *adj* riotous.
terfysgu *v* to terrorise.
terfysg·wr *m* (·**wyr**) rioter.
terminoleg *f* terminology.
tery *from* **taro**.
terydr *see* **taradr**.
tes *m* heat.
tesog *adj* hot.
testun *m* (·**au**) subject.
teth *f* (·**au**) teat.
teulu *m* (·**oedd**) family.
teuluol *adj* domestic.
tew *adj* fat.
tew·dra, ·dwr, ·der *m* thickness.
tewhau *v* to fatten.
tewi *v* to become silent.
tewychu *v* to fatten.
teyrn *m* monarch.
teyrnas *f* (·**oedd**) kingdom.
teyrnasiad *m* (·**au**) (a) reign.
teyrnasu *v* to reign.
teyrnfrad·wr *m* (·**wyr**) traitor.
teyrnfradwriaeth *f* high treason.
teyrngar *adj* loyal.
teyrngarwch *m* loyalty.
teyrnged *f* (·**au**) tribute.
teyrn·wialen *f* (·**wiail**) sceptre.
TGAU *abb* Tystysgrif Gyffredinol Addysg Uwchradd (GCSE).
ti *pron* you.
ticed *m* (·**i**) ticket.
tician *v* to tick.
tid *f* (·**au**) chain.
tila *adj* feeble.
tîm *m* (**timau, timoedd**) team.
tin *f* (·**au**) bum.

tinc *m* (a) hint.
tincial *v* to tinkle.
tindroi *v* to dawdle.
tipian *v* to tick.
tip·yn *m* (**·iau**) (a) little.
tir *m* (**·oedd**) land.
tirf *adj* verdant.
tirfeddian·nwr *m* (**·wyr**) landowner.
tirfesur·ydd *m* (**·wyr**) surveyor.
tirio *v* to ground.
tiriogaeth *f* (**·au**) territory.
tiriogaethol *adj* territorial.
tirion *adj* gentle.
tiriondeb *m* kindness.
tirlun *m* (**·iau**) landscape.
tirwedd *f* (**·au**) (geographical) relief.
tisian *v* to sneeze.
titw *m* (**titŵod**) tit.
tithau *pron* you (too).
tiwnio *v* to tune.
tlawd *adj* poor.
tlos *adj* (*f*) pretty.
tloted *from* **tlawd**.
tlo·ty *m* (**·tai**) poorhouse.
tlotyn *m* (**tlodion**) pauper.
tlws *m* (**tlysau**) jewel.
tlws *adj* pretty.
tlysni *m* prettiness.
t/o *abb* tan ofal (c/o).
to *m* (**·au**) roof.
to *m* generation.
toc *adv* soon.
tocio *v* to clip.
tocyn *m* (**·nau**) ticket; slice of bread.
tocyn·nwr *m* (**·wyr**) ticket collector.
toddadwy *adj* soluble.
toddedig *adj* molten.
toddi *v* to melt.
toddian·t *m* (**·nau**) solution.
toddion *pl* dripping.
toddydd *m* (**·ion**) solvent.
todd·yn *m* (**·ion**) solute.
toes *m* dough.
toesen *f* (**·ni**) doughnut.
toi *v* to roof.

toili *m* ghostly funeral.
tolach *v* to fondle.
tolc *m* (**·iau**) dent.
tolciog *adj* dented.
tolch, tolchen *f* (**·au**, **·ni**) clot.
tolchennu *v* to coagulate.
tolio *v* to stint.
toll *f* (**·au**) toll.
toll·borth *m* (**·byrth**) tollgate.
tollty *m* (**tolltai**) custom-house.
tom *f* manure.
tomen *f* (**·ni**, **·nydd**) dunghill.
ton *f* (**·nau**) wave.
tôn *f* (**tonau**) tune.
tôn *m* (**tonau**) tone.
tonc *f* (a) tinkle.
tonfedd *f* (**·i**) wavelength.
tonnau *see* **ton**.
tonnen *f* bog.
tonni *v* to billow.
tonnog *adj* wavy.
tonyddiaeth *f* intonation.
tor *f* (**·rau**) litter.
torcalonnus *adj* heart-breaking.
torcyfraith *m* breach of law.
torch *m*/*f* (**·au**) torque.
torchi *v* to coil.
torchog *adj* coiled.
toreithiog *adj* fertile.
toreth *f* abundance.
torf *f* (**·eydd**) crowd.
torgoch *m* roach.
torheulo *v* to bask.
toriad *m* (**·au**) break.
torlan *f* (**·nau**) (hollow) river bank.
torllengig *m* rupture.
torllwyth, torraid *f* litter.
torrau *see* **tor**.
torri *v* to break.
tor·rwr *m* (**·wyr**) cutter.
torsythu *v* to swagger.
torth *f* (**·au**) loaf.
torthen *f* (**·ni**) clot.
tost *adj* ill.
tostedd, tostrwydd *m* illness.

tostio *v* to toast.
tosturi *m* compassion.
tosturio *v* to pity.
tosturiol *adj* compassionate.
tosyn *m* (**tosau**) pimple.
tŏ·wr *m* (**·wyr**) roofer.
tra *adj* very.
tra *conj* while.
tra-arglwyddiaeth *f* (**·au**) tyranny.
tra-arglwyddiaethu *v* to lord it.
trabŵd *adj* soaking.
tracwisg *f* (**·oedd**) tracksuit.
trachefn *adv* again.
trachwant *m* (**·au**) greed.
trachwantus *adj* avaricious.
trachywir *adj* precise.
tradwy *adv* three days hence.
traddodi *v* to deliver (a speech).
traddodiad *m* (**·au**) tradition.
traddodiadol *adj* traditional.
traddod·wr *m* (**·wyr**) deliverer.
traean *m* one third.
traed *see* **troed**.
traeth *m* (**·au**) beach.
traeth·awd *m* (**·odau**) composition.
traethell *f* (**·au**) shore.
traethiad *m* (**·au**) narrative; predicate.
traethu *v* to relate.
traflyncu *v* to devour.
trafnidiaeth *f* traffic.
trafod *v* to discuss.
trafodaeth *f* (**·au**) discussion.
trafodion *pl* transactions.
trafferth *m/f* (**·ion**) trouble.
trafferthu *v* to take trouble.
trafferthus *adj* troublesome.
tra·ffordd *f* (**·ffyrdd**) motorway.
tragwyddol, tragywydd *adj* eternal.
tragwyddoldeb *m* eternity.
traha, trahauster *m* arrogance.
trahaus *adj* haughty.
trai *m* ebb.
traidd *from* **treiddio**.
trais *m* violence, rape.
trallod *m* (**·ion**) tribulation.

trallodus *adj* troubled.
trallwysiad *m* (**·au**) transfusion.
trallwyso *v* to transfuse.
tramgwydd *m* (**·au**) hindrance.
tramgwyddo *v* to offend.
tramor *adj* foreign.
tramor·wr *m* (**·wyr**) foreigner.
tramwyo *v* to pass.
tranc *m* death.
trannoeth *adv* the next day.
trapes·iwm *m* (**·iymau**) trapezium.
traphont *f* (**·ydd**) viaduct.
tras *f* lineage.
traserch *m* infatuation.
trasied·i *m* (**·ïau**) tragedy.
traul *f* (**treuliau**) expense; wear.
traw *m* pitch (in music).
traw(af) *from* **taro**.
trawiad *m* (**·au**) blow.
trawiadol *adj* striking.
traws *adj* cross.
trawsacennu *v* to syncopate.
trawsblannu *v* to transplant.
trawsdoriad *m* (**·au**) cross-section.
trawsffurfiad *m* (**·au**) transformation.
trawsgludo *v* to transport.
trawsgyweirio *v* to modulate, to transpose.
trawst *m* (**·iau**) beam.
treblu *v* to treble.
trech *adj* superior.
trechu *v* to defeat.
trech·wr *m* (**·wyr**) victor.
tref, tre *f* (**·i**, **·ydd**) town.
trefedigaeth *f* (**·au**) colony.
treflan *f* (**·nau**) small town.
trefn *f* order.
trefniad, trefniant *m* (**trefniadau**) arrangement.
trefnlen *f* (**·ni**) schedule.
trefnu *v* to arrange.
trefnus *adj* orderly.
trefnusrwydd *m* orderliness.
trefnydd *m* (**·ion**) organiser.
trefol *adj* urban.

treftadaeth *f* inheritance.

trengi *v* to die.

treial *m* (**·on**) trial.

treiddgar *adj* penetrating.

treiddgarwch *m* acumen.

treiddio *v* to penetrate.

treiglad *m* (**·au**) mutation.

treigliad *m* (**·au**) (the) passing.

treiglo *v* to mutate; to roll.

treillio *v* to trawl.

treio *v* to ebb.

treis·iad *f* (**·iedi**) heifer.

treisio *v* to rape.

treisiol *adj* violent.

treis·iwr *m* (**·wyr**) rapist.

trem *f* (a) glance.

tremio *v* to gaze.

trên *m/f* (**trenau**) train.

trennydd *adv* the day after next.

tresbasu *v* to trespass.

tresglen *f* missel-thrush.

tresi *pl* traces (straps).

treth *f* (**·i**) tax.

trethadwy *adj* taxable.

trethdal·wr *m* (**·wyr**) ratepayer.

trethu *v* to tax.

treuliad *m* digestion.

treuliau *pl* expenses.

treulio *v* to wear.

trew(ir) *from* **taro**.

tri *num* three.

triagl, triog *m* treacle.

triawd *m* (**·au**) trio.

tribiwnlys *m* (**·oedd**) tribunal.

tridiau *pl* three days.

trigain *num* sixty.

trig·fa, trigfan *f* (**·feydd**, **·nau**) dwelling.

trigo *v* to dwell; to die (of animals).

trigolion *pl* inhabitants.

trilliw *adj* tortoiseshell.

trin *f* battle. • *v* to treat.

trindod *f* trinity.

tringar *adj* tender.

triniaeth *f* (**·au**) treatment.

trioedd *pl* triads.

triongl *m* (**·au**) triangle.

trionglog *adj* triangular.

tripled *m* (**·i**) triplet.

trist *adj* sad.

tristáu *v* to sadden.

tristwch *m* sadness.

triw *adj* loyal.

tro *m* (**·eon**) turn.

troad *m* (**·au**) bend, turning.

tro·bwll *m* (**·byllau**) whirlpool.

trobwynt *m* (**·iau**) turning-point.

troch·fa *f* (**·feydd**) (a) soaking.

trochi *v* to dip.

trochiad *m* (**·au**) immersion.

trochion *pl* suds.

troch·iwr, troch·wr *m* (**·wyr**) dipper.

troed *m/f* (**traed**) foot.

troedfedd *f* (**·i**) foot (12 inches).

troëdig *adj* turned; perverse.

troëdigaeth *f* (**·au**) conversion.

troedio *v* to tread.

troedlath *f* (**·au**) treadle.

troednod·yn *m* (**·iadau**) footnote.

troednoeth *adj* barefooted.

troell *f* (**·au**) spinning-wheel.

troelli *v* to spin.

troellog *adj* twisting.

troes *from* **troi**.

trof·a *f* (**·âu**, **·eydd**) bend.

trofan *m* (**·nau**) tropic.

trofannol *adj* tropical.

trofeydd *see* **tro**.

trof·wrdd *m* (**·yrddau**) turntable.

trog·en *f* (**·od**) tick.

trogylch *m* (**·au**) orbit.

troi *v* to turn.

trol *f* (**·iau**) cart.

trom *adj* (*f*) heavy.

trôns *m* (**tronsiau**) pants.

tros, dros *prep* over.

trosedd *m/f* (**·au**) offence.

troseddu *v* to commit an offence.

trosedd·wr *m* (**·wyr**) offender.

trosg·ais *m* (**·eisiau**) converted try.

trosgl adj (f) clumsy.
trosglwyddo v to transfer.
trosglwyddydd m (·**ion**) transmitter.
trosgynnol adj transcendental.
trosi v to translate; to convert.
trosiad m (·**au**) translation.
trosodd, drosodd adv over.
trosol m (·**ion**) lever.
trotian v to trot.
trothwy m (·**au**) threshold.
tru·an m (·**einiaid**) wretch.
trueni m pity.
truenus adj wretched.
trugaredd m/f (·**au**) mercy.
trugarhau v to have mercy.
trugarog adj merciful.
trugarowgrwydd m mercifulness.
trull·iad m (·**iaid**) butler.
trum m (·**iau**) ridge.
truth m rigmarole.
trwbad·ŵr m (·**wriaid**) troubadour.
trwch m (**trychion**) thickness.
trwchus adj thick.
trwm adj heavy.
trwnc m (**trynciau**) trunk.
trwodd adv through.
trw(of) from **trwy**.
trwser m (·**i**) trousers.
trwsgl adj clumsy.
trwsiadus adj dapper.
trwsio v to mend.
trws·iwr m (·**wyr**) repairer.
trwst m (**trystau**) uproar.
trwstan adj awkward.
trwy, drwy prep through.
trwyadl adj thorough.
trwydded f (·**au**) licence.
trwyddedig adj licensed.
trwyddedu v to license.
trwyn m (·**au**) nose.
trwynol adj nasal.
trwynsur adj morose.
trwytho v to steep.
try from **troi**.
trybedd f (·**au**) tripod.

trybeilig adj awful.
trybestod m commotion.
trybini m misfortune.
tryblith m muddle.
trychfil, trychfil·yn m (·**od**) insect.
trychiad m (·**au**) section.
trychineb m/f disaster.
trychinebus adj disastrous.
trychion see **trwch**.
trychu v to amputate.
trydan m electricity.
trydaneg f electrical engineering.
trydanol adj electric.
trydanu v to electrify.
trydar v to chirp.
trydedd adj (f) third.
trydydd adj third.
tryfer f (·**i**) trident.
tryloyw adj transparent.
tryloywder m (·**au**) transparency.
trylwyr adj thorough.
trylwyredd m thoroughness.
trymaidd, trymllyd adj oppressive.
trymder m heaviness.
trymhau v to grow heavier.
trynewid v to permutate.
trysor m (·**au**) treasure.
trysor·fa f (·**feydd**) treasury.
trysori v to treasure.
trysorlys m treasury.
trysorydd m (·**ion**) treasurer.
trystau see **trwst**.
trystiog adj rowdy.
trythyllwch m lasciviousness.
trywanu v to pierce.
trywser, trywsus m (·**au**) trousers.
trywydd m track.
tsieini m china.
tsimpansî m chimpanzee.
tu m side.
tua, tuag prep about, towards.
tud m land; people.
tudalen m/f (·**nau**) page.
tuedd f (·**iadau**) tendency.
tueddfryd m inclination.

tueddiad *m* (**·au**) tendency.
tueddol *adj* inclined.
tueddu *v* to be inclined to.
tulath *f* (**·au**) beam.
tun·nell *f* (**·elli**) ton.
turio *v* to burrow.
turn *m* lathe.
turnio *v* to turn (wood).
turn·iwr *m* (**·wyr**) turner.
turtur *f* (**·od**) turtle-dove.
tus·w *m* (**·wau**) posy.
tuth *m* (**·iau**) trot.
tuthio, tuthian *v* to trot.
twb, twba, twbyn *m* (**tybau, tybiau**) tub.
twca *m* (carving) knife.
twff·yn *m* (**·iau**) tuft.
twng *from* **tyngu**.
twlc *m* (**tylcau, tylciau**) pigsty.
twll *m* (**tyllau**) hole.
twll *adj* broken.
twmffat *m* (**·au**) funnel.
twmpath *m* (**·au**) mound; folk dance.
twmplen *f* (**·ni**) dumpling.
twndis *m* (**·au**) funnel.
twn·nel *m* (**·elau, ·eli**) tunnel.
twp *adj* daft.
twpdra *m* stupidity.
twpsen *f* silly (woman).
twpsyn *m* silly (man).
twr *m* (**tyrrau**) heap.
tŵr *m* (**tyrau**) tower.
twrc·i *m* (**·ïod**) turkey.
twrch *m* (**tyrchod**) boar.
twrf *m* (**tyrfau**) noise; thunder.
twrio *v* to burrow.
twristiaeth *f* tourism.
twrn·ai *m* (**·eiod**) lawyer.
twrnameint *m* (**·iau**) tournament.
twrw, twrf *m* (**tyrfau**) thunder.
twsian *v* to sneeze.
twt *adj* neat.
twtio *v* to tidy.
twyll *m* deceit.
twyllo *v* to deceive.

twyllodrus *adj* deceitful.
twyll·wr *m* (**·wyr**) cheat.
twym *adj* warm.
twymder, twymdra *m* warmness.
twymgalon *adj* warm-hearted.
twymo *v* to warm.
twymyn *f* (**·au**) fever.
twyn *m* (**·i**) dune.
tŷ *m* (**tai**) house.
tyb *m/f* (**·iau**) opinion.
tybed *adv* I wonder.
tybiaeth *f* (**·au**) supposition.
tybied, tybio *v* to suppose.
tybiedig *adj* supposed.
tycio *v* to avail.
tydi *pron* thou.
tydy isn't (it).
tyddyn *m* (**·nod, ·nau**) smallholding.
tyddyn·nwr *m* (**·wyr**) small-holder.
tyfadwy *adj* growing.
tyfiant *m* growth.
tyfu *v* to grow.
tyf·wr *m* (**·wyr**) grower.
tyng·ed *f* (**·hedau**) fate.
tyngedfennol *adj* fateful.
tynghedu *v* to destine.
tyngu *v* to swear.
tylciau *see* **twlc**.
tyle *m* ascent.
tylino *v* to knead; to massage.
tyllau *see* **twll**.
tyllog *adj* perforated.
tyllu *v* to excavate.
tylluan *f* (**·od**) owl.
tym·er *f* (**·herau**) temper.
tym·estl *f* (**·hestloedd**) tempest.
tym·heredd *m* (**·ereddau**) temperature.
tymheru *v* to temper.
tymherus *adj* temperate.
tymhestloedd *see* **tymestl**.
tymhestlog *adj* stormy.
tymhorol *adj* seasonal.
tym·or *m* (**·horau**) season.
tymp *m* appointed time.
tyn *adj* tight.

tynder, tyndra *m* tension.
tyndro *m* (**·eon**) wrench.
tyner *adj* tender.
tyneru *v* to soften.
tynerwch *m* tenderness.
tynf·a *f* (**·eydd**) (a) draw.
tynfad *m* (**·au**) tug.
tynhau *v* to tighten.
tynned *from* **tyn**.
tynnu *v* to pull; to draw.
tyr *from* **torri**.
tyrau *see* **tŵr**.
tyrchod *see* **twrch**.
tyrchu *v* to burrow.
tyrd, tyred *from* **dod**.
tyrf·a *f* (**·oedd**) crowd.
tyrfau *see* **twrw, twrf**.
tyrfedd *m* turbulence.
tyrnsgriw *m* (**·iau**) screwdriver.
tyrrau *see* **twr**.
tyrru *v* to cluster.
tyst *m/f* (**·ion**) witness.
tysteb *f* (**·au**) testimonial.
tystio, tystiolaethu *v* to testify.
tystiolaeth *f* (**·au**) evidence.

tystlythyr *m* (**·au**) reference.
tystysgrif *f* (**·au**).
tywallt *v* to pour.
tywalltiad *m* (**·au**) outpouring.
tywarchen *f* (**tywyrch**) clod (of turf).
tywel *m* (**·ion**) towel.
tywell *adj* (*f*) dark.
tywod *m* sand.
tywodfaen *m* sandstone.
tywodlyd *adj* sandy.
tywydd *m* weather.
tywyll *adj* dark.
tywyllu *v* to darken.
tywyllwch *m* dark.
tywyn *m* (**·nau**) sand dune.
tywynnu *v* to shine.
tywyrch *see* **tywarchen**.
tywys *v* to lead.
tywysen *f* (**·nau**) ear of corn.
tywysog *m* (**·ion**) prince.
tywysogaeth *f* (**·au**) principality.
tywysogaidd *adj* princely.
tywysoges *f* (**·au**) princess.
tywys·ydd, tywys·wr *m* (**·wyr**) leader,
  usher.

Th

theatr *f* (**·au**) theatre.
theatraidd *adj* theatrical.
thema *f* (**themâu**) theme.
theori *f* (**theorïau**) theory.

therap·i *m* (**·ïau**) therapy.
thermomedr *m* (**·au**) thermometer.
thus *m* frankincense.

U

ubain *v* to wail.
UCAC *abb* Undeb Cenedlaethol Ath-
  rawon Cymru.
uchaf *adj* highest.
uchafbwynt *m* (**·iau**) pinnacle.
uchafiaeth *f* supremacy.
uchafion *pl* heights.
uchaf·swm *m* (**·symiau**) maximum.
uchder *m* height.

uchel *adj* high.
uchel-ael *adj* highbrow.
uchelder *m* (**·au**) height.
ucheldir *m* (**·oedd**) highland.
uchel·gais *m/f* (**·geisiau**) ambition.
uchelgeisiol *adj* ambitious.
uchelseinydd *m* (**·ion**) loudspeaker.
uchel·wr *m* (**·wyr**) nobleman.
uchelwydd *m* mistletoe.

uchgapt·en *m* (·**einiaid**) major.
uchod *adv* above.
UDA *abb* Unol Daleithiau America (USA).
udfil *m* (·**od**) hyena.
udo *v* to howl.
UFA *abb* unrhyw fater arall (AOB).
ufudd *adj* obedient.
ufudd-dod *m* obedience.
ufuddhau *v* to obey.
uffern *f* hell.
uffernol *adj* infernal.
ugain *num* (**ugeiniau**) twenty.
ugeinfed *adj* twentieth.
UH *abb* Ustus Heddwch (JP).
un *num* one. • *adj* same. • *m/f* one.
unawd *m* (·**au**) solo.
unawd·ydd *m* (·**wyr**) soloist.
unben *m* (·**iaid**) dictator.
unbenaethol *adj* despotic.
unbennaeth *m* dictatorship.
undeb *m* (·**au**) unity; union.
undebol *adj* united.
undeb·wr *m* (·**wyr**) unionist.
undod *m* (·**au**) unity.
Undod·wr *m* (·**wyr**) Unitarian.
undonedd *m* monotony.
undonog *adj* monotonous.
uned *f* (·**au**) unit.
unedig *adj* united.
unfan *m* same place.
unfarn *adj* unanimous.
unfath *adj* identical.
unfed *adj* first.
unfryd, unfrydol *adj* unanimous.
unfrydedd *m* unanimity.
un-ffordd *adj* one-way.
unffurf *adj* uniform.
unffurfiaeth *f* uniformity.
uniad *m* (·**au**) (a) joining.
uniaethu *v* to identify (with).
uniaith *adj* monoglot.
unig *adj* only; lonely.
unigedd *m* (·**au**) solitude.
unigol *adj* singular.

unigol·yn *m* (·**ion**) individual.
unigrwydd *m* loneliness.
unigryw *adj* unique.
union *adj* straight; exact.
uniondeb, unionder *m* rectitude.
uniongred *adj* orthodox.
uniongyrchol *adj* direct.
unioni *v* to straighten; to rectify.
unionsyth *adj* upright.
unlliw *adj* monochrome.
unllygeidiog *adj* blinkered.
unman *m* anywhere.
unnos *adv* (in) one night.
uno *v* to amalgamate.
unochrog *adj* biased.
unodl *adj* of the same rhyme.
unol *adj* united.
unoliaeth *f* (·**au**) unity.
unplyg *adj* upright.
unplygrwydd *m* single-mindedness.
unrhyw *adj* any.
unsain *adj* unison.
unsill *adj* monosyllabic.
unswydd *adj* (with the) sole intention.
unwaith *adv* once.
urdd *f* (·**au**) order.
urddas *m* dignity.
urddasol *adj* dignified.
urddo *v* to ordain.
us *pl* chaff.
ust *exclam* hush!
ustus *m* (·**iaid**) magistrate.
utg·orn *m* (·**yrn**) trumpet.
uwch *adj* higher.
uwch- *prefix* senior.
uwchben *adv* overhead.
uwchbridd *m* topsoil.
uwchfarchnad *f* (·**oedd**) supermarket.
uwchlaw *prep* above.
uwchradd *adj* secondary (school).
uwch-ringyll *m* sergeant-major.
uwchseinaidd *adj* supersonic.
uwchsonig *adj* ultrasonic.
uwd *m* porridge.

W

wado, whado *v* to wallop.
wagen *f* (·i) wagon.
wal *f* (·iau) wall.
waldio *v* to wallop.
wats *f* (·ys) watch.
wedi *prep* after.
wedyn *adv* after.
weindio *v* to wind.
weiren *f* wire.
weirio *v* to wire.
weithian *adv* now.
weithiau *adv* sometimes.
wermod *f* wormwood.
wfftio, wfftian *v* to pooh-pooh.
whilber *m/f* wheelbarrow.
whilberaid *m* barrowload.
wiced *f* (·i) wicket.
wiced-wr *m* (·wyr) wicket-keeper.
widw *f* widow.
wmbredd *m* abundance.
woblyn *m* lather.
Wranws *f* Uranus.
wrlyn *m* lump.
wrth *prep* by.
wy *m* (·au) egg.
wybren *f* (·nau) sky.

yr wyddor *see* **gwyddor.**
wyf *from* **bod** I am.
wylo *v* to weep.
wylofain *v* to lament.
ŵyn *see* **oen.**
wyna *v* to lamb.
wyneb *m* (·au) face.
wyneb-ddalen *f* title page.
wynebgaled *adj* barefaced.
wynebu *v* to face.
wynepryd *m* countenance.
wynion·yn, wynwynyn *m* (·od, wyn-wyn) onion.
ŵyr *m* (**wyrion**) grandchild.
wyres *f* (·au) granddaughter.
wysg *m* track.
wystrysen *f* (**wystrys**) oyster.
wyth *num* eight.
wythawd *m* (·au) octet.
wythfed *m* (·au) octave.
wythfed *adj* eighth.
wythnos *f* (·au) week.
wythnosol *adj* weekly.
wythnosol·yn *m* (·ion) weekly.
wyth·wr *m* (·wyr) number eight (rugby).

YZ

y, yr, 'r *art* the.
ych *m* (·en) ox.
ychwaith *adv* either, neither.
ychwaneg *m* more.
ychwanegiad *m* (·au) addition.
ychwanegol *adj* additional.
ychwanegu *v* to add.
ychydig *adj* few.
ŷd *m* (**ydau**) corn.
yd·fran *f* (·frain) rook.
ydlan *f* (·nau) rickyard.
yd(w), yd(wyf) *from* **bod.**

yfed *v* to drink.
yfory *adv* tomorrow.
yf·wr *m* (·wyr) drinker.
yfflon *pl* smithereens.
yng *see* **yn.**
yngan, ynganu *v* to utter.
ynganiad *m* pronunciation.
ynghau *adv* shut.
ynghlwm *adv* tied up.
ynghudd *adv* hidden.
ynghwsg *adv* asleep.
ynghyd *adv* together.

ynghylch *prep* concerning.
ynghynn *adv* alight.
ynglŷn â *adv* concerning.
YH *abb* Ynad Heddwch (JP).
ym *from* **yn**.
yma *adv* here.
ymadael *v* to leave.
ymadawedig *adj* deceased.
ymadawiad *m* (·au) departure.
ymadawol *adj* valedictory.
ymadrodd *m* (·ion) phrase.
ymaelodi *v* to join.
ymafael, ymaflyd *v* to seize.
ymagor *v* to yawn.
ymagweddiad *m* (·au) attitude.
ymaith *adv* away.
ymarfer *v* to practise.
ymarferiad *m* (·au) exercise.
ymarferol *adj* practical.
ymarhous *adj* long-suffering.
ymarweddiad *m* conduct.
ymatal *v* to refrain.
ymateb *v* to respond.
ymbalfalu *v* to grope.
ymbarél *m* umbrella.
ymbelydredd *m* radiation.
ymbelydrol *adj* radioactive.
ymbil, ymbilio *v* to plead.
ymbincio *v* to titivate oneself.
ymborth *m* sustenance.
ymchwil *f* research.
ymchwiliad *m* (·au) investigation.
ymchwilio *v* to investigate.
ymchwil·ydd *m* (·wyr) researcher.
ymdeimlad *m* sense.
ymdeithio *v* to journey.
ymdoddi *v* to melt.
ymdopi *v* to cope.
ymdrech *f* (·ion) effort.
ymdrechu *v* to strive.
ymdrin *v* to deal (with).
ymdriniaeth *f* (·au) treatment.
ymdrochi *v* to bathe.
ymdroch·wr *m* (·wyr) bather.
ymdroi *v* to linger.

ymdrybaeddu *v* to wallow.
ymddangos *v* to appear.
ymddangosiad *m* (·au) appearance.
ymddangosiadol *adj* seeming.
ymddarostwng *v* to submit.
ymddarostyngiad *m* submission.
ymddatod *v* to become undone.
ymddeol *v* to retire.
ymddeoliad *m* (·au) retirement.
ymddiddan *v* to converse.
ymddihatru *v* to undress.
ymddiheuriad *m* (·au) apology.
ymddiheuro *v* to apologise.
ymddiried *v* to trust.
ymddiriedolaeth *f* (a) trust.
ymddiriedol·wr *m* (·wyr) trustee.
ymddiswyddiad *m* (·au) resignation.
ymddiswyddo *v* to resign.
ymddwyn *v* to behave.
ymddygiad *m* (·au) behaviour.
ymefl(ir) *from* **ymafael, ymaflyd**
ymen·nydd *m* (·yddiau) brain.
ymenyn, menyn *m* butter.
ymerawd·wr *m* (·wyr) emperor.
ymerodraeth *f* (·au) empire.
ymerodres *f* empress.
ymestyn *v* to stretch.
ymesyd *from* **ymosod**.
ymetyb *from* **ymateb**.
ymfalchïo *v* to take pride.
ymfudo *v* to emigrate.
ymfud·wr *m* (·wyr) emigrant.
ymfflamychol *adj* inflamatory.
ymffrost *m* boast.
ymffrostgar *adj* boastful.
ymffrostio *v* to boast.
ymgadw *v* to keep oneself (from).
ymgais *m/f* effort.
ymgeis·ydd *m* (·wyr) applicant.
ymgeledd *m* succour.
ymgeleddu *v* to cherish.
ymgiprys *v* to vie.
ymglywed *v* to be inclined (to).
ymgnawdoliad *v* incarnation.
ymgodymu *v* to wrestle.

ymgolli *v* to lose oneself.
ymgom *m/f* (·**ion**) conversation.
ymgomio *v* to converse.
ymgorffori *v* to embody.
ymgreinio *v* to grovel.
ymgroesi *v* to cross oneself.
ymgrymu *v* to bow.
ymgynghori *v* to consult.
ymgynghorol *adj* consultative.
ymgynghor·ydd *m* (·**wyr**) adviser.
ymgymryd *v* to undertake.
ymgynnull *v* to assemble.
ymgyrch *m/f* campaign.
ymgyrraedd *v* to stretch.
ymgysegru *v* to consecrate oneself.
ymhél *v* to meddle.
ymhelaethu *v* to expand upon.
ymhell *adv* afar.
ymhellach *adv* further.
ymherodr *m* (**ymerodron**) emperor.
ymhlith *prep* among.
ymhlyg *adj* implicit.
ymholiad *m* (·**au**) enquiry.
ymhonni *v* to pretend.
ymhŵedd *v* to implore.
ymladd *v* to fight.
ymlâdd *v* to grow tired.
ymladd·wr *m* (·**wyr**) fighter.
ymlaen *adv* onward.
ymlafnio *v* to strive.
ymlawenhau *v* to rejoice.
ymledu *v* to expand.
ymlid *v* to pursue.
ymlonyddu *v* to grow calm.
ymlusg·iad *m* (·**iaid**) reptile.
ymlusgo *v* to crawl.
ymlwybro *v* to make one's way.
ymlyniad *m* attachment.
ymlynu *v* to adhere.
Ymneillltuaeth *f* Nonconformity.
ymneilltuo *v* to withdraw.
ymochel *v* to shelter.
ymofyn *v* to seek.
ymolchi *v* to wash oneself.
ymollwng *v* to let oneself go.

ymorol *v* to seek.
ymosod *v* to attack.
ymosodiad *m* (·**au**) (an) attack.
ymosod·wr *m* (·**wyr**) assailant.
ymostwng *v* to submit.
ymostyngiad *m* submission.
ympryd *m* (·**iau**) (a) fast.
ymprydio *v* to fast.
ymrafael *m* (·**ion**) strife.
ymraniad *m* schism.
ymrannu *v* to separate.
ymresymu *v* to reason.
ymrithio *v* to appear.
ymroddiad *m* devotion.
ymroi *v* to devote.
ymron *adv* nearly.
ymrwymiad *m* (·**iau**) commitment.
ymrwymo *v* to bind oneself.
ymryson *v* to contest.
ymson *v* soliloquy.
ymuno *v* to join.
ymwadu *v* to renounce.
ymwared *m* relief.
ymweld *v* to visit.
ymweliad *m* (·**au**) (a) visit.
ymwel·ydd *m/f* (·**wyr**).
ymwneud *v* to concern.
ymwrthod *v* to abstain.
ymwthgar *adj* pushy.
ymwthiol *adj* obtrusive.
ymwybodol *adj* conscious.
ymwybyddiaeth *f* consciousness.
ymyl *m/f* (·**on**) edge.
ymylol *adj* marginal.
ymylu *v* to border.
ymyrraeth *f* interference.
ymyrryd *v* to intervene.
ymysg *prep* amid.
ymysgaroedd *pl* bowels.
yn, yng, ym *prep* in.
yna *adv* there, then.
ynad *m* (·**on**) magistrate.
ynfyd *adj* idiotic.
ynfydrwydd *m* folly.
ynfy·tyn *m* (·**dion**) simpleton.

ynn *see* onnen.
ynni *m* energy.
yno *adv* there.
yn(of) *from* yn.
yntau *pron* he too.
ynteu *conj* or.
Ynyd *m* Shrove (Tuesday).
ynys *f* (·oedd) island.
ynysfor *m* (·oedd) archipelago.
ynysol *adj* insular.
ynysu *v* to isolate.
ynys·wr *m* (·wyr) islander.
ynysydd *m* (·ion) insulator.
yr *see* y.
yrŵan, rŵan *adv* now.
yrhawg *adv* for a long time to come.
ys *conj* as.
ysbaddu *v* to castrate.
ysb·aid *m/f* (·eidiau) respite.
ysb·ail *f* (·eiliau) booty.
ysbardun *m* (·au) spur.
ysbarduno *v* to spur.
ysbeidiol *adj* intermittent.
ysbeilio *v* to plunder.
ysbeil·iwr *m* (·wyr) robber.
ysbienddrych *m* (·au) telescope.
ysbïo *v* to spy.
ysbï·wr *m* (·wyr) spy.
ysblander *m* splendour.
ysblennydd *adj* resplendent.
ysbryd *m* (·ion) spirit.
ysbrydol *adj* spiritual.
ysbrydoli *v* to inspire.
ysbrydiaeth *f* inspiration.
ysbrydoliaeth *f* inspiration.
ysby·ty *m* (·tai) hospital.
ys·fa *f* (·feydd) craving.
ysgafala *adj* careless.
ysgafn *adj* light.
ysgafnder *m* lightness.
ysgafnhau, ysgafnu *v* to lighten.
ysgaldanu *v* to scald.
ysgallen *f* (ysgall) thistle.
ysgariad *m* (·au) divorce.
ysgarlad *adj* scarlet.

ysgarthion *pl* excreta.
ysgarthu *v* to excrete.
ysgatfydd *adv* peradventure.
ysgawen *f* (ysgaw) elder.
ysgeler *adj* villainous.
ysgellyn *m* (ysgall) thistle.
ysgerbwd *m* (sgerbydau) skeleton.
ysgewyll *pl* sprouts.
ysgithr *m* (·au, ·edd) tusk.
ysgithrog *adj* craggy, tusked.
ysglyfaeth *f* (·au) prey.
ysglyfaethus *adj* predatory.
ysgogi *v* to impel.
ysgogiad *m* (·au) impulse.
ysgol *f* (·ion) school; ladder.
ysgol·dy *m* (·dai) schoolroom.
ysgolfeistr *m* (·i) schoolmaster.
ysgol·haig *m* (·heigion) intellectual.
ysgolheictod *m* scholarship.
ysgolheigaidd *adj* intellectual.
ysgoloriaeth *f* (·au) scholarship.
ysgrafell *f* (·od) scraper.
ysgraffinio *v* to scrape.
ysgrepan, sgrepan *f* (·au) satchel.
ysgrif *f* (·au) essay.
ysgrifen *f* handwriting.
ysgrifenedig *adj* written.
ysgrifennu *v* to write.
ysgrifen·nwr *m* (·wyr) writer.
ysgrifen·nydd *m* (·yddion) secretary.
ysgrifenyddes *f* (·au) secretary.
ysgr·în *f* (·iniau) screen.
ysgryd *m* shiver.
ysgrythur *f* (·au) scripture.
ysgrythurol *adj* scriptural.
ysgub *f* (·au) sheaf.
ysgubell *f* (·au) broom.
ysgubo *v* to sweep.
ysgubol *adj* sweeping.
ysgubor *f* (·iau) barn.
ysgutor *m* (·ion) executor.
ysguthan *f* (·od) wood-pigeon.
ysgwâr *m/f* (sgwariau) square.
ysgwyd *v* to shake.
ysgwydd *f* (·au) shoulder.

ysgwyddo *v* to shoulder.

ysgydwad, ysgytwad *m* (·**au**) (a) shaking.

ysgyf·ant *m* (·**aint**) lungs.

ysgyfarnog *f* (·**od**) hare.

ysmygu *v* to smoke.

ysol *adj* consuming.

ystad *f* (·**au**) estate.

ystadegau *pl* statistics.

ystadegol *adj* statistical.

ystadegydd *m* statistician.

ystafell *f* (·**oedd**) room.

ystanc *m* (·**iau**) stake.

ystlum, slumyn *m* (·**od**) bat.

ystlys *m/f* (·**au**) flank.

ystod *f* (·**au**) course; swath.

ystofi *v* to weave, to plan.

ystor·i, stor·i *f* (·**ïau**) story.

ystorm *f* (·**ydd**) storm.

ystrad *m* (·**au**) vale.

ystrydeb *f* (·**au**) cliché.

ystrydebol *adj* hackneyed.

ystryw *f* (·**iau**) ruse.

ystrywgar *adj* crafty.

ystum *m/f* (·**iau**) pose; curve.

ystumio *v* to contort.

Ystwyll *m* Epiphany.

ystwyrian *v* to stir oneself.

ystwyth *adj* flexible.

ystwythder *m* flexibility.

ystwytho *v* to make flexible.

ystyfnig *adj* stubborn.

ystyfnigo *v* to become more obstinate.

ystyfnigrwydd *m* obstinacy.

ystyll·en, styll·en *f* (·**od**) plank.

ystyr *m/f* (·**on**) meaning.

ystyriaeth *f* (·**au**) consideration.

ystyried *v* to consider.

ystyriol *adj* considerate.

ysu *v* to consume; to crave.

Ysw. *abb* Yswain (Esq.).

ysw·ain *m* (·**einiaid**) squire.

yswiriant *m* insurance.

yswirio *v* to insure.

ysywaeth *adv* more's the pity.

yw *from* **bod**.

ywen *f* (**yw**) yew.

zinc *m* zinc.

English-Welsh Dictionary

A

abacus *n* abacws *m*.
abandon *v* gadael, rhoi'r gorau i.
abash *v* cywilyddio.
abate *v* gostegu.
abbatoir *n* lladd-dy *m*.
abbey *n* abaty *m*.
abbreviate *v* talfyrru.
abbreviation *n* byrfodd *m*.
abdicate *v* ymddiswyddo.
abdomen *n* bol, bola *m*.
abduct *v* cipio.
abet *v* cefnogi.
abeyance *n* oediad *m*.
abhor *v* ffieiddio.
abhorrent *adj* atgas.
abide *v* trigo; goddef.
abiding *adj* arhosol.
ability *n* dawn *m/f*.
abject *adj* distadl.
ablaze *adv* yn wenfflam.
able *adj* atebol, galluog.
abnegation *n* ymwadiad *m*.
abnormal *adj* anghyffredin.
aboard *adv* ar fwrdd.
abode *n* annedd *m/f*.
abolish *v* diddymu.
abolition *n* diddymiad *m*.
abominable *adj* ffiaidd.
abomination *n* ffieidd-dra *m*.
aboriginal *adj* cynfrodorol.
aborigines *n* cynfrodorion *pl*.
abort *v* erthylu.
abortion *n* erthyliad *m*.
abortive *adj* seithug.
abound *v* heigio.
about *prep* am, tua. • *adv* o gwmpas.
above *prep* uwch, uwchlaw. • *adv* fry.
abrasion *n* ysgraffiniad *m*.
abrasive *adj* crafog.
abridge *v* talfyrru.
abroad *adv* dramor.

abrupt *adj* disymwth.
abscess *n* cornwyd *m*.
absence *n* absenoldeb *m*.
absent *adj* absennol.
absenteeism *n* absenolaeth *f*.
absent-minded *adj* anghofus.
absolute *adj* hollol.
absolve *v* rhyddhau.
absorb *v* amsugno, llyncu.
absorption *n* amsugniad *m*.
abstain *v* ymatal.
abstinence *n* dirwest *m/f*.
abstinent *adj* cymedrol.
abstract *adj* haniaethol.
abstraction *n* haniaeth *m/f*.
abstruse *adj* astrus.
absurd *adj* hurt, abswrd.
absurdity *n* hurtrwydd *m*.
abundance *n* digonedd *m*; toreth *f*.
abundant *adj* toreithiog.
abuse *v* camdrin; difenwi.
abyss *n* agendor, gagendor *m/f*.
academic *adj* academaidd.
academy *n* academi *f*.
accede *v* cydsynio.
accelerate *v* cyflymu.
accelerator *n* cyflymydd, sbardun *m*.
accent *n* acen *f*. • *v* acennu.
accept *v* derbyn.
acceptable *adj* derbyniol.
acceptance *n* derbyniad *m*.
access *n* mynediad *m*.
accessible *adj* hygyrch.
accident *n* damwain *f*.
accidental *adj* damweiniol.
acclaim *v* cymeradwyo.
accommodate *v* lletya.
accommodation *n* llety *m*.
accompaniment *n* cyfeiliant *m*.
accompany *v* cyfeilio; hebrwng.
accomplish *v* cyflawni.

accomplishment *n* camp *f.*
accord *n* cytundeb *m.*
accordance *n*: in ~ with yn unol â.
according to *adv* yn ôl.
accost *v* cyfarch.
account *n* cyfrif *m.*
accountability *n* atebolrwydd *m.*
accountancy *n* cyfrifyddiaeth *f.*
accountant *n* cyfrifydd *m.*
accumulate *v* crynhoi.
accumulation *n* crynhoad *m.*
accuracy *n* cywirdeb *m.*
accurate *adj* cywir.
accursed *adj* melltigedig.
accusation *n* cyhuddiad *m.*
accuse *v* cyhuddo.
accused *n* cyhuddedig *m.*
accustom *v* arfer.
accustomed *adj* cynefin.
ace *n* as *f.*
ache *n* cur *m/f.* • *v* gwynegu.
achieve *v* cyflawni.
achievement *n* gorchest *f.*
acid *adj* sur. • *n* asid *m.*
acknowledge *v* cydnabod.
acknowledgment *n* cydnabyddiaeth *f.*
acne *n* plorod *pl.*
acoustics *n* acwsteg *f.*
acquaint *v* hysbysu.
acquaintance *n* cydnabod *m/f.*
acquiesce *v* cydsynio.
acquiescent *adj* cydsyniol.
acquire *v* cael, ennill.
acquisition *n* caffaeliad *m.*
acquit *v* gollwng yn rhydd.
acrimonious *adj* chwerw.
across *adv* ar draws.
act *v* actio; gweithredu. • *n* act *f.*
action *n* gweithred *f.*
activate *v* cychwyn; actifadu.
active *adj* heini; gweithredol.
activity *n* gweithgarwch *m.*
actor *n* actor *m.*
actress *n* actores *f.*
actual *adj* gwir.

acute *adj* llym.
ad lib *adv* yn fyrfyfyr.
ad nauseam *adv* hyd syrffed.
adage *n* dywediad *m.*
adamant *adj* diysgog.
adapt *v* addasu.
adaptable *adj* cymwysadwy; hyblyg.
adaptation *n* cyfaddasiad *m.*
add *v* adio.
addicted *adj* yn gaeth i.
addiction *n* gorddibyniaeth *f.*
addition *n* ychwanegiad *m.*
additional *adj* ychwanegol.
address *v* annerch; cyfeirio (a letter).
adept *adj* deheuig.
adequate *adj* digonol.
adhere *v* glynu wrth.
adhesion *n* ymlyniad *m.*
adhesive *adj* adlynol.
adjacent *adj* cyfagos.
adjective *n* ansoddair *m.*
adjourn *v* gohirio.
adjournment *n* gohiriad *m.*
adjudicate *v* beirniadu.
adjudicator *n* beirniad *m.*
adjust *v* addasu, cymhwyso.
adjustable *adj* modd i'w (h)addasu.
adjustment *n* addasiad *m.*
administer *v* gweinyddu.
administration *n* gweinyddiaeth *f.*
administrative *adj* gweinyddol.
admirable *adj* campus.
admiral *n* llyngesydd *m.*
admiration *n* edmygedd *m.*
admire *v* edmygu.
admirer *n* edmygydd *m.*
admission *n* cyfaddefiad *m*; mynediad *m.*
admit *v* cyfaddef.
admonish *v* ceryddu.
admonition *n* cerydd *m.*
adolescence *n* llencyndod *m.*
adopt *v* mabwysiadu.
adoption *n* mabwysiad *m.*
adoptive *adj* mabwysiol.

adorable *adj* swynol.
adore *v* dwlu, dylu.
adorn *v* addurno.
adrift *adv* yn rhydd.
adroit *adj* deheuig.
adulation *n* gweniaith *f*.
adult *n* oedolyn. • *adj* mewn oed.
adulterate *v* llygru.
adultery *n* godineb *m*.
advance *v* symud ymlaen.
advantage *n* mantais *f*.
advantageous *adj* manteisiol.
adventure *n* antur *f*.
adventurous *adj* anturus.
adversary *n* gwrthwynebydd *m*.
adverse *adj* croes.
adversity *n* adfyd *m*.
advertise *v* hysbysebu.
advertisement *n* hysbyseb *f*.
advice *n* cyngor *m*.
advise *v* cynghori.
advisory *adj* ymgynghorol.
advocacy *n* eiriolaeth *f*.
advocate *v* pleidio.
aerial *n* erial *m/f*.
aerobic *adj* aerobig.
aeroplane *n* awyren *f*.
aerosol *n* chwistrell *f*.
aesthetic *adj* esthetig.
affability *n* hynawsedd *m*.
affable *adj* hynaws.
affair *n* mater; achos *m*.
affect *v* effeithio.
affected *adj* mursennaidd.
affection *n* hoffter *m*.
affectionate *adj* serchog.
affiliate *v* derbyn yn aelod.
affinity *n* cydnawsedd *m*.
affirm *v* cadarnhau; haeru.
affirmative *adj* cadarnhaol.
afflict *v* cystuddio, blino.
affliction *n* cystudd *m*.
affluent *adj* goludog.
afford *v* fforddio.
affront *n* sarhad *m*. • *v* sarhau.

afoot *adv* ar droed.
afraid *adj* ofnus.
after *prep* ar ôl. • *adv* wedyn.
afterbirth *n* brych, garw *m*.
aftermath *n* adladd; sgil *m*.
afternoon *n* prynhawn *m*.
afterward(s) *adv* wedyn.
again *adv* eto, drachefn.
against *prep* yn erbyn.
age *n* oedran; oes *m*. • *v* heneiddio.
agency *n* asiantaeth *f*.
agenda *n* agenda *f*.
agent *n* asiant *m*.
aggravate *v* gwneud yn waeth, gwae-thygu.
aggression *n* gormes *m*.
aggressive *adj* ymosodol.
aggressor *n* ymosodwr *m*.
agile *adj* gwisgi; sionc.
agility *n* sioncrwydd *m*.
agitate *v* cyffroi.
agitation *n* cynnwrf *m*.
ago *adv* yn ôl.
agony *n* gwewyr, ing *m*.
agree *v* cytuno.
agreeable *adj* dymunol.
agreed *adj* cytûn.
agreement *n* cytundeb *m*.
agricultural *adj* amaethyddol.
agriculture *n* amaethyddiaeth *f*.
ahead *adv* o flaen.
aid *v* cynorthwyo. • *n* cymorth *m*.
AIDS *n* AIDS.
ailment *n* anhwyldeb *m*.
aim *v* anelu. • *n* amcan *m*.
air *n* awyr *f*.
air-conditioned *adj* wedi'i (h)aer-dymheru.
air-conditioning *vn* aerdymheru.
aircraft *n* awyren *f*.
airline *n* cwmni hedfan *m*.
airport *n* maes awyr *m*.
airsick *adj* sâl awyr.
airtight *adj* aer-dynn.
aisle *n* eil *f*.

ajar *adj* cilagored.

akin *adj* yn perthyn; yn debyg.

alarm *n* larwm *m/f.* • *v* dychryn.

alarm bell *n* cloch larwm *f.*

alarmist *n* codwr bwganod *m.*

albeit *conj* er, er hynny.

album *n* albwm *m.*

alcohol *n* alcohol *m.*

alcoholic *adj* meddwol.

ale *n* cwrw *m.*

alert *adj* gwyliadwrus.

alertness *n* gwyliadwriaeth *f.*

alien *adj* estron.

alienate *v* dieithrio.

alight *v* disgyn.

alike *adj* tebyg.

alive *adj* byw.

alkali *n* alcali *m.*

all *adj* holl; oll, i gyd.

allege *v* haeru.

allegiance *n* teyrngarwch *m.*

allergy *n* alergedd *m.*

alleviate *v* lliniaru.

alley *n* ale *f.*

alliance *n* cynghrair *m/f.*

allocate *v* dosrannu.

allocation *n* dyraniad *m.*

allot *v* pennu.

allow *v* caniatáu.

allowance *n* lwfans *m.*

allude *v* crybwyll.

allure *n* hudoliaeth *f.*

allusion *n* cyfeiriad *m.*

allusive *adj* awgrymog.

ally *n* cynghreiriad *m.* • *v* cynghreirio.

almond *n* almon *m/f.*

almost *adv* bron.

aloft *adv* fry.

alone *adj* unig.

along *adv* ymlaen, hyd.

aloud *adv* yn uchel.

alphabet *n* (yr) wyddor *f.*

alphabetical *adj* yn nhrefn yr wyddor.

already *adv* yn barod, eisoes.

also *adv* hefyd.

altar *n* allor *f.*

alter *v* newid.

alteration *n* newid *m.*

alternate *adj* bob yn ail.

alternating *adj* eiledol.

alternative *n* dewis arall *m.* • *adj* amgen.

although *conj* er.

altitude *n* uchder *m.*

always *adv* yn wastad.

a.m. *adv* y bore.

amalgamate *v* uno.

amalgamation *n* cyfuniad *m.*

amass *v* cronni.

amateur *n* amatur *m/f.*

amaze *v* synnu.

amazement *n* syndod *m.*

amazing *adj* rhyfeddol.

ambassador *n* llysgennad *m.*

ambidextrous *adj* deheuig â dwy law.

ambiguity *n* amwysedd *m.*

ambiguous *adj* amwys.

ambition *n* uchelgais *m/f.*

ambitious *adj* uchelgeisiol.

ambulance *n* ambiwlans *m.*

ambush *n* rhagod *m.*

ameliorate *v* lleddfu.

amelioration *n* gwelliant *m.*

amenable *adj* hydrin.

amend *v* diwygio.

amendment *n* gwelliant *m.*

amenities *n* mwynderau *pl.*

America *n* yr Amerig *f.*

American *adj* Americanaidd.

amiability *n* hawddgarwch *m.*

amiable *adj* hawddgar.

amicable *adj* cyfeillgar.

amid(st) *prep* ymhlith.

ammunition *n* bwledi *pl.*

amnesia *n* anghofrwydd *m.*

amnesty *n* amnest *m.*

among(st) *prep* ymysg.

amorous *adj* carwriaethol.

amount *n* swm *m.*

amphibian *n* amffibiad *m.*

ample *adj* digonol.
amplify *v* mwyhau; ehangu.
amplitude *n* amlder *m*.
amputate *v* trychu.
amputation *n* trychiad *m*.
amuse *v* difyrru.
amusement *n* difyrrwch *m*.
amusing *adj* digrif.
anachronism *n* camamseriad *m*.
anaemia *n* diffyg gwaed *m*.
anaesthetic *n* anesthetig *m*.
analogy *n* cyfatebiaeth *f*.
analyse *v* dadansoddi.
analysis *n* dadansoddiad *m*.
analytical *adj* dadansoddol.
anarchic *adj* anarchaidd.
anarchy *n* anarchiaeth *f*.
anatomical *adj* anatomegol.
anatomy *n* anatomeg *f*.
ancestor *n* hynafiad *m/f*.
anchor *n* angor *m*.
ancient *adj* hynafol.
and *conj* a, ac.
anecdote *n* hanesyn *m*.
angel *n* angel *m*, angyles *f*.
anger *n* dicter *m*.
angle *n* ongl *f*.
angler *n* genweiriwr; pysgotwr *m*.
Anglicise *v* Seisnigeiddio.
Anglo-Welsh *adj* Eingl-Gymreig.
angry *adj* dig.
anguish *n* ing *m*.
angular *adj* onglog.
animal *n* anifail *m*.
animate *v* bywhau. • *adj* byw.
animation *n* animeiddiad *m*.
animosity *n* atgasedd *m*.
ankle *n* migwrn *m*, ffêr *f*.
annex *v* atodi. • *n* atodiad *m*.
annihilate *v* difodi.
annihilation *n* difodiad *m*.
anniversary *n* pen blwydd *m*.
annotate *v* gwneud nodiadau.
annotation *n* nodiadau *pl*.
announce *v* cyhoeddi, datgan.

announcement *n* cyhoeddiad *m*.
annoy *v* cythruddo.
annoyance *n* dicter *m*.
annoyed *adj* penwan.
annual *adj* blynyddol.
annul *v* diddymu.
anomaly *n* anghysonder *m*.
anonymity *n* anhysbysrwydd *m*.
anonymous *adj* dienw.
another *adj* arall.
answer *v* ateb. • *n* ateb *m*.
ant *n* morgrugyn *m*.
antagonise *v* digio.
antagonism *n* gelyniaeth *f*.
Antarctic *adj/n* Antarctig *f*.
antenna *n* teimlydd *m*.
anterior *adj* blaenorol.
anthem *n* anthem *f*.
anthology *n* blodeugerdd *f*.
anthracite *n* glo caled, glo carreg *m*.
anthropology *n* anthropoleg *f*.
antibiotic *n* gwrthfiotig *m*.
anticipate *v* achub y blaen, disgwyl.
antics *n* stranciau *pl*.
antidote *n* gwrthwenwyn *m*.
antipathy *n* gelyniaeth *f*.
antiquarian *n* hynafiaethydd *m*.
antiques *n* hynafion *pl*.
antiquity *n* cynfyd *m*.
antithesis *n* gwrthgyferbyniad *m*.
antler *n* rhaidd *f*.
anvil *n* einion *f*.
anxiety *n* pryder *m*.
anxious *adj* pryderus.
any *adj* unrhyw; dim.
apart *adv* ar wahân.
apartment *n* fflat *f*.
apathetic *adj* di-hid.
apathy *n* difrawder *m*.
aperture *n* twll *m*.
apex *n* apig *f*; copa *m/f*.
apologise *v* ymddiheuro.
apology *n* ymddiheuriad *m*.
apostle *n* apostol *m*.
appal *v* brawychu.

apparatus *n* offer *pl*, cyfarpar *m*.
apparent *adj* amlwg.
apparition *n* drychiolaeth *f*.
appeal *v* apelio. • *n* apêl *f*.
appear *v* ymddangos.
appearance *n* ymddangosiad *m*; golwg *f*.
append *v* atodi.
appendix *n* atodiad; coluddyn crog *m*.
appetising *adj* blasus.
appetite *n* archwaeth *m*.
applaud *v* cymeradwyo.
applause *n* cymeradwyaeth *f*.
apple *n* afal *m*.
apple tree *n* coeden afalau *f*.
appliance *n* teclyn *m*; dyfais *f*.
applicable *adj* perthnasol.
applicant *n* ymgeisydd *m*.
apply *v* cynnig; cymhwyso; ymroi.
appoint *v* penodi.
appointment *n* penodiad; oed *m*.
apportion *v* rhannu.
apposite *adj* addas.
appraisal *n* gwerthusiad *m*.
appraise *v* pwyso a mesur gwerth.
appreciate *v* gwerthfawrogi.
appreciation *n* gwerthfawrogiad *m*.
appreciative *adj* gwerthfawrogol.
apprehend *v* dal.
apprehension *n* ofn *m*.
apprentice *n* prentis *m*.
approach *v* dynesu, nesáu.
appropriate *adj* addas, priodol.
approval *n* cymeradwyaeth *f*.
approve *v* cymeradwyo.
approximately *adv* fwy neu lai.
approximation *n* brasamcan *m*.
April *n* Ebrill *m*.
apron *n* brat *m*; ffedog *f*.
apt *adj* priodol.
aqualung *n* tanc anadlu *m*.
aquarium *n* acwariwm *m*.
aquatic *adj* dyfrol.
arable *adj* âr.
arbiter *n* beirniad *m*.

arbitrary *adj* mympwyol.
arbitrate *v* cyflafareddu.
arbitration *n* cyflafareddiad *m*.
arcade *n* arcêd *f*.
arch *n* bwa *m*; pont *f*.
archaeological *adj* archaeolegol.
archaeology *n* archaeoleg *f*.
archaic *adj* hynafol.
archbishop *n* archesgob *m*.
archdruid *n* archdderwydd *m*.
architect *n* pensaer *m*.
architecture *n* pensaernïaeth *f*.
archives *n* archifau *pl*.
Arctic *n* Yr Arctig *m*.
ardent *adj* selog.
ardour *n* angerdd *m*.
area *n* arwynebedd *m*; ardal *f*.
argue *v* dadlau.
argument *n* dadl *f*.
argumentative *adj* dadleugar.
arid *adj* cras.
aridity *n* craster *m*.
arise *v* cyfodi.
aristocracy *n* pendefigaeth *f*.
aristocrat *n* pendefig *m*.
arithmetic *n* rhifyddeg *f*.
arm *n* braich *f*. • *v* arfogi.
armament *n* arfogaeth *f*.
armchair *n* cadair freichiau *f*.
armed *adj* arfog.
armful *n* coflaid *f*.
armistice *n* cadoediad *m*.
armour *n* arfwisg *f*.
armpit *n* cesail *f*.
army *n* byddin *f*.
aroma *n* perarogl *m*.
aromatic *adj* persawrus.
around *prep* o gwmpas.
arouse *v* dihuno, codi.
arrange *v* trefnu.
arrangement *n* trefniant *m*.
array *n* rhestr *f*.
arrest *v* dal; arestio.
arrival *n* dyfodiad *m*.
arrive *v* cyrraedd.

arrogance *n* haerllugrwydd *m.*
arrogant *adj* haerllug.
arrow *n* saeth *f.*
arsenal *n* arfdy *m.*
art *n* celfyddyd *f.*
art gallery *n* oriel *f.*
artery *n* rhydweli *f.*
artful *adj* cyfrwys.
article *n* erthygl *f.*
articulate *v* ynganu.
articulation *n* ynganiad *m.*
artificial *adj* ffug, gosod.
artillery *n* magnelau *pl.*
artisan *n* crefftwr *m.*
artist *n* artist, arlunydd *m.*
artistic *adj* celfydd.
artistry *n* cywreinrwydd *m.*
as *conj* fel; mor, â.
ascend *v* dringo, esgyn.
ascension *n* esgyniad *m.*
ascent *n* esgyniad *m.*
ascertain *v* canfod.
ascetic *adj* meudwyaidd. • *n* asgetig *m/f.*
ash *n* onnen *f;* lludw *m.*
ashamed *adj* â chywilydd.
ashore *adv* ar y lan.
ashtray *n* blwch llwch *m.*
aside *adv* o'r neilltu.
ask *v* gofyn.
asleep *adv* yng nghwsg.
aspect *n* gwedd *f.*
aspersion *n* sen *f.*
asphyxiate *v* mygu.
asphyxiation *n* mogfa *f.*
aspirant *n* ymgeisydd *m.*
aspiration *n* dyhead *m.*
aspire *v* dyheu.
assail *v* ymosod.
assailant *n* ymosodwr *m.*
assassin *n* llofrudd *m.*
assassinate *v* llofruddio.
assault *n* ymosodiad *m.* • *v* ymosod.
assemble *v* crynhoi; cydosod.
assembly *n* cynulliad *m;* cymanfa *f.*

assent *n* cydsyniad *m.*
assert *v* mynnu.
assertion *n* honiad *m.*
assess *v* asesu, pwyso a mesur.
assessment *n* asesiad *m.*
assets *n* asedau *pl.*
assign *v* pennu.
assignment *n* gorchwyl *m.*
assimilate *v* cymathu.
assist *v* cynorthwyo.
assistance *n* cymorth *m.*
assistant *n* cynorthwyydd *m.*
associate *v* cysylltu.
association *n* cymdeithas *f.*
assortment *n* cymysgedd *m/f.*
assume *v* rhagdybio.
assumption *n* rhagdybiaeth *f.*
assurance *n* sicrwydd *m.*
assure *v* sicrhau.
asthma *n* y fogfa *f;* asthma *m.*
astonish *v* syfrdanu.
astonishment *n* syndod *m.*
astound *v* syfrdanu.
astrologer *n* sêr-ddewin *m.*
astrology *n* sêr-ddewiniaeth *f.*
astronaut *n* gofodwr *m,* gofodwraig *f.*
astronomer *n* seryddwr *m,* seryddwraig *f.*
astronomy *n* seryddiaeth.
astute *adj* craff.
asylum *n* noddfa *f.*
at *prep* am, ar, yn.
atheist *n* anffyddiwr *m,* anffyddwraig *f.*
athlete *n* mabolgampwr *m,* mabolgampwraig *f.*
athletic *adj* athletaidd.
atlas *n* atlas *m.*
atmosphere *n* awyrgylch; atmosffer *m.*
atom *n* atom *m/f.*
atomic *adj* atomig.
atrocious *adj* erchyll.
atrocity *n* erchylltra *m.*
attach *v* atodi.

attachment n atodyn; ymlyniad m.

attack v ymosod. • n ymosodiad m.

attacker n ymosodwr m, ymosod-wraig f.

attain v cyrraedd, ennill.

attempt v ceisio; rhoi cynnig ar.

attend v mynychu; gweini.

attendance n presenoldeb m; gwasa-naeth m.

attention n sylw m.

attentive adj astud, sylwgar.

attic n croglofft f.

attitude n agwedd f.

attract v denu.

attraction n atyniad m.

attractive adj atyniadol.

attribute n priodoledd m.

auction n arwerthiant m.

audacious adj beiddgar, haerllug.

audacity n beiddgarwch, haerllugrw-ydd m.

audible adj clywadwy.

audience n cynulleidfa f.

audit n archwiliad m. • v archwilio.

audition n clyweliad m.

auditor n archwilydd m.

augment v cynyddu.

August n Awst m.

aunt n modryb f.

auspicious adj addawol.

austere adj llym.

authentic adj dilys.

authenticity n dilysrwydd m.

author n awdur m; awdures f.

authoritarian adj awdurdodus.

authoritative adj awdurdodol.

authority n awdurdod m.

authorise v awdurdodi.

autobiography n hunangofiant n.

autocrat n teyrn m, unbennes f.

autocratic adj unbenaethol.

autograph n llofnod m.

automatic adj awtomatig.

autonomy n hunanlywodraeth f.

autopsy n awtopsi m.

autumn n hydref m.

auxiliary adj cynorthwyol, ategol.

available adj ar gael.

avalanche n eirllithriad m.

avarice n trachwant, cybydd-dod m.

avenge v dial.

avenue n coedlan f.

average n cyfartaledd m.

aversion n casbeth m.

avert v troi heibio.

avid adj awchus.

avoid v gochel.

await v aros, disgwyl.

awake v deffro, dihuno.

award v dyfarnu. • n dyfarniad m; gwobr f.

aware adj ymwybodol.

awareness n ymwybyddiaeth f.

away adv i ffwrdd, ymaith.

awe n parchedig ofn m.

awful adj ofnadwy.

awkward adj lletchwith, trwsgl.

axe n bwyall, bwyell f.

axis n echelin f.

axle n echel f.

azure adj asur.

B

babble v baldorddi.

babe, baby n baban m.

babyhood n babandod m.

babyish adj babïaidd.

bachelor n hen lanc m.

back n cefn m. • adv yn ôl. • v cefnogi.

backbone n asgwrn cefn m.

backdate v ôl-ddyddio.

backer n cefnogwr m, cefnogwraig f.

background n cefndir m.

back payment n ôl-daliad m.
backside n pen-ôl m.
backward adj araf. • adv yn ôl.
bacon n cig moch m.
bad adj drwg, sâl.
badge n bathodyn m.
badger n mochyn daear m.
badness n drygioni m.
baffle v drysu.
bag n bag, cwdyn m.
baggage n paciau pl.
bait n abwyd m.
bake v crasu, pobi.
bakery n popty m.
baker n pobydd m.
baking n pobiad m.
balance n cydbwysedd m; clorian f. • v cydbwyso.
balcony n balconi m.
bald adj moel.
baldness n moelni m.
bale n bwrn m.
ball n pêl, pelen f; dawns f.
ball bearing n pelferyn f.
ballad n baled f.
ballet n bale, ballet m.
balloon n balŵn m/f.
ballot n pleidlais bapur f; balot m.
balm, balsam n balm m.
bamboo n bambŵ m.
ban n gwaharddiad m. • v gwahardd.
banal adj ystrydebol.
banana n banana f.
band n band m.
bandage n rhwymyn m. • v rhwymo.
bang n ergyd m/f. • v taro.
bangle n breichled f.
banish v alltudio.
banishment n alltudiaeth f.
bank n glan, torlan f; banc m.
banker n banciwr m.
banknote n arian papur.
bankrupt n methdalwr m.
bankruptcy n methdaliad m.
banquet n gwledd f.

banns n gostegion pl.
baptise v bedyddio.
baptism n bedydd m.
bar n bar m. • v bario.
barbarian n barbariad m.
barbarity n barbareiddiwch m.
barbecue n barbeciw m.
barbed wire n weiren bigog f.
barber n barbwr m.
bard n bardd m.
bare adj noeth. • v dinoethi.
barefoot(ed) adj troednoeth.
barely adv prin.
bareness n moelni m.
bargain n bargen f. • v bargeinio.
bark n rhisgl m; cyfarthiad m. • v cyfarth.
barn n ysgubor f.
barometer n baromedr m.
barracks n barics pl.
barrage n argae, cob m.
barrel n casgen f.
barren adj diffrwyth.
barricade n gwrthglawdd m.
barrier n rhwystr m.
barrister n bargyfreithiwr m, bargyfreithwraig f.
bartender n barmon m.
barter v ffeirio, trwco.
base n sylfaen f. • v sylfaenu.
basement n llawr isaf m.
bashful adj swil.
basic adj sylfaenol.
basin n basn, basin m.
basis n sail f.
basket n basged f; cawell m.
bass n (mus) bas m.
bastard n bastard m.
baste v brasbwytho.
bat n ystlum; bat m.
batch n ffyrnaid f; swp m.
bath n bath m.
bathe v ymdrochi.
bathing suit n gwisg nofio f.
bathroom n ystafell ymolchi f.

baths *n* pwll nofio *m*.
bathtub *n* twba *m*.
batter *v* pwyo. • *n* cytew *m*.
battery *n* batri *m*.
battle *n* brwydr *f*. • *v* brwydro.
battlefield *n* maes y gad *m*.
bawdy *adj* anweddus.
bawl *v* crochlefain.
bay *n* bae *m*.
bazaar *n* basâr *m*.
be *v* bod (*see* Appendix).
beach *n* traeth *m*.
beacon *n* coelcerth *f*.
bead *n* glain *m*.
beak *n* pig *f*.
beaker *n* bicer *m*.
beam *n* trawst; pelydryn *m*. • *v* tywyn-nu.
bean *n* ffeuen *f*.
bear[1] *n* arth *f*.
bear[2] *v* dwyn, goddef.
bearable *adj* goddefadwy.
beard *n* barf *m*.
bearded *adj* barfog.
bearer *n* cludwr *m*.
beast *n* bwystfil *m*.
beat *v* curo. • *n* curiad *m*.
beating *n* cosfa *f*.
beautiful *adj* prydferth.
beautify *v* harddu.
beauty *n* harddwch, tegwch *m*.
beaver *n* afanc *m*.
because *conj* oherwydd. • *prep* gan.
become *v* dod; gweddu.
becoming *adj* gweddus.
bed *n* gwely *m*.
bedclothes *n* dillad gwely *pl*.
bedridden *adj* gorweiddiog.
bedroom *n* ystafell wely *f*.
bedspread *n* cwrlid *m*.
bee *n* gwenynen *f*.
beef *n* cig eidion *m*.
beehive *n* cwch gwenyn *m*.
beer *n* cwrw *m*.
befit *v* gweddu.

before *adv* o'r blaen. • *prep* o flaen.
beforehand *adv* ymlaen llaw.
beg *v* ymbil; cardota.
beggar *n* cardotyn *m*.
begin *v* dechrau.
beginner *n* dechreuwr *m*, dechreu-wraig *f*.
beginning *n* dechreuad *m*.
behave *v* ymddwyn.
behaviour *n* ymddygiad *m*.
behead *v* dienyddio.
behind *adv* ar ôl. • *prep* tu ôl, tu cefn.
behold *v* wele!
being *n* bod *m*.
belated *adj* diweddar.
belch *v* pecial, torri gwynt.
belie *v* gwrth-ddweud.
belief *n* cred *f*.
believable *adj* credadwy.
believe *v* credu, coelio.
believer *n* credwr *m*, credinwraig *f*.
belittle *v* bychanu.
bell *n* cloch *f*.
belligerent *adj* cwerylgar, rhyfelgar.
bellow *v* rhuo, bugunad.
belly *n* bol, bola *m*.
belong *v* perthyn.
beloved *adj* annwyl. • *n* cariad.
below *adv* oddi tanodd; islaw.
belt *n* gwregys *m*.
bench *n* mainc *f*.
bend *v* plygu. • *n* tro *m*.
beneath *adv*, *prep* oddi tanodd; tan.
benefactor *n* cymwynaswr *m*, cymwynaswraig *f*.
beneficent *adj* bendithiol.
beneficial *adj* buddiol, llesol.
benefit *n* budd, budd-dâl *m*.
benevolence *n* cymwynasgarwch *m*.
benevolent *adj* cymwynasgar.
benign *adj* tirion.
bequeath *v* cymynnu, ewyllysio.
bequest *n* cymynrodd *f*.
bereavement *n* profedigaeth *f*.
berries *n* aeron *pl*.

berserk *adj* gwyllt.
beseech *v* deisyf, erfyn.
beset *v* amgylchynu.
beside(s) *prep* gerllaw, yn ymyl.
besiege *v* gwarchae.
best *adj* gorau.
bestial *adj* ffiaidd, bwystfilaidd.
bestow *v* cyflwyno.
bet *n* bet *m*. • *v* betio.
betray *v* bradychu.
betrayal *n* brad, bradychiad *m*.
better *adj* gwell. • *adv* yn well.
between *prep* rhwng.
beverage *n* diod *f*.
bewilder *v* drysu, mwydro.
bewilderment *n* dryswch, penbleth *m*.
beyond *prep* tu hwnt.
bias *n* gogwydd *m*, rhagfarn *f*.
Bible *n* Beibl *m*.
bibliography *n* llyfryddiaeth *f*.
bicycle *n* beic, beisicl *m*.
bid *v* cynnig. • *n* ~*m*.
bide *v* aros, disgwyl.
biennial *adj* bob dwy flynedd, eilflwydd.
big *adj* mawr.
bigot *n* rhywun llawn rhagfarn.
bigoted *adj* cul.
bike *n* beic *m*.
bikini *n* bicini *m*.
bilberries *n* llus *pl*.
bile *n* bustl *m*.
bilingual *adj* dwyieithog.
bill *n* bil; mesur *m*.
billet *n* llety *m*.
billion *n* biliwn *f*.
billy-goat *n* bwch gafr.
bin *n* bin *m*.
bind *v* rhwymo.
binge *n* sbri *f*.
biochemistry *n* biocemeg *f*.
binoculars *n* gwydrau *pl*.
biographer *n* cofiannydd *m*.
biography *n* cofiant *m*.
biological *adj* biolegol.

biology *n* bioleg *f*.
birch *n* bedwen *f*.
bird *n* aderyn *m*.
birth *n* genedigaeth *f*.
birth certificate *n* tystysgrif geni *f*.
birth control *n* atal cenhedlu *vn*.
birthday *n* pen-blwydd *m*.
biscuit *n* bisgïen *f*.
bishop *n* esgob *m*.
bit *n* tamaid *m*; genfa *f*.
bitch *n* gast *f*.
bite *v* cnoi, brathu. • *n* cnoad, brathiad *m*.
bitter *adj* chwerw.
bitterness *n* chwerwder *m*.
bizarre *adj* od, rhyfedd.
black *adj* du.
blackberries *n* mwyar *pl*.
blackbird *n* aderyn du *m*, mwyalchen *f*.
blackboard *n* bwrdd du *m*.
blacken *v* duo, pardduo.
blackleg *n* bradwr *m*.
blackmail *n* blacmêl *m*.
blackness *n* düwch.
blacksmith *n* gof *m*.
bladder *n* pledren *f*.
blade *n* llafn *m*.
blame *v* beio. • *n* bai *m*.
blameless *adj* di-fai, difai.
bland *adj* mwyn; di-flas.
blank *adj* gwag. • *n* bwlch *m*.
blanket *n* carthen *f*.
blare *v* rhuo.
blaspheme *v* cablu.
blasphemy *n* cabledd *m*.
blast *n* ffrwydrad *m*. • *v* ffrwydro.
blatant *adj* eofn, haerllug.
blaze *n* tanllwyth *m*. • *v* fflamio.
bleach *n* cannydd. • *v* cannu.
bleak *adj* llwm.
bleakness *n* moelni *m*.
bleat *n* bref *f*. • *v* brefu, dolefain.
bleed *v* gwaedu.
blemish *v* llychwino. • *n* mefl *m*.

blend v ymdoddi; cyfuno.

bless v bendithio.

blessing n bendith f.

blight v difetha. • n malltod m.

blind adj dall. • v dallu.

blindfold n mwgwd m.

blindness n dallineb m.

bliss n gwynfyd m.

blissful adj dedwydd.

blister n chwysigen, pothell f.

blizzard n storm o eira f.

bloated adj chwyddedig.

blob n smotyn m.

block n bloc m.

blockade v gwarchae.

blond adj pryd golau.

blood n gwaed m.

blood donor n rhoddwr gwaed m.

blood group n grŵp gwaed m.

blood pressure n pwysedd gwaed m.

bloodstream n llif gwaed m.

blood transfusion n trallwysiad gwaed m.

blood vessel n pibell waed f.

bloody adj gwaedlyd.

bloom v blodeuo.

blossom n blodeuyn m.

blot v blotio. • n blotyn.

blouse n blows, blowsen f.

blow v chwythu. • n ergyd m/f.

blubber n bloneg morfil m.

blue adj glas.

blueprint n cynddelw f.

bluff v blyffio.

blunder n camgymeriad m.

blunt adj pŵl. • v pylu.

blur n aneglurder m.

blush n gwrid m. • v gwrido.

board n bwrdd m, bord f.

boarder n lletywr m.

boarding house n llety m.

boast v ymffrostio, brolio. • n ymffrost m; bost f.

boastful adj ymffrostgar.

boat n cwch, bad m.

bodily adj corfforol.

body n corff m.

bodywork n corff m.

bog n cors, siglen f.

bogus adj ffug.

boil v berwi. • n cornwyd m.

boiler n boeler m.

boisterous adj hoenus, swnllyd.

bold adj beiddgar, eofn.

boldness n beiddgarwch, ehofndra m.

bolt n bollt, bollten f. • v bolltio.

bomb n bom m/f.

bombard v bombardio, peledu.

bombastic adj chwyddedig, llawn gwynt.

bona fide adj dilys.

bond n rhwymyn m.

bone n asgwrn m.

bonfire n coelcerth f.

bonnet n boned f.

bonus n bonws m.

bony adj esgyrnog.

boo v bwio.

book n llyfr m.

bookcase n cwpwrdd llyfrau m.

bookkeeper n cyfrifydd m.

bookkeeping n cadw cyfrifon vn.

bookseller n llyfrwerthwr m, llyfrwerthwraig f.

bookstore n siop lyfrau f.

bookworm n llyfrbryf m.

boom n dwndwr m.

boot n esgid; cist f.

booth n bwth m, stondin f.

border n ffin f. • v ffinio.

bore v tyllu; llethu. • n bôr m.

boredom n diflastod m.

boring adj diflas, undonog.

born adj genedigol.

borrow v benthyca.

borrower n benthycwr m.

bosom n mynwes f.

boss n meistr, giaffer m.

botanic(al) adj botanegol.

botany n botaneg, llysieueg f.

botch v cawlio.
both pron y ddau, y ddwy.
bother v poeni, trafferthu.
bottle n potel f.
bottleneck n tagfa (draffig) f.
bottle-opener n teclyn agor poteli m.
bottom n gwaelod, pen ôl m.
bough n cangen f.
bounce v sboncio.
bound v llamu.
boundary n ffin f, terfyn m.
bout n gornest f; pwl m.
bow v moesymgrymu.
bow n bwa m.
bow tie n dici bô m.
bowels n perfedd, perfeddion pl.
bowl n dysgl, powlen f.
bowl v bowlio; powlio.
box n blwch m.
box office n swyddfa docynnau f.
boxer n paffiwr m, paffwraig f.
boy n bachgen m.
boycott v boicotio.
boyfriend n cariad, sboner m.
bra n bra, brafedd m.
bracelet n breichled f.
bracket n bach m.
brag v brolio.
braid n pleth f. • v plethu.
brain n ymennydd m.
brainwave n fflach o weledigaeth f.
brainy adj peniog.
brake n brêc m. • v brecio.
bramble n drysïen f.
branch n cangen f.
brand n gwneuthuriad m; brand m.
brandy n brandi m.
brash adj hyf, digywilydd.
brat n crwtyn m; croten f; cythraul bach m.
brave adj dewr, gwrol.
bravery n dewrder, gwroldeb m.
brawl n ffrwgwd m. • v ffraeo, ymrafael.
bray v nadu.

braze v sodro â phres.
breach n adwy; tor (cyfraith) f.
bread n bara m.
breadth n lled m.
break v torri. • n toriad m.
breakdown n dosraniad m; gwaledd nerfol m.
breakfast n brecwast m. • v brecwasta.
breast n bron, mynwes f.
breath n anadl f.
breathalyse v profi anadl.
breathe v anadlu.
breed n brid m, gwaedoliaeth f. • v bridio, magu.
breeder n bridiwr, magwr m; bridwraig, magwraig f.
breeze n awel f.
brevity n byrder, byrdra m.
brew v bragu, macsu; bwrw ffrwyth.
brewer n bragwr m.
brewery n bragdy m.
bribe n cildwrn m. • v llwgrwobrwyo.
brick n bricsen f.
bricklayer n briciwr m.
bride n priodferch, priodasferch f.
bridegroom n priodfab, priodasfab m.
bridge n pont f.
bridle n ffrwyn f.
brief adj byr, cwta.
brigand n gwylliad m.
bright adj disglair.
brighten v goleuo, gloywi.
brilliance n disgleirdeb, disgleirder m.
brilliant adj disglair, llachar.
brim n ymyl m/f.
bring v dod â, dwyn.
brisk adj sionc, heini.
bristle n gwrychyn m. • v codi gwrychyn.
brittle adj brau.
broad adj eang, llydan.
broadcast n darllediad m. • v darlledu.
broaden v ehangu, lledu.
broadness n ehangder, lled m.

broccoli *n* blodfresych gaeaf *f*.
brochure *n* pamffled, pamffledyn *m*.
broken *adj* wedi torri.
broker *n* brocer *m*.
bronze *n* efydd *m*.
brooch *n* broets *f*, tlws *m*.
brood *v* gori; pendroni. • *n* nythaid *f*.
brook *n* nant *f*.
broom *n* ysgub *f*; banadl *pl*.
brother *n* brawd *m*.
brother-in-law *n* brawd-yng-nghy-fraith *m*.
brow *n* ael *f*.
brown *adj* brown.
browse *v* pori.
bruise *n* clais *m*.
brush *n* brwsh *m*.
brutal *adj* ciaidd.
brutality *n* creulondeb, creulonder *m*.
brute *n* bwystfil *m*.
bubble *n* cloch ddŵr *f*. • *v* byrlymu.
bucket *n* bwced *m*.
buckle *n* bwcl *m*.
budge *v* symud.
budget *n* cyllideb *f*.
buffet *n* pryd bys a bawd, bwffe *m*.
bug *n* lleuen *f*; byg *m*.
build *v* codi, adeiladu.
builder *n* adeiladydd *m*.
building *n* adeilad *m*.
bulb *n* bwlb *m*.
bulge *v* chwyddo. • *n* chwydd *m*.
bulk *n* crynswth, swmp *m*.
bulky *adj* swmpus.
bull *n* tarw *m*.
bulldozer *n* tarw dur *m*.
bullet *n* bwled *m/f*.
bulletproof *adj* atal bwledi.
bulletin *n* bwletin, hysbysiad *m*.
bully *n* bwli *m*. • *v* bwlio, gormesu.

bump *n* clonc. • *v* cnocio.
bun *n* bynen *f*.
bunch *n* cwlwm, tusw *m*.
bundle *n* bwndel, swp. • *v* sypynnu.
bungle *v* gwneud cawl.
bunk *n* gwely bach *m*.
buoy *n* bwi *m*.
buoyancy *n* hynofedd *m*.
buoyant *adj* hynawf, yn nofio.
burden *n* baich *m*.
bureau *n* biwro *m/f*.
bureaucrat *n* biwrocrat *m*.
burial *n* claddedigaeth *f*.
burly *adj* cydnerth.
burn *v* llosgi. • *n* llosgiad *m*.
burning *adj* tanbaid, llosg.
burst *v* byrstio.
bury *v* claddu.
bus *n* bws *m*.
bush *n* perth *f*; llwyn *m*.
business *n* busnes *m*.
businessman *n* dyn busnes *m*.
businesswoman *n* gwraig fusnes *f*.
bus-stop *n* arhosfan *f*.
busy *adj* prysur.
but *conj* ond.
butcher *n* cigydd *m*. • *v* bwtsiera.
butter *n* menyn, ymenyn *m*.
butterfly *n* glöyn byw, pilipala *m*, iâr fach yr haf *f*.
button *n* botwm *m*. • *v* botymu.
buy *v* prynu.
buyer *n* prynwr *m*, prynwraig *f*.
buzz *n* su *m/f*. • *v* suo.
by *prep* wrth; gan; erbyn.
by-election *n* isetholiad *m/f*.
by-law *n* is-deddf *f*.
bypass *n* ffordd osgoi *f*.
by-product *n* isgynnyrch *m*.
byte *n* talp *m*.

C

cabbage *n* bresychen *f*.
cabin *n* caban *m*.
cabinet *n* cabinet *m*.
cable *n* cebl *m*.
cache *n* celc *m*.
cackle *v* clochdar. • *n* clegar *m*.
caddie *n* cadi *m*.
cafe *n* caffe *m*.
cage *n* caets, cawell *m*.
cake *n* teisen *f*.
calamity *n* trychineb *m/f*.
calculate *v* bwrw cyfrif, clandro.
calculation *n* cyfrif *m*.
calendar *n* calendr *m*.
calf *n* llo *m/f*.
calibre *n* calibr *m*.
call *v* galw. • *n* galwad *f*.
calligraphy *n* caligraffi *m*, llythrennu'n gain.
calling *n* galwedigaeth *f*.
callous *adj* didrugaredd, dienaid.
calm *n* tawelwch *m*. • *adj* tawel. • *v* tawelu.
calorie *n* calori *m*.
camel *n* camel *m*.
camera *n* camera *m*.
camouflage *n* cuddliw *m*.
camp *n* gwersyll *m*. • *v* gwersylla, gwersyllu.
campaign *n* ymgyrch *m/f*.
camper *n* gwersyllwr *m*, gwersyllwraig *f*.
campsite *n* gwersyllfa.
campus *n* campws *m*.
can *v* gallu. • *n* bocs, can *m*.
can opener *n* agorwr caniau *m*.
canal *n* camlas *f*.
cancel *v* canslo, diddymu.
cancer *n* cancr, canser *m*.
candid *adj* agored, didwyll.
candidate *n* ymgeisydd *m*.
candle *n* cannwyll *f*.

candour *n* didwylledd *m*.
cane *n* corsen; gwialen *f*.
cannon *n* canon *m*, magnel *f*.
canoe *n* canŵ *m*.
canon *n* canon *m*.
canopy *n* canopi *m*.
cantankerous *adj* cecrus, cynhennus.
canteen *n* cantîn, ffreutur *m*.
canvas *n* cynfas *m/f*.
canvass *v* canfasio.
cap *n* cap, capan *m*.
capability *n* gallu *m*.
capable *adj* galluog.
capacity *n* maint; gallu *m*.
cape *n* mantell *f*; penrhyn *m*.
capital *adj* prif. • *n* cyfalaf *m*.
capital punishment *n* y gosb eithaf *f*.
capitalise *v* elwa.
capitalist *n* cyfalafwr *m*, cyfalafwraig *f*.
capitulate *v* ildio.
capricious *adj* mympwyol, oriog.
capsize *v* dymchwel.
capsule *n* capsiwl *m*.
captain *n* capten *m*.
captivate *v* swyno, cyfareddu.
captivation *n* cyfaredd *f*.
captive *n* carcharor *m*.
captivity *n* caethiwed *m*.
capture *v* dal.
car *n* car *m*.
caravan *n* carafán *f*.
carbohydrate *n* carbohydrad *m*.
carcass *n* celain *f*.
card *n* carden *f*.
cardboard *n* cardfwrdd *m*.
cardinal *adj* prif. • *n* cardinal *m*.
care *n* gofal *m*. • *v* poeni.
career *n* gyrfa *f*.
careful *adj* gofalus.
careless *adj* diofal, esgeulus.
carelessness *n* esgeulustod *m*.

caress n anwes m. • v anwesu.

caretaker n gofalwr m, gofalwraig f.

cargo n cargo; llwyth m.

caricature n gwawdlun m.

carnage n cyflafan f.

carnal adj cnawdol.

carnival n cárnifal m.

carnivorous adj cigysol.

carpenter n saer coed m.

carpentry n gwaith coed m.

carpet n carped m.

carriage n cerbyd m.

carrier n cludydd m.

carrion n celain f.

carrots n moron pl.

carry v cario, cludo, dwyn.

cart n trol f.

cartilage n madruddyn m.

cartoon n cartŵn m.

cartridge n cetrisen f.

carve v naddu, cerfio.

carving n cerfiad m.

case n achos; cas, casyn m.

cash n arian parod m.

cashier n ariannydd m.

casing n cragen f, casyn m.

casino n casino m.

cask n casgen f.

casket n blwch m.

casserole n caserol m.

cassette n casét m.

cassette player n chwaraewr casetiau m.

cast v bwrw.

caste n cast, dosbarth m.

castigate v cystwyo.

castle n castell m.

castrate v disbaddu, ysbaddu.

castration n disbaddiad m.

casual adj damweiniol, anffurfiol.

cat n cath f.

catalogue n catalog m, rhestr f.

catapult n blif, sling m.

cataract n rhaeadr; pilen f.

catastrophe n trychineb m.

catch v dal.

catchword n slogan m/f.

catechism n holwyddoreg f.

categorical adj pendant.

category n dosbarth, categori m.

cater v arlwyo.

catering n arlwyaeth f.

caterpillar n lindys m.

cathedral n eglwys gadeiriol f.

catholic adj catholig.

cattle n gwartheg pl.

cauliflower n blodfresychen f.

cause n achos m. • v achosi.

cauterise v serio.

caution n pwyll m. • v rhybuddio.

cautious adj gofalus, gwyliadwrus.

cavalry n gwŷr meirch pl.

cave n ogof f.

cavern n ceudwll m.

cavity n ceudod m.

cease v peidio, darfod.

ceaseless adj di-baid.

cede v ildio.

ceiling n nenfwd m.

celebrate v dathlu.

celebration n dathliad m.

celery n helogan f.

celibate adj diwair, dibriod.

cell n cell f.

cellar n seler f.

cement n sment m.

cemetery n mynwent f.

censor n sensor m.

censorship n sensoriaeth f.

censure v ceryddu.

census n cyfrifiad m.

centenary n canmlwyddiant m.

centigrade adj canradd.

centimetre n centimetr m.

central adj canolog.

centralise v canoli.

centre n canolfan m/f; canol m. • v canoli.

century n canrif f.

ceramic adj ceramig.

cereal n grawnfwyd m.
ceremonial adj defodol, seremonïol.
ceremony n defod, seremoni f.
certain adj sicr, diamau.
certainty n sicrwydd m.
certificate n tystysgrif f.
certification n ardystiad m.
certify v tystio, ardystio.
cessation n diwedd, terfyn m.
chafe v rhwbio.
chagrin n siom m/f.
chain n cadwyn f. • v cadwyno.
chair n cadair f. • v cadeirio.
chairman n cadeirydd m.
chalk n sialc m.
challenge n her f. • v herio.
chamber n siambr f.
champion n pencampwr m, pencamp-wraig f. • v amddiffyn.
championship n pencampwriaeth f.
chance n damwain, siawns f.
chancellor n canghellor m.
change v newid. • n newid m.
changeable adj cyfnewidiol.
channel n sianel f. • v sianelu.
chant n salm-dôn f. • v llafarganu.
chaos n anhrefn f.
chaotic adj anhrefnus, cawl gwyllt.
chapel n capel m.
chapter n pennod f.
character n cymeriad m.
characteristic adj nodweddiadol.
charcoal n golosg, sercol m.
charge v codi; hyrddio; siarsio. • n pris m; rhuthr m; cyhuddiad m.
charitable adj elusennol.
charity n elusen f.
charm n swyn m. • v swyno.
chart n siart f.
charter n siarter, breinlen f. • v llogi.
chase v hela, ymlid. • n helfa f.
chaste adj diwair.
chastise v cosbi, cystuddio.
chastisement n cosbedigaeth f.
chastity n diweirdeb m.

chat v sgwrsio. • n sgwrs f.
chatter v clebran; cogor.
chauffeur n gyrrwr m.
chauffeuse n gyrwraig f.
chauvinist n siofinydd m.
cheap adj rhad.
cheapen v gostwng (pris).
cheat v twyllo. • n twyllwr m, twyll-wraig f.
check v gwirio. • n gwiriad m.
checkup n archwiliad m.
cheek n boch f.
cheer n bonllef f. • v bloeddio cymer-adwyaeth.
cheerful adj siriol, llon.
cheerfulness n sirioldeb m.
cheese n caws m.
chef n pen-cogydd m.
chemist n cemegydd m; fferyllydd m.
chemistry n cemeg f.
cheque n siec f.
cherish v anwylo, coleddu.
cherry n ceiriosen f.
chess n gwyddbwyll f.
chest n brest f; cist f.
chew v cnoi.
chick n cyw m.
chicken n cyw iâr, ffowlyn m.
chief adj prif. • n pennaeth m.
chieftain n pennaeth m.
child n plentyn m.
childbirth n genedigaeth f.
childhood n plentyndod m.
childish adj plentynnaidd.
children n plant pl.
chill n annwyd m. • v oeri.
chilly adj oeraidd.
chimney n simdde, simnai f.
chin n gên f.
chip v naddu. • n sglodyn m.
chirp v trydar.
chisel n cŷn m, gaing f.
chivalry n sifalri m.
chocolate n siocled m.
choice n dewis m.

choir *n* côr *m.*

choke *v* tagu.

choose *v* dewis, dethol.

chop *v* torri. • *n* golwyth *m.*

chore *n* gorchwyl *m*, tasg *f.*

chorus *n* cytgan *f*; corws *m.*

christen *v* bedyddio.

christening *n* bedydd *m.*

Christian *adj* Cristnogol. • *n* Cristion *m.*

Christmas *n* Nadolig *m.*

Christmas Eve *n* Noswyl y Nadolig *f.*

chronic *adj* cronig, di-baid.

chronicle *n* cronicl *m.*

chronicler *n* croniclydd, cofiadur *m.*

chronological *adj* cronolegol.

chronology *n* cronoleg *f.*

chuckle *n* chwerthiniad *m.*

chum *n* mêt *m*, cyfaill mebyd.

church *n* eglwys *f.*

cider *n* seidr *m.*

cigar *n* sigâr *f.*

cigarette *n* sigarét *f.*

cinder *n* colsyn, marworyn *m.*

cinema *n* sinema *m.*

circle *n* cylch *m.* • *v* cylchu.

circuit *n* cylchdaith, cylched *f.*

circular *adj* crwn. • *n* cylchlythyr *m.*

circulate *v* cylchredeg.

circulation *n* cylchrediad *m.*

circumference *n* cylchedd *m.*

circumnavigation *n* mordaith (o gwmpas) *f.*

circumspect *adj* gochelgar.

circumspection *n* gochelgarwch, pwyll *m.*

circumstance *n* amgylchiad *m.*

circumvent *v* osgoi, twyllo.

circus *n* syrcas *f.*

cite *v* gwysio; dyfynnu.

citizen *n* dinesydd *m.*

city *n* dinas *f.*

civic *adj* dinesig.

civil *adj* sifil.

civilian *n* dinesydd (preifat) *m.*

civilisation *n* gwareiddiad *m.*

civilise *v* gwareiddio.

claim *v* hawlio; honni. • *n* cais; honiad *m.*

claimant *n* hawliwr, hawlydd *m.*

clamour *n* dadwrdd *m.*

clamp *n* clamp *m.* • *v* clampio.

clandestine *adj* dirgel.

clap *v* curo dwylo.

clarification *n* eglurhad *m.*

clarify *v* egluro; gloywi.

clarity *n* eglurder, gloywder *m.*

clash *v* gwrthdaro.

clasp *n* clesbyn *m.* • *v* gwasgu'n dynn.

class *n* dosbarth *m.*

classic(al) *adj* clasurol.

classification *n* dosbarthiad *m.*

classify *v* dosbarthu.

classroom *n* ystafell ddosbarth *f.*

clatter *v* clindarddach. • *n* twrw *m.*

claw *n* crafanc *f.*

clean *adj* glân. • *v* glanhau.

cleaning *n* glanhad, glanheuad *m.*

cleanliness *n* glanweithdra, glendid *m.*

clear *adj* clir, eglur. • *v* clirio.

cleft *n* hollt *f.*

clemency *n* trugaredd *f/m.*

clement *adj* tirion.

clergy *n* offeiriaid *pl.*

clergyman *n* clerigwr *m.*

clerical *adj* clerigol.

clerk *n* clerc *m.*

clever *adj* medrus, peniog.

click *v* clicio. • *n* clic *m.*

client *n* cwsmer *m.*

cliff *n* clogwyn *m.*

climate *n* hinsawdd *f.*

climatic *adj* hinsoddol.

climax *n* anterth, uchafbwynt *m.*

climb *v* dringo.

climber *n* dringwr *m.*

cling *v* glynu.

clinic *n* clinig *m.*

clip *v* tocio.

cloak *n* clogyn, mantell *f*. • *v* taflu mantell dros.

cloakroom *n* ystafell gotiau *f*.

clock *n* cloc *m*.

clog *n* clocsen *f*.

close *v* cau. • *n* diwedd *m*. • *adj* cyfagos; mwll.

closeness *n* agosrwydd *m*.

cloth *n* brethyn; lliain *m*.

clothe *v* dilladu.

clothes *n* dillad *pl*.

cloud *n* cwmwl *m*.

cloudy *adj* cymylog.

clover *n* meillionen *f*.

clown *n* clown *m*.

club *n* pastwn; clwb *m*.

clue *n* cliw *m*.

clumsiness *n* lletchwithdod *m*.

clumsy *adj* lletchwith, trwsgl.

cluster *n* clwstwr, clwm *m*. • *v* clystyru.

clutch *n* cydiwr, clyts *m*. • *v* gafael.

coach *n* coets *f*; hyfforddwr *m*. • *v* hyfforddi.

coagulate *v* ceulo.

coal *n* glo *m*.

coalesce *v* ymdoddi.

coalition *n* clymblaid *f*.

coarse *adj* garw, aflednais.

coast *n* arfordir *m*.

coastal *adj* arfordirol.

coastguard *n* gwyliwr y glannau *m*.

coat *n* cot, côt *f*.

coating *n* cot, côt, haen *f*.

coax *v* perswadio.

cobweb *n* gwe pry copyn *f*.

cock *n* ceiliog *m*.

cockpit *n* talwrn *m*.

cocoa *n* coco *m*.

coconut *n* cneuen goco *f*.

cocoon *n* cocŵn *m*.

cod *n* penfras *m*.

code *n* cod *m*.

coercion *n* gorfodaeth *f*.

coexistence *n* cydfodolaeth *f*.

coffee *n* coffi *m*.

coffer *n* coffr *m/f*.

coffin *n* arch *f*.

cog *n* cocsyn *m*, cocsen *f*.

cogency *n* grym, argyhoeddiad *m*.

cogent *adj* grymus, cryf.

cognisance *n* gwybyddiaeth *f*.

cogwheel *n* olwyn gocos *f*.

cohabit *v* cyd-fyw, byw tali.

cohabitation *n* cyd-fyw *vn*.

cohere *v* cydlynu.

coherent *adj* yn dal dŵr, cydlynol.

cohesive *adj* ymlynol.

coil *n* torch *f*. • *v* torchi.

coin *n* darn arian *m*.

coincide *v* cyd-daro, cyd-ddigwydd.

coincidence *n* cyd-ddigwyddiad *m*.

colander *n* colandr *m*, hidl *f*.

cold *adj* oer. • *n* oerfel; annwyd *m*.

collaborate *v* cydweithio.

collaboration *n* cydweithrediad *m*.

collapse *v* dymchwelyd, syrthio. • *n* cwymp *m*.

collapsible *adj* plygu (cadair blygu).

collar *n* coler *f/m*.

collate *v* coladu.

collateral *adj* cyfochrog.

colleague *n* cyd-weithiwr *m*, cydweithwraig *f*.

collect *v* casglu, hel.

collection *n* casgliad *m*.

collector *n* casglwr, casglydd *m*.

college *n* coleg *m*.

collide *v* gwrthdaro.

collision *n* gwrthdrawiad *m*.

colloquial *adj* llafar.

colloquialism *n* ymadrodd llafar, gwerinair *m*.

collusion *n* cydgynllwyn *m*.

colonial *adj* trefedigaethol.

colonise *v* gwladychu.

colony *n* gwladfa, trefedigaeth *f*.

colour *n* lliw *m*. • *v* lliwio.

coloured *adj* lliw.

colourful *adj* lliwgar.

column *n* colofn *f*.

columnist *n* colofnydd *m*.

coma *n* côma *m*.

comatose *adj* swrth, mewn côma.

comb *n* crib *f*/*m*. • *v* cribo.

combat *n* gornest *f*. • *v* ymladd yn er-byn.

combatant *n* ymladdwr *m*.

combination *n* cyfuniad *m*.

combine *v* cyfuno.

combustion *n* hylosgiad *m*.

come *v* dod, dyfod (*see* Appendix).

comedian *n* digrifwr *m*.

comedienne *n* digrifwraig *f*.

comedy *n* comedi *f*.

comet *n* comed *f*, seren gynffon *f*.

comfort *n* cysur *m*. • *v* cysuro.

comfortable *adj* cyffordddus.

comic(al) *adj* digrif, smala.

command *v* gorchymyn. • *n* gorchy-myn *m*.

commander *n* comander *m*.

commemorate *v* coffáu.

commemoration *n* coffâd *m*.

commence *v* cychwyn.

commencement *n* dechrau *m*.

commend *v* cyflwyno; cymeradwyo.

commendation *n* cymeradwyaeth *f*.

commensurate *adj* cymesur.

comment *n* sylw *m*. • *v* gwneud sylw.

commentary *n* sylwebaeth *f*; esboniad *m*.

commentator *n* sylwebydd *m*.

commerce *n* masnach *f*.

commercial *adj* masnachol.

commiserate *v* cydymdeimlo.

commiseration *n* cydymdeimlad.

commission *n* comisiwn *m*. • *v* comisiynu; dirprwyo.

commit *v* cyflawni; traddodi.

commitment *n* ymrwymiad *m*.

committee *n* pwyllgor *m*.

common *adj* cyffredin.

common sense *n* synnwyr cyffredin *m*.

commonly *adv* yn gyffredin.

commotion *n* cyffro, cynnwrf *m*.

communicable *adj* mynegadwy; heintus.

communicate *v* cyfathrebu.

communion *n* cymundeb *m*.

communist *n* comiwnydd *m*.

community *n* cymuned *f*.

commutable *adj* newidiadwy.

commute *v* cymudo.

compact *adj* cryno.

compact disc *n* cryno-ddisg *m*.

companion *n* cydymaith, cymar *m*.

company *n* cwmni *m*.

comparable *adj* hafal.

comparative *adj* cymharol.

compare *v* cymharu.

comparison *n* cymhariaeth *f*.

compass *n* cwmpas *m*.

compassion *n* tosturi *m*.

compassionate *adj* tosturiol, truga-rog.

compatibility *n* cydnawsedd *m*.

compatible *adj* cydnaws.

compatriot *n* cyd-wladwr *m*.

compel *v* gorfodi, cymell.

compensate *v* digolledu.

compensation *n* iawndal *m*.

compete *v* cystadlu.

competence *n* cymhwysedd *m*.

competent *adj* cymwys.

competition *n* cystadleuaeth *f*.

competitive *adj* cystadleuol.

competitor *n* cystadleuydd *m*.

complacency *n* hunanfoddhad *m*.

complacent *adj* hunanfoddhaus; hu-nanfodlon.

complain *v* achwyn.

complaint *n* cwyn *f*.

complementary *adj* cyflenwol.

complete *adj* cyflawn. • *v* gorffen.

completion *n* cwblhad *m*.

complex *adj* cymhleth.

complexion *n* pryd *m*, gwedd *f*.

complexity *n* cymhlethdod *m*.

compliance n ufudd-dod; cydsyniad m.
complicate v cymhlethu.
complication n cymhlethdod m.
complicity n rhan f.
compliment n canmoliaeth f. • v canmol, llongyfarch.
comply v ufuddhau, cydsynio.
component n cydran f.
compose v cyfansoddi.
composer n cyfansoddwr m, cyfansoddwraig f.
composition n cyfansoddiad; traethawd m.
composure n hunanfeddiant m.
compound adj cyfansawdd. • n cyfansoddyn m.
comprehend v amgyffred.
comprehensible adj dealladwy.
comprehension n dirnadaeth f.
comprehensive adj cynhwysfawr; cyfun.
compress v gwasgu.
comprise v cynnwys.
compromise n cyfaddawd m. • v cyfaddawdu.
compulsion n gorfodaeth f.
compulsory adj gorfodol.
computer n cyfrifiadur m.
computerise v cyfrifiaduro.
computer science n cyfrifiadureg f.
comrade n cydymaith, cymrawd m.
comradeship n brawdoliaeth f.
conceal v cuddio.
concealment n cuddio, celu vn.
concede v ildio.
conceit n hunan-dyb m/f, balchder m.
conceive v beichiogi; dychmygu.
concentrate v canolbwyntio.
concentration n crynodiad m.
concept n cysyniad m.
conception n syniad; beichiogiad m.
concern v ymwneud â. • n gofal; busnes m.
concerning prep ynglŷn â.

concert n cyngerdd m.
conciliate v cymodi.
conciliation n cymod m.
concise adj cryno.
conclude v casglu; terfynu.
conclusion n casgliad; diweddglo m.
conclusive adj terfynol.
concoct v llunio, dyfeisio.
concord n cytgord m.
concordance n cytgord; mynegai m.
concrete n concrit m.
concur v cyd-weld.
concurrence n cydsyniad m.
concurrent adj cyfredol.
concussion n ysgytwad m.
condemn v condemnio, collfarnu.
condemnation n condemniad m; collfarn f.
condensation n cyddwysedd m.
condense v cywasgu; cyddwyso.
condescend v ymostwng.
condescending adj nawddogol, nawddoglyd.
condition v cyflyru. • n cyflwr m; amod m/f.
conditional adj amodol.
condolence n cydymdeimlad m.
condom n condom m.
conduct n ymddygiad, ymarweddiad m. • v arwain.
cone n côn m.
confectionery n melysion; teisennau pl.
confer v ymgynghori; cyflwyno.
conference n cynhadledd f.
confess v cyffesu, cyfaddef.
confession n cyfaddefiad m, cyffes f.
confidant n cyfaill mynwesol m.
confide v ymddiried.
confidence n hyder m; ymddiriedaeth f.
confident adj hyderus.
confidential adj cyfrinachol.
confine v cyfyngu.
confinement n caethiwed m.

confirm *v* cadarnhau.

confirmation *n* cadarnhad *m*.

confiscate *v* cymryd oddi ar.

conflict *n* gwrthdrawiad *m*.

conflicting *adj* anghyson.

conform *v* cydymffurfio.

conformity *n* cydymffurfiad *m*.

confront *v* wynebu, bod wyneb yn wyneb.

confrontation *n* gwrthdaro *vn*.

confuse *v* cymysgu, drysu.

confusion *n* dryswch *m*, anhrefn *f*.

congeal *v* fferru, ceulo.

congenial *adj* cydnaws.

congenital *adj* cynhenid.

congestion *n* caethder *m*; tagfa *f*.

congratulate *v* llongyfarch.

congratulations *n* llongyfarchiadau *pl*.

congregate *v* casglu, ymgynnull.

congregation *n* cynulleidfa *f*.

congress *n* cyngres *f*, cynulliad *m*.

congruity *n* cyfaddasrwydd *m*.

congruous *adj* addas.

conifer *n* coniffer *m/f*.

conjecture *v* tybio, dyfalu.

conjugal *adj* priodasol.

conjunction *n* cysylltiad; cysylltair *m*.

conjuncture *n* achlysur *m*.

connect *v* cysylltu, cydio.

connection *n* cysylltiad *m*.

connoisseur *n* arbenigwr *m*, arbenigwraig *f*.

conquer *v* gorchfygu, goresgyn.

conqueror *n* gorchfygwr, goresgynnwr *m*.

conquest *n* goresgyniad, gorchfygiad *m*.

conscience *n* cydwybod *f*.

conscientious *adj* cydwybodol.

conscious *adj* ymwybodol.

consciousness *n* ymwybyddiaeth *f*.

consecrate *v* cysegru.

consecration *n* cysegriad *m*.

consecutive *adj* olynol.

consensus *n* consensws *m*.

consent *n* caniatâd *m*. • *v* caniatáu, cydsynio.

consequence *n* canlyniad *m*.

consequent *adj* canlynol, dilynol.

conservation *n* cadwraeth, gwarchodaeth *f*.

conservative *adj* ceidwadol.

conserve *v* cadw, gwarchod.

consider *v* ystyried.

considerable *adj* sylweddol.

considerate *adj* ystyriol, meddylgar.

consideration *n* ystyriaeth *f*.

consign *v* anfon.

consignment *n* cyflenwad *m*.

consist *v* cynnwys.

consistency *n* cysondeb; ansawdd *m*.

consistent *adj* cyson.

consolation *n* cysur *m*.

console *v* cysuro.

consolidate *v* atgyfnerthu.

consolidation *n* cadarnhad, cyfnerthiad *m*.

conspicuous *adj* amlwg.

conspiracy *n* cynllwyn *m*.

conspire *v* cynllwynio.

constancy *n* sadrwydd *m*.

constant *adj* cyson.

constellation *n* cytser *m*.

consternation *n* syndod *m*.

constipation *n* rhwymedd *m*.

constitute *v* gwneud, creu.

constitution *n* cyfansoddiad *m*.

constitutional *adj* cyfansoddiadol.

constrain *v* gorfodi; cyfyngu.

constraint *n* cyfyngiad *m*.

constrict *v* cywasgu.

construct *v* adeiladu, llunio.

construction *n* adeilad, lluniad *m*.

consult *v* ymgynghori.

consultation *n* ymgynghoriad *m*.

consume *v* llyncu, difa.

consumer *n* prynwr, defnyddiwr *m*; prynwraig, defnyddwraig *f*.

consummate *v* cyflawni. • *adj* cyflawn.

consumption n traul f; darfodedigaeth m.

contact n cysylltiad m.

contagious adj heintus.

contain v cynnwys.

container n cynhwysydd m.

contaminate v llygru, heintio.

contamination n llygredd m.

contemplate v ystyried.

contemplation n myfyrdod m.

contemporary adj cyfoes.

contempt n dirmyg m.

contemptible adj gwarthus, cywil-yddus.

contemptuous adj dirmygus.

contend v ymryson.

content adj bodlon. • n cynnwys m.

contention n cynnen f.

contentment n bodlonrwydd m.

contest v herio, ymryson. • n gornest f.

contestant n cystadleuydd m.

context n cyd-destun m.

continent n cyfandir m.

continental adj cyfandirol.

contingency n achlysur m.

contingent n mintai f.

continual adj parhaus.

continuation n parhad m.

continue v parhau.

continuous adj parhaol.

contort v ystumio.

contortion n dirdyniad m.

contour n cyfuchlinedd m.

contraception n atal cenhedlu vn.

contraceptive n dyfais atal cenhedlu f.

contract v cyfangu; cyfamodi. • n cy-famod m.

contradict v gwrth-ddweud.

contradiction n gwrthddywediad m.

contradictory adj yn gwrth-ddweud.

contraption n dyfais f.

contrary adj croes. • n gwrthwyneb m.

contrast n gwrthgyferbyniad m. • v cyferbynnu.

contravention n toriad m.

contribute v cyfrannu.

contribution n cyfraniad m.

contrite adj edifar.

contrivance n dichell f.

control n rheolaeth f. • v rheoli.

controversial adj dadleuol.

controversy n dadl f.

contusion n clais m.

conurbation n cytref f.

convalesce v cryfhau, gwella.

convalescent adj ymadfer.

convene v galw, cynnull.

convenience n cyfleustra m.

convenient adj cyfleus.

convention n confensiwn m; cynha-dledd f.

conventional adj confensiynol.

converge v cydgyfarfod.

convergence n cydgyfeiriant m.

convergent adj cydgyfeiriol.

conversant adj hyddysg, cyfarwydd.

conversation n sgwrs, ymgom f.

converse v sgwrsio; ymddiddan.

conversion n tröedigaeth f.

convert v troi.

convey v trosglwyddo, cludo.

conveyance n cludiad m.

convict n carcharor m. • v dyfarnu'n euog.

conviction n argyhoeddiad m; collfarn f.

convince v argyhoeddi.

convivial adj llawen, siriol.

conviviality n miri m.

convoke v cydgynnull.

convoy n gosgordd f.

convulse v dirdynnu.

convulsion n dirdyniad m.

convulsive adj dirdynnol.

cook n cogydd m, -es f. • v coginio.

cooker n popty m, ffwrn f.

cookery n coginio vn.

cool *adj* oeraidd. • *v* oeri.

coolness *n* oerni *m*.

co-operate *v* cydweithio.

co-operation *n* cydweithrediad *m*.

co-operative *adj* cydweithredol.

co-ordinate *v* cydlynu.

coordination *n* cytgordiad *m*.

cope *v* ymdopi.

copious *adj* helaeth.

copy *n* copi *m*. • *v* copïo, dynwared.

copyright *n* hawlfraint *f*.

coral *n* cwrel *m*.

cord *n* corden *f*.

cordial *adj* calonnog.

core *n* calon *f*, craidd *m*.

cork *n* corcyn *m*.

corkscrew *n* corcsgriw *m*.

corn *n* llafur, ŷd *m*.

corner *n* cornel *f*.

cornerstone *n* conglfaen *m*.

cornflakes *n* creision ŷd *pl*.

coronation *n* coroni *vn*.

coroner *n* crwner *m*.

corporate *adj* corfforaethol.

corporation *n* corfforaeth *f*.

corps *n* corfflu *m*.

corpse *n* corff *m*, celain *f*.

corpulent *adj* tew, llond ei groen.

correct *v* cywiro. • *adj* cywir.

correction *n* cywiriad *m*.

correctness *n* cywirdeb *m*.

correlation *n* cydberthynas *f*.

correspond *v* gohebu; cyfateb.

correspondence *n* cyfatebiaeth; gohebiaeth *f*.

correspondent *n* gohebydd *m*.

corridor *n* coridor *m*.

corroborate *v* cadarnhau, ategu.

corrode *v* cyrydu.

corrosion *n* cyrydiad *m*; traul *f*.

corrosive *adj* difaol.

corrupt *v* llygru. • *adj* llwgr, llygredig.

corruption *n* llygredd *m*.

cosmetic *adj* cosmetig.

cosmic *adj* cosmig.

cosmopolitan *adj* aml-hiliol.

cost *n* cost *f*. • *v* costio.

costly *adj* drud, drudfawr.

costume *n* gwisg *f*.

cottage *n* bwthyn *m*.

cotton *n* cotwm *m*.

cotton wool *n* gwlân cotwm *m*.

couch *n* soffa *f*.

cough *n* peswch *m*. • *v* peswch.

council *n* cyngor *m*.

counsel *n* cyngor *m*.

counsellor *n* cynghorydd *m*.

count *v* cyfrif. • *n* iarll *m*.

countenance *n* wynepryd *m*.

counter *n* cownter *m*.

counteract *v* gwrthweithio.

counterbalance *v* gwrthbwyso.

counterfeit *v* ffugio. • *adj* ffug.

counterpart *n* un sy'n cyfateb *m/f*.

countersign *v* cydlofnodi.

countrified *adj* gwladaidd.

country *n* gwlad *f*. • *adj* gwledig.

countryman *n* gwladwr, gwerinwr *m*.

county *n* sir, swydd *f*.

couple *n* cwpl *m*, deuddyn *f*. • *v* cyplysu, uno.

coupon *n* cwpon, tocyn *m*.

courage *n* dewrder, gwrhydri *m*.

courageous *adj* dewr, gwrol.

courier *n* negesydd; arweinydd *m*.

course *n* cwrs *m*; hynt *f*.

court *n* llys *m*. • *v* canlyn, caru.

courteous *adj* cwrtais, boneddigaidd.

courtesy *n* cwrteisi, boneddigeiddrwydd *m*.

courthouse *n* llys *m*.

courtroom *n* cwrt *m*.

cousin *n* cefnder *m*, cyfnither *f*.

cover *n* clawr, gorchudd *m*. • *v* gorchuddio.

covert *adj* cudd, dirgel.

cover-up *v* cuddio.

covet *v* chwennych, chwenychu.

cow *n* buwch *f*.

coward *n* llwfrgi *m*.

cowardice *n* llwfrdra *m*.
cowboy *n* cowboi *m*.
coy *adj* swil.
coyness *n* swildod *m*.
crab *n* cranc *m*.
crack *n* crac *m*, hollt *f*. • *v* cracio, hollti.
crackle *v* clecian.
cradle *n* crud *m*.
craft *n* crefft *f*.
craftsman *n* crefftwr *m*.
crafty *adj* cyfrwys.
cram *v* stwffio, gwthio.
cramp *n* cwlwm gwythi *m*. • *v* llesteirio.
crane *n* garan *f/m*; craen *m*.
crash *v* gwrthdaro. • *n* gwrthdrawiad, twrw *m*.
crate *n* crât, cawell *m*.
crater *n* crater, ceudwll *m*.
crawl *v* cropian.
crayon *n* creon *m*.
craze *n* chwilen, ffasiwn *f*.
craziness *n* gwallgofrwydd, ffolineb *m*.
crazy *adj* gwallgof, hurt.
creak *v* gwichian.
cream *n* hufen *m*.
crease *n* plygiad, crych *m*.
create *v* creu.
creation *n* cread *m*, creadigaeth *f*.
creature *n* creadur *m*.
credence *n* cred, coel *f*.
credibility *n* hygrededd *m*.
credible *adj* credadwy.
credit *n* coel *f*; clod *m/f*.
credit card *n* cerdyn credyd *m*.
creditable *adj* canmoladwy.
creditor *n* credydwr *m*.
creep *v* cropian, sleifio.
cremate *v* llosgi.
cremation *n* amlosgiad *m*.
crematorium *n* amlosgfa *f*.
cress *n* berwr *pl*.
crest *n* crib *m*; arfbais *f*.
crevice *n* agen, hollt *f*.

crew *n* criw *m*.
crib *n* preseb *m*.
crime *n* trosedd *m*.
criminal *adj* troseddol. • *n* troseddwr *m*, troseddwraig *f*.
cripple *n* crupl, efrydd *m*.
crisis *n* argyfwng *m*.
criterion *n* maen prawf *m*.
critic *n* beirniad *m*.
critical *adj* beirniadol.
criticise *v* beirniadu.
criticism *n* beirniadaeth *f*.
croak *v* crawcian.
crockery *n* llestri *pl*.
crocodile *n* crocodeil *m*.
crocus *n* saffrwm *m*.
crook *n* ffon fugail *f*.
crop *n* cnwd *m*.
cross *n* croes *f*. • *v* croesi. • *adj* croes, blin.
crossing *n* croesfan *f/m*.
cross-reference *n* croesgyfeiriad *m*.
crossroad *n* croesffordd *f*.
crouch *v* cyrcydu, cwtsio.
crow *n* brân *f*.
crowd *n* torf, tyrfa *f*.
crown *n* coron *f*. • *v* coroni.
crucial *adj* hanfodol.
crucifix *n* croes *f*.
crude *adj* amrwd.
cruel *adj* creulon, brwnt.
cruelty *n* creulondeb *m*.
crumb *n* briwsionyn *m*.
crumble *v* briwo, briwsioni.
crunch *v* crensian.
crush *v* gwasgu, mathru.
crust *n* crwstyn *m*; cramen *f*.
crutch *n* ffon fagl *f*.
crux *n* craidd *m*.
cry *v* llefain. • *n* cri, llef *f*.
crystal *n* grisial *m*.
crystalline *adj* grisialaidd.
crystallise *v* crisialu.
cube *n* ciwb *m*.
cuddle *v* cofleidio, anwesu.

cuff n torch llawes f.
culinary adj coginiol.
culminate v cyrraedd ei anterth.
culpable adj ar fai.
culprit n troseddwr m, troseddwraig f.
cult n cwlt m.
cultivate v meithrin, trin.
cultivation n trin tir vn.
culture n diwylliant m.
cumbersome adj trwsgl, afrosgo.
cumulative adj cynyddol.
cunning adj cyfrwys.
cup n cwpan m/f.
cupboard n cwpwrdd m.
curb n atalfa f. • v ffrwyno.
cure n iachâd m. • v gwella; halltu.
curiosity n chwilfrydedd m.
curious adj chwilfrydig.
curl n modrwy f. • v modrwyo, cyrlio.
curly adj cyrliog, modrwyog.
currency n arian treigl/breiniol m.
current adj cyfredol. • n cerrynt m.
current affairs n materion/pynciau'r dydd pl.

curriculum n cwricwlwm, maes llafur.
curse v melltithio.
curt adj cwta, swta.
curtain n llen f.
curve v gwyro, troi. • n tro m.
cushion n clustog f.
custodian n ceidwad m.
custom n arfer m/f.
customary adj arferol.
customer n cwsmer m.
customs n tollau pl.
customs officer n swyddog y tollau m.
cut v torri. • n toriad m.
cutlery n cyllyll a ffyrc pl.
cutting n toriad m.
cycle n cylch; beic m. • v seiclo.
cycling n beicio vn.
cyclist n beiciwr m, beicwraig f.
cygnet n cyw alarch m.
cylinder n silindr m/f.
cynic n sinig m.
cynical adj sinigaidd.
cynism n siniciaeth f.

D

dad(dy) n dad, dat, dada m.
daily adj beunyddiol, dyddiol.
daintiness n lledneisrwydd m.
dainty adj llednais, del.
dairy n llaethdy m.
dam n argae m, cronfa f. • v cronni.
damage n difrod, niwed m. • v niweidio.
damnation n damnedigaeth f.
damp adj llaith.
dampen v gwlychu.
dance n dawns f. • v dawnsio.
dancer n dawnsiwr m, dawnswraig f.
danger n perygl m.
dangerous adj peryglus.
dangle v hongian.
dare v meiddio, mentro.

daring adj beiddgar.
dark adj tywyll. • n tywyllwch m.
darken v tywyllu.
darkness n tywyllwch m.
darling adj annwyl. • n cariad m.
dart n dart m.
dash v rhuthro.
data n data pl.
data processing n prosesu data vn.
date n dyddiad m.
dated adj wedi dyddio; dyddiedig.
daughter n merch f; ~ in-law merchyng-nghyfraith f.
dawn n gwawr f. • v gwawrio.
day n dydd, diwrnod m.
daylight n golau dydd m.
dazed adj syfrdan.

dazzle *v* dallu.
dead *adj* marw.
deaden *v* lladd.
deadline *n* dyddiad cau *m*.
deadly *adj* marwol, angheuol.
deaf *adj* byddar.
deafen *v* byddaru.
deafening *adj* byddarol.
deafness *n* byddardod *m*.
deal *n* bargen *f*. • *v* rhannu.
dealer *n* masnachwr *m*.
dear *adj* annwyl; drud.
dearness *n* anwyldeb *m*.
death *n* marwolaeth *f*.
death certificate *n* tystysgrif marwolaeth *f*.
death penalty *n* y gosb eithaf *f*.
debar *v* atal.
debase *v* diraddio, darostwng.
debasement *n* darostyngiad *m*.
debatable *adj* dadleuol.
debate *n* dadl *f*. • *v* dadlau.
debilitate *v* gwanhau, gwanio.
debit *n* debyd *m*.
debt *n* dyled *f*.
debtor *n* dyledwr *m*.
decade *n* degawd *m*.
decadence *n* dirywiad *m*, dirywiaeth *f*.
decaffeinated *adj* digaffein.
decay *v* dadfeilio. • *n* dirywiad *m*.
deceased *adj* ymadawedig, diweddar.
deceit *n* twyll *m*.
deceive *v* twyllo.
December *n* Rhagfyr *m*.
decency *n* gwedduster *m*.
decent *adj* gweddus, gweddaidd.
decide *v* penderfynu.
decimate *v* difrodi; degymu.
decipher *v* datrys.
decision *n* penderfyniad *m*.
decisive *adj* penderfynol.
deck *n* bwrdd *m*. • *v* addurno.
declaration *n* datganiad *m*.

declare *v* datgan.
decode *v* datrys, datgodio.
decorate *v* addurno.
decoration *n* addurn, addurniad *m*.
decorative *adj* addurniadol.
decoy *n* abwyd, llith *m*.
decrease *v* lleihau.
decree *n* gorchymyn *m*. • *v* gorchymyn.
decrepit *adj* musgrell.
dedicate *v* cysegru.
dedication *n* cysegriad; cyflwyniad; ymroddiad *m*.
deduce *v* casglu.
deduct *v* tynnu allan.
deed *n* gweithred *f*.
deep *adj* dwfn.
deepen *v* dyfnhau, dwysáu.
deepness *n* dyfnder *m*.
default *n* diffyg *m*.
defeat *n* gorchfygiad *m*. • *v* gorchfygu.
defect *n* nam, diffyg *m*.
defective *adj* diffygiol.
defence *n* amddiffyniad *m*.
defend *v* amddiffyn.
defendant *n* diffynnydd *m*.
defensive *adj* amddiffynnol.
defer *v* gohirio.
deference *n* parch *m*.
defiance *n* herio *vn*.
deficiency *n* diffyg *m*.
deficient *adj* diffygiol, yn eisiau.
define *v* diffinio.
definite *adj* pendant.
definition *n* diffiniad *m*.
definitive *adj* terfynol, diffiniol.
deflect *v* gwyro.
deform *v* anffurfio.
deformity *n* anffurfiad, hagrwch *m*.
defraud *v* twyllo.
deft *adj* deheuig.
degenerate *v* dirywio, dadfeilio. • *adj* dirywiedig.
degeneration *n* dirywiad *m*.

degradation *n* diraddiad *m*.

degrade *v* diraddio.

degree *n* gradd *f*.

dejected *adj* digalon.

dejection *n* digalondid *m*.

delay *v* oedi. • *n* oediad *m*.

delegate *v* dirprwyo. • *n* cynrychiol-ydd *m*.

delegation *n* dirprwyaeth *f*.

delete *v* dileu.

deliberate *v* ystyried. • *adj* pwyllog; bwriadol.

deliberation *n* ystyriaeth *f*.

delicacy *n* danteithfwyd; meinder *m*.

delicate *adj* cywrain, tyner.

delicious *adj* amheuthun.

delight *n* hyfrydwch *m*. • *v* swyno.

delighted *adj* wrth eich bodd.

delightful *adj* hyfryd.

delinquency *n* tramgwydd *m*.

delinquent *n* troseddwr *m*.

delirious *adj* gorffwyll.

deliver *v* dosbarthu, traddodi.

delivery *n* trosglwyddo; traddodi *vn*.

delude *v* twyllo.

delusion *n* twyll, camargraff *m*.

demand *n* galw *m*. • *v* galw ar, hawlio.

demean *v* ymddwyn.

demeanour *n* ymarweddiad *m*.

democracy *n* democratiaeth *f*.

democratic *adj* democrataidd.

demolish *v* dymchwel, dymchwelyd.

demolition *n* dymchweliad *m*.

demonstrate *v* arddangos.

demonstration *n* arddangosiad; gwrthdystiad *m*.

demonstrator *n* arddangoswr; gwrth-dystiwr *m*, gwrthdystwraig *f*.

demoralise *v* digalonni, gwangalonni.

den *n* ffau, gwâl *f*.

denial *n* gwrthodiad, gwadiad *m*.

denims *n* dillad denim *pl*.

denomination *n* enwad *m*.

denote *v* dynodi.

denounce *v* lladd ar.

dense *adj* dwys, tew.

dentist *n* deintydd *m*, deintyddes *f*.

dentistry *n* deintyddiaeth *f*.

dentures *n* dannnedd gosod/dodi *m*.

denunciation *n* condemniad *m*.

deny *v* gwadu.

deodorant *n* diaroglydd *m*.

depart *v* ymadael.

department *n* adran *f*.

departure *n* ymadawiad *m*.

depend *v* dibynnu.

dependable *adj* dibynadwy, sad.

dependant *n* dibynnydd *m*.

dependent *adj* dibynnol.

depict *v* darlunio.

deplorable *adj* alaethus.

deplore *v* gresynu wrth.

depopulated *adj* wedi('i) d(d)iboblo-gi.

deport *v* alltudio.

deportation *n* caethglud, alltudiaeth *f*.

deportment *n* ymddygiad, ymarw-eddiad *m*.

deposit *v* dyddodi; gosod. • *n* adnau *m*.

deposition *n* diorseddiad, diswyddiad *m*.

depot *n* gorsaf, storfa *f*.

depreciate *v* dibrisio.

depreciation *n* dibrisiad *m*.

depress *v* gwasgu, dirwasgu.

depression *n* gostyngiad, diwasgedd *m*.

deprivation *n* amddifadiad; diffyg *m*.

deprive *v* amddifadu.

depth *n* dyfnder *m*.

deputation *n* dirprwyaeth *f*.

depute/deputise *v* dirprwyo.

deputy *n* dirprwy *m*.

deranged *adj* wedi drysu, gorffwyll.

derelict *adj* wedi'i esgeuluso.

deride *v* gwatwar, gwawdio.

derision *n* gwawd, dirmyg *m*.

derivative *adj* yn dynwared.

derive *v* deillio.

descend *v* disgyn.

descendant *n* disgynnydd *m*.

descent n disgyniad m.

describe v disgrifio.

description n disgrifiad m.

descriptive adj disgrifiadol.

desert[1] n anialwch, diffeithwch m. • adj anial, diffaith.

desert[2] v cefnu ar.

desertion n gwrthgiliad m.

deserve v haeddu, teilyngu.

design v cynllunio, dylunio.

designate v enwebu. • adj darpar.

desirable adj dymunol, dewisol.

desire n awydd m. • v dymuno.

desist v ymatal rhag.

desk n desg f.

desolate adj unig, anghyfannedd.

despair n anobaith m. • v anobeithio.

desperate adj enbyd; byrbwyll.

desperation n enbydrwydd, gwylltineb m.

despicable adj ffiaidd.

despise v dirmygu.

despite prep er gwaethaf.

despondency n digalondid m.

despondent adj digalon.

dessert n pwdin m.

destination n pen y daith m.

destine v arfaethu.

destiny n tynged, ffawd f.

destitute adj amddifad, ar y clwt.

destitution n tlodi, cyni m.

destroy v dinistrio, difa.

destruction n dinistr, distryw m.

detach v datod, gwahanu, datgysylltu.

detachable adj datodadwy.

detail n manylyn m. • v manylu.

detain v cadw.

detect v canfod, synhwyro.

detection n darganfyddiad m.

detective n detectif m.

detention n carchariad, ataliad m.

deteriorate v dirywio, gwaethygu.

deterioration n dirywiad m.

determination n penderfyniad m.

determine v penderfynu, pennu.

detest v casáu, ffieiddio.

detestable adj ffiaidd.

detour n dargyfeiriad m.

detriment n anfantais f.

devaluation n gostyngiad mewn gwerth m.

devastate v difrodi, anrheithio.

devastation n difrod, distryw m.

develop v datblygu.

development n cynnydd m.

deviate v gwyro, cyfeiliorni.

deviation n gwyriad m.

device n dyfais f.

devil n diafol m.

devise v dyfeisio.

devoid adj amddifad. • prep heb.

devote v cysegru, ymroi.

devoted adj ffyddlon.

devotion n ymroddiad m.

devour v traflyncu.

dew n gwlith m.

dexterity n deheurwydd m.

diagnosis n barn feddygol f.

diagram n diagram, darlun m.

dialect n tafodiaith f.

dialogue n ymddiddan m.

diamond n diemwnt m.

diary n dyddiadur m.

dictate v arddweud.

dictator n unben m, unbennes f.

dictionary n geiriadur m.

die v marw.

diet n diet m. • v colli pwysau.

differ v gwahaniaethu.

difference n gwahaniaeth m.

different adj gwahanol.

differentiate v gwahaniaethu.

difficult adj anodd.

difficulty n anhawster m.

dig v palu, cloddio.

digest v treulio.

digestion n traul f.

digestive adj treuliadol.

digit n bys, digid m.

digital adj digidol.

dignified *adj* urddasol.

dignity *n* urddas *f*.

digression *n* crwydrad *m*.

dilemma *n* penbleth *f/m*, cyfyng-gy-ngor *m*.

diligence *n* diwydrwydd, dycnwch *m*.

diligent *adj* diwyd, dygn.

dilute *v* glastwreiddio.

dim *adj* gwan, pŵl.

dimension *n* maintioli, dimensiwn *m*.

diminish *v* lleihau, gostwng.

diminutive *adj* bychan.

din *n* mwstwr *m*.

dine *v* ciniawa.

dinner *n* cinio *m*.

dip *v* trochi, dipio.

diploma *n* tystysgrif *f*, diploma *m/f*.

diplomat *n* diplomat *m*.

diplomatic *adj* diplomataidd, diplo-myddol.

dire *adj* enbyd, dybryd.

direct *adj* uniongyrchol. • *v* cyfeirio.

direction *n* cyfarwyddyd; cyfeiriad *m*.

director *n* cyfarwyddwr *m*, cyfarwy-ddwraig *f*.

directory *n* cyfeirlyfr, cyfarwyddia-dur *m*.

dirt *n* baw, budreddi *m*.

dirty *adj* brwnt.

disability *n* anabledd *m*.

disabled *adj* anabl.

disadvantage *n* anfantais *f*. • *v* rhoi dan anfantais.

disagree *v* anghytuno, anghydweld.

disagreeable *adj* annymunol, annifyr.

disagreement *n* anghydfod, anghy-tundeb *m*.

disallow *v* gwrthod.

disappear *v* diflannu.

disappearance *n* diflaniad *m*.

disappoint *v* siomi.

disappointment *n* siom *f/m*.

disapproval *n* anghymeradwyaeth *f*.

disapprove *v* anghymeradwyo.

disarm *v* diarfogi.

disaster *n* trychineb *m/f*.

disastrous *adj* trychinebus.

disbelief *n* anghrediniaeth *f*.

discard *v* taflu, diosg.

discern *v* canfod, dirnad.

discerning *adj* craff.

disciple *n* disgybl *m*.

discipline *n* disgyblaeth *f*. • *v* disgyblu.

disclose *v* dadlennu, datgelu.

disclosure *n* dadleniad, datguddiad *m*.

disco *n* disgo *m*.

discomfort *n* anesmwythder, anes-mwythyd *m*.

disconnect *v* datgysylltu.

disconsolate *adj* digysur.

discontent *n* anfodlonrwydd, anniddi-grwydd *m*.

discontented *adj* anniddig, anfodlon.

discontinue *v* rhoi terfyn ar.

discord *n* anghytgord *m*.

discount *n* gostyngiad, disgownt *m*.

discourage *v* anghymeradwyo; digal-onni.

discouragement *n* digalondid *m*; ang-hymeradwyaeth *f*.

discourse *n* ymddiddan *m*; trafodaeth *f*.

discourteous *adj* anghwrtais.

discover *v* darganfod.

discovery *n* darganfyddiad *m*.

discredit *v* difrïo, tanseilio.

discreet *adj* cynnil, pwyllog.

discrepancy *n* anghysondeb *m*.

discretion *n* barn *f*, synnwyr *m*.

discretionary *adj* diamod, dewisol.

discriminate *v* gwahaniaethu.

discrimination *n* anffafriaeth *f*; ffafri-aeth *f*; chwaeth *f*.

discuss *v* trafod.

discussion *n* trafodaeth *f*.

disdain *v* dirmygu. • *n* dirmyg *m*.

disdainful *adj* dirmygus.

disease *n* clefyd *m*.

disembark *v* glanio.

disenchant *v* dadrithio.

disenchanted *adj* dadrithiedig.
disengage *v* rhyddhau, datgysylltu.
disfigure *v* anharddu, hagru.
disgrace *n* anfri, gwarth *m*. • *v* dwyn anfri ar.
disgraceful *adj* gwarthus.
disguise *v* cuddio. • *n* cuddwisg *f*.
disgust *n* ffieidd-dod, diflastod *m*. • *v* diflasu.
dish *n* dysgl *f*.
dishearten *v* digalonni.
dishonest *adj* anonest.
dishonesty *n* anonestrwydd *m*.
disillusion *v* dadrithio.
disillusioned *adj* dadrithiedig, siomedig.
disinfect *v* diheintio.
disinfectant *n* diheintydd *m*.
disinherit *v* diarddel.
disintegrate *v* chwalu.
disinterested *adj* difater; diduedd.
disk *n* disg *m*.
dislike *n* atgasedd *m*. • *v* casáu.
dislocate *v* datgymalu.
dislocation *n* datgymaliad *m*.
dislodge *v* symud, rhyddhau.
disloyal *adj* annheyrngar.
dismantle *v* dinoethi, datgymalu.
dismay *n* siom *m/f*, gofid *m*.
dismiss *v* diswyddo; wfftio.
dismissal *n* diswyddiad *m*.
disobedience *n* anufudd-dod *m*.
disobedient *adj* anufudd.
disobey *v* anufuddhau.
disorder *n* anhrefn *f*.
disorderly *adj* anhrefnus, afreolus.
disown *v* gwadu.
disparage *v* dibrisio, bychanu.
disparity *n* anghyfartaledd, gwahaniaeth *m*.
dispatch *v* anfon.
dispel *v* chwalu.
dispensary *n* fferyllfa *f*.
dispense *v* dosbarthu, gweinyddu.
disperse *v* chwalu, gwasgaru.

displace *v* disodli.
display *v* arddangos. • *n* arddangosfa *f*.
displease *v* digio.
displeased *adj* anfoddlon.
displeasure *n* anfodlonrwydd *m*.
dispose *v* cael gwared.
disposition *n* anian *m/f*.
disprove *v* gwrthbrofi.
dispute *n* cynnen, dadl *f*. • *v* dadlau.
disqualify *v* gwahardd, diarddel.
dissatisfaction *n* anfodlonrwydd *m*.
dissatisfied *adj* anfodlon.
disseminate *v* lledaenu.
dissension *n* anghytundeb, anghydfod *m*.
dissent *n* Anghydffurfiaeth, Ymneilltuaeth *f*.
dissertation *n* traethawd *m*.
dissident *n* gwrthwynebydd, anghydffurfiwr *m*.
dissimilar *adj* annhebyg.
dissimilarity *n* annhebygrwydd *m*.
dissipate *v* gwasgaru, chwalu.
dissipation *n* gwasgariad *m*; afradlonedd *m*.
dissolution *n* diddymiad *m*.
dissolve *v* toddi.
dissonance *n* anghytseinedd *m*.
dissuade *v* cymell, darbwyllo.
distance *n* pellter *m*.
distant *adj* pell.
distaste *n* diflastod *m*.
distasteful *adj* annymunol, di-chwaeth.
distil *v* distyllu.
distinct *adj* eglur.
distinction *n* gwahaniaeth; anrhydedd *m*.
distinctive *adj* nodweddiadol.
distinguish *v* gwahaniaethu.
distort *v* ystumio, llurgunio.
distortion *n* gwyrdroad, llurguniad *m*.
distract *v* tynnu sylw.
distracted *adj* synfyfyriol, dryslyd.
distress *n* gofid *m*.
distribute *v* dosbarthu, rhannu.

distribution *n* dosraniad *m*.
district *n* ardal *f*.
disturb *v* tarfu, aflonyddu ar.
disturbance *n* cynnwrf *m*.
disturbed *adj* afreolaidd.
disturbing *adj* yn peri pryder.
disuse *n* diffyg defnydd *m*.
disused *adj* heb ei (d)defnyddio.
ditch *n* ffos *f*.
dive *v* plymio.
diver *n* deifiwr, trochiwr *m*.
diverge *v* ymwahanu.
divergent *adj* gwahanol, ymwahanol.
diverse *adj* gwahanol.
diversion *n* dargyfeiriad *m*.
diversity *n* amrywiaeth *f*.
divert *v* dargyfeirio.
divide *v* rhannu.
divine *adj* dwyfol.
divinity *n* duwdod *m*.
divisible *adj* rhanadwy.
division *n* rhaniad *m*.
divorce *n* ysgariad *m*. • *v* ysgaru.
divorced *adj* ysgar.
divulge *v* datgelu, dadlennu.
dizziness *n* pendro *f*.
dizzy *adj* penysgafn, penfeddw.
do *v* gwneud (*see* Appendix).
docile *adj* dof.
dock *n* doc *m*.
do-it-yourself *n* o'th waith dy hun,
  ymdopi *vn*.
doctor *n* meddyg, doethur *m*, doctores
  f.
doctrine *n* athrawiaeth, dysgeidiaeth *f*.
document *n* dogfen *f*.
documentary *adj* dogfennol.
dodge *v* ochrgamu.
dog *n* ci *m*.
dogmatic *adj* dogmataidd.
doll *n* dol, doli *f*.
dolphin *n* morhwch *m/f*.
dome *n* cromen *f*.
domestic *adj* teuluol, teuluaidd.
domesticate *v* hyweddu, cartrefoli.

domesticity *n* bywyd cartref *m*.
domicile *n* cartref *m*.
dominate *v* tra-arglwyddiaethu.
domination *n* tra-arglwyddiaeth *f*.
donate *v* rhoi, rhoddi.
donation *n* rhodd *f*.
donkey *n* asyn, mul *m*.
donor *n* rhoddwr *m*, rhoddwraig *f*.
door *n* drws *m*.
doorway *n* drws, porth *m*.
dormant *adj* ynghwsg.
dormitory *n* ystafell gysgu *f*.
dosage *n* dogn *m*.
dose *n* dogn *m*. • *v* dogni.
dossier *n* ffeil *f*.
dot *n* dot, dotyn *m*.
double *v* dyblu.
double room *n* ystafell ddwbl *f*.
double-dealing *n* chwarae'r ffon
  ddwybig *vn*.
doubt *n* amheuaeth *f*. • *v* amau.
doubtful *adj* amheus.
doughnut *n* toesen *f*.
douse *v* trochi, diffodd.
dove *n* colomen *f*.
down *n* manblu *pl*. • *prep* i lawr, i
  waered.
downfall *n* cwymp *m*.
downhearted *adj* digalon.
downhill *adv* goriwaered.
downstairs *adv* lawr llawr.
dowry *n* gwaddol *m*.
doze *v* hepian, pendwmpian.
dozen *n* dwsin *m*.
drab *adj* di-liw.
drag *v* llusgo.
drain *v* draenio, traenio. • *n* ffos *f*.
drama *n* drama *f*.
dramatic *adj* dramataidd, dramatig.
dramatist *n* dramodydd *m*.
draught *n* drafft *m*.
draw *v* tynnu.
drawback *n* anfantais *f*.
drawer *n* drâr, drôr *m/f*.
drawing *n* llun, lluniad *m*.

drawing room *n* parlwr *m*.

dread *n* arswyd *m*. • *v* arswydo, dychryn.

dreadful *adj* arswydus, erchyll.

dream *n* breuddwyd *m/f*. • *v* breuddwydio.

dreary *adj* diflas.

dress *v* gwisgo. • *n* gwisg, ffrog *f*.

dressy *adj* trwsiadus.

drift *v* drifftio; lluwchio.

drill *n* dril *m*. • *v* tyllu.

drink *v* yfed. • *n* diod *f*.

drinker *n* yfwr, llymeitiwr *m*.

drip *v* diferu. • *n* diferyn *m*.

drive *v* gyrru.

driver *n* gyrrwr *m*, gyrwraig *f*.

driving licence *n* trwydded yrru *f*.

drizzle *v* glaw mân *f*.

drop *n* dafn *m*. • *v* cwympo, gollwng.

drought *n* sychder, sychdwr *m*.

drown *v* boddi.

drowsiness *n* syrthni *m*.

drug *n* cyffur *m*. • *v* drygio.

drum *n* drwm *m*.

drunk *adj* meddw.

drunkard *n* meddwyn *m*.

drunkenness *n* medd-dod *m*.

dry *adj* sych. • *v* sychu.

dryness *n* sychder, crasder *m*.

dual *adj* deuol.

dub *v* urddo; trosleisio.

due *adj* dyladwy.

duel *n* gornest, cyfranc *f*.

dull *adj* twp; afloyw, pŵl.

dumb *adj* mud.

dump *n* tomen *f*.

duplicate *v* dyblygu.

duplicity *n* dichell *f*.

durability *n* gwydnwch, gwytnwch *m*.

durable *adj* gwydn, parhaol.

duration *n* parhad *m*.

during *prep* yn ystod, trwy gydol.

dusk *n* cyfnos, gwyll *m*.

dust *n* llwch *m*. • *v* tynnu llwch.

dutiful *adj* ufudd.

duty *n* dyletswydd *f*.

dwarf *n* corrach *m*, coraches *f*.

dwell *v* preswylio, trigo.

dwelling *n* anheddle *m*, preswylfa *f*.

dye *v* llifo, lliwio. • *n* llifyn, lliwur *m*.

dying *adj* yn marw, bron â marw.

dynamic *adj* deinamig, egnïol.

dynasty *n* llinach *f*.

E

each *pron* pob.

eager *adj* awyddus.

eagerness *n* awydd, awch *m*.

eagle *n* eryr *m*.

ear *n* clust *f*.

early *adj* cynnar.

earn *v* ennill.

earnest *adj* o ddifrif, taer.

earth *n* daear *f*.

earthquake *n* daeargryn *m/f*.

ease *v* lleddfu, esmwytho.

easiness *n* rhwyddineb *m*.

east *n* dwyrain *m*.

Easter *n* y Pasg *m*.

eastern *adj* dwyreiniol.

easy *adj* rhwydd, hawdd; esmwyth.

eat *v* bwyta.

ebb *v* treio.

eccentric *adj* ecsentrig, od.

eccentricity *n* hynodrwydd, odrwydd *m*.

echo *n* adlais *m*, atsain *f*.

eclipse *n* diffyg, eclips *m*.

ecology *n* ecoleg *f*.

economic *adj* economaidd.

economise *v* cynilo.

economist *n* economydd, economegydd *m*.

economy *n* economi *m/f.*

ecstasy *n* perlewyg *m.*

ecstatic *adj* llesmeiriol.

edge *n* min, awch *m.*

edible *adj* bwytadwy.

edifice *n* adeiladwaith *m.*

edit *v* golygu.

edition *n* argraffiad *m.*

editor *n* golygydd *m.*

educate *v* addysgu.

education *n* addysg *f.*

efface *v* dileu.

effect *n* effaith *f.*

effective *adj* effeithiol.

effectiveness *n* effeithiolrwydd *m.*

effectual *adj* mewn grym.

effeminate *adj* merchetaidd.

effervescence *n* bwrlwm *m.*

efficiency *n* effeithlonrwydd *m.*

efficient *adj* effeithlon.

effort *n* ymdrech *m/f.*

egg *n* wy *m.*

ego *n* yr hunan, ego *m.*

ego(t)istical *adj* myfiol.

eight *num* wyth.

eighteen *num* deunaw.

eighteenth *adj* deunawfed.

eighth *adj* wythfed.

eightieth *adj* pedwar ugeinfed.

eighty *num* pedwar ugain, wyth deg.

either *conj* naill ai, un ai. • *adv* ychwaith.

eject *v* bwrw/taflu allan, diarddel.

ejection *n* diarddeliad, tafliad allan *m.*

elaborate *v* manylu, ymhelaethu. • *adj* cymhleth.

elapse *v* mynd heibio.

elastic *adj* ystwyth, hydwyth.

elbow *n* penelin *m/f.*

elder *adj* hŷn.

eldest *adj* hynaf.

elect *v* ethol.

election *n* etholiad *m.*

electoral *adj* etholiadol.

electorate *n* etholaeth *f*; pleidleiswyr *pl.*

electric(al) *adj* trydanol.

electrician *n* trydanwr *m.*

electricity *n* trydan *m.*

electrify *v* trydanu, gwefreiddio.

electronic *adj* electronig, electro-naidd.

elegance *n* ceinder, syberwyd.

elegant *adj* cain, syber.

element *n* elfen *f.*

elementary *adj* elfennol.

elephant *n* eliffant *m.*

elevate *v* dyrchafu.

elevation *n* dyrchafiad *m.*

eleven *num* un ar ddeg.

eleventh *adj* unfed ar ddeg.

eligibility *n* cymhwyster *m.*

eligible *adj* cymwys.

eliminate *v* dileu.

elocution *n* siarad cyhoeddus *vn*, are-ithyddiaeth *f.*

eloquence *n* huodledd *m.*

eloquent *adj* huawdl.

else *adv* arall, amgen.

elsewhere *adv* rhywle arall.

elude *v* osgoi.

emaciated *adj* llwglyd, esgyrnog.

emancipate *v* rhyddfreinio.

emancipation *n* rhyddfreiniad *m.*

embargo *n* embargo, gwaharddiad *m.*

embark *v* cychwyn, dechrau.

embarkation *n* esgyniad, dechreuad *m.*

embarrass *v* codi cywilydd, gwneud yn swil.

embarrassment *n* cywilydd *m.*

embassy *n* llysgenhadaeth *f.*

emblem *n* arwyddlun *m.*

embody *v* ymgorffori.

embrace *v* cofleidio, anwesu.

embryo *n* rhith, embryo *m.*

emerald *n* emrallt *m.*

emerge *v* ymddangos.

emergency *n* argyfwng *m.*

emergency exit *n* allanfa frys *f.*

emigrate *v* ymfudo.

emigration *n* ymfudiad *m.*

emission *n* lledaenu, gollwng *vn*.
emit *v* gollwng.
emotion *n* teimlad, emosiwn *m*.
emotional *adj* dan deimlad, emosiynol.
emphasise *v* pwysleisio.
emphatic *adj* pendant.
empire *n* ymerodraeth *f*.
employ *v* cyflogi.
employee *n* gweithiwr *m*, gweith-wraig *f*.
employer *n* cyflogwr, cyflogydd *m*.
employment *n* cyflogaeth *f*.
emptiness *n* gwacter *m*.
empty *adj* gwag. • *v* gwagio.
emulate *v* efelychu.
enable *v* galluogi.
enamour *v* ennyn serch, swyno.
encamp *v* gwersyllu.
encampment *n* gwersyll *m*.
encase *v* cau mewn.
enchant *v* cyfareddu, hudo.
enchantment *n* hudoliaeth *f*.
encircle *v* amgylchynu.
enclose *v* amgáu.
enclosure *n* cae, lloc *m*.
encompass *v* cwmpasu, rhychwantu.
encounter *n* cyfarfod *m*. • *v* cyfarfod.
encourage *v* cefnogi, cymell.
encouragement *n* cefnogaeth *f*.
encyclopedia *n* gwyddoniadur *m*.
end *n* diwedd, terfyn *m*. • *v* diweddu, terfynu.
endanger *v* peryglu.
endeavour *v* ymdrechu. • *n* ymgais, ymdrech *m/f*.
endorse *v* ardystio; cymeradwyo.
endorsement *n* arnodiad *m*; cefnoga-eth *f*.
endurable *adj* goddefadwy.
endurance *n* dycnwch, dygnwch *m*.
endure *v* dioddef, parhau.
enemy *n* gelyn *m*.
energetic *adj* egnïol, llawn egni.
energy *n* egni, ynni *m*.
enfold *v* lapio.

enforce *v* gorfodi.
engage *v* cyflogi, cysylltu.
engaged *adj* wedi dyweddïo.
engagement *n* dyweddïad *m*.
engender *v* peri, ennyn.
engine *n* peiriant *m*, injan *f*.
engineer *n* peiriannydd *m*.
engineering *n* peirianneg *f*.
enigma *n* dirgelwch *m*, enigma *f*.
enjoy *v* mwynhau, cael blas.
enjoyable *adj* dymunol, hyfryd.
enjoyment *n* mwynhad *m*.
enlarge *v* mwyhau, ehangu, chwyddo.
enlargement *n* mwyhad, estyniad *m*.
enlist *v* listio, ymrestru.
enliven *v* bywhau, bywiogi.
enmity *n* gelyniaeth *f*.
enormous *adj* anferth, enfawr.
enough *adv*, *n* digon *m*.
enrage *v* cynddeiriogi.
enrich *v* cyfoethogi.
enrol *v* cofrestru.
ensue *v* dilyn.
ensure *v* sicrhau.
entail *v* golygu.
enter *v* mynd/dod i mewn.
enterprise *n* menter *f*.
enterprising *adj* mentrus.
entertain *v* difyrru, diddanu.
entertaining *adj* difyr.
enthusiasm *n* brwdfrydedd *m*.
enthusiast *n* rhywun brwdfrydig *m*.
enthusiastic *adj* brwd, brwdfrydig.
entire *adj* cyfan, holl.
entitle *v* bod â hawl.
entity *n* endid *m*.
entrance *n* mynediad *m*; mynedfa *f*.
entrant *n* ymgeisydd, newyddian *m*.
entreat *v* ymbil, erfyn.
entrust *v* ymddiried.
entry *n* mynediad *m*.
enumerate *v* rhifo, cyfrif.
envelop *v* amgáu, gorchuddio.
envelope *n* amlen *f*.
envious *adj* eiddigeddus, cenfigennus.

environment *n* amgylchedd, amgylchfyd *m*.

environmental *adj* amgylcheddol.

envisage *v* gweld, dychmygu.

envy *n* cenfigen *f*, eiddigedd *m*. • *v* cenfigennu, eiddigeddu.

epidemic *n* haint *m/f*.

episode *n* pennod *f*.

epitomise *v* crynhoi, ymgorffori.

equable *adj* gwastad, cyfartal.

equal *adj* cydradd, cyfartal, hafal.

equalise *v* cydraddoli, dod yn gyfartal.

equality *n* cydraddoldeb, cyfartalwch *m*.

equanimity *n* pwyll, tawelwch meddwl *m*.

equate *v* hafalu, cymharu; cyfateb.

equator *n* cyhydedd *m*.

equilibrium *n* cydbwysedd *m*.

equip *v* cyfarparu.

equipment *n* cyfarpar *m*.

equivalent *adj* cyfwerth.

equivocal *adj* amwys, amhendant.

equivocate *v* anwadalu, bod yn amwys.

era *n* cyfnod *m*.

eradicate *v* cael gwared â.

eradication *n* dilead, difodiant *m*.

erase *v* dileu.

eraser *n* dilëwr.

erect *v* codi. • *adj* talsyth, union.

erode *v* erydu.

erotic *adj* erotig.

err *v* cyfeiliorni.

errand *n* neges *f*.

erratic *adj* afreolaidd, eratig.

erroneous *adj* anghywir.

error *n* gwall, camgymeriad *m*.

erudite *adj* dysgedig.

eruption *n* echdoriad, tarddiant *m*.

escalate *v* dwysáu, cynyddu.

escape *v* dianc. • *n* dihangfa *f*.

escort *n* gosgordd *f*. • *v* hebrwng.

especial *adj* arbennig.

essay *n* traethawd *m*.

essence *n* hanfod, craidd *m*.

essential *adj* hanfodol.

establish *v* sefydlu.

establishment *n* sefydliad *m*.

estate *n* stad, ystâd *f*.

esteem *v* edmygu, parchu. • *n* parch *m*.

esthetic *adj* esthetaidd, esthetig.

estimate *v* amcangyfrif.

estimation *n* barn *f*, tyb *m/f*.

estuary *n* aber *m/f*, moryd *f*.

eternal *adj* tragwyddol.

eternity *n* tragwyddoldeb *m*.

ethical *adj* moesol, ethegol.

ethics *n* moeseg *f*.

ethnic *adj* ethnig.

etiquette *n* cwrteisi *m*, safon ymddygiad *f*.

evacuate *v* gwacáu, gwagio.

evacuation *n* gwacâd *m*.

evade *v* osgoi.

evaluate *v* pwyso a mesur, gwerthuso.

evangelical *adj* efengylaidd.

evaporate *v* anweddu.

evaporation *n* anweddiad *m*.

evasion *n* gocheliad *m*.

evasive *adj* gochelgar.

eve *n* noswyl *f*.

even *adj* llyfn. • *adv* hyd yn oed.

evening *n* noswaith *f*, min nos *m*.

evenness *n* gwastadrwydd *m*.

event *n* digwyddiad *m*.

eventually *adv* ymhen hir a hwyr.

eventuality *n* digwyddiad posibl, posibilrwydd *m*.

ever *adv* byth, erioed.

everlasting *adj* bythol, tragwyddol.

every *adj* pob.

evict *v* troi allan.

evidence *n* tystiolaeth *f*.

evident *adj* amlwg.

evil *adj* drwg. • *n* drwg *m*.

evocative *adj* atgofus.

evoke *v* galw, dwyn (atgofion).

evolution *n* esblygiad *m*.

evolve *v* esblygu.

exacerbate *v* gwneud yn waeth, ffyr-nigo.

exact *adj* manwl gywir. • *v* hawlio.

exacting *adj* llym, gormesol.

exactness *n* manwl gywirdeb *m*.

exaggerate *v* gor-ddweud.

exalt *v* gorfoleddu.

examination *n* arholiad, archwiliad *m*.

examine *v* archwilio, arholi.

example *n* enghraifft *f*.

exasperate *v* gwaethygu; cynddeirio-gi.

exasperation *n* gwylltineb *m*.

excavate *v* cloddio, tyllu.

excavation *n* cloddfa *f*.

exceed *v* bod/mynd yn fwy na.

excel *v* rhagori.

excellence *n* rhagoriaeth *f*; godidow-grwydd *m*.

excellent *adj* rhagorol, godidog.

except *prep* ac eithrio, heblaw.

exception *n* eithriad *m*.

exceptional *adj* eithriadol.

excess *n* gormodedd *m*.

excessive *adj* gormodol, eithafol.

exchange *v* cyfnewid. • *n* cyfnewidfa *f*.

exchange rate *n* cyfradd gyfnewid *f*.

excise *n* toll *f*.

excitable *adj* gwyllt.

excite *v* cynhyrfu.

excited *adj* cynhyrfus, llawn cynnwrf.

excitement *n* cyffro, cynnwrf *m*.

exciting *adj* cyffrous, cynhyrfus.

exclaim *v* ebychu.

exclamation *n* ebychiad *m*.

exclude *v* eithrio.

exclusion *n* gwaharddiad *m*.

exclusive *adj* cyfyngedig.

excommunicate *v* ysgymuno.

exculpate *v* esgusodi.

excursion *n* gwibdaith *f*.

excusable *adj* esgusadwy.

excuse *v* esgusodi. • *n* esgus *m*.

execute *v* dienyddio; cyflawni.

execution *n* dienyddiad; gweithrediad *m*.

executive *adj* gweithredol. • *n* gwei-thredwr *m*.

exemplary *adj* canmoladwy, penig-amp.

exemplify *v* bod yn enghraifft.

exempt *adj* rhydd, wedi'ch esgusodi.

exemption *n* rhyddhau, esgusodi *vn*.

exercise *n* arfer, ymarfer *m/f*. • *v* arfer, ymarfer.

exert *v* gweithredu, ymdrechu.

exertion *n* ymdrech *f*.

exhale *v* anadlu allan, gollwng.

exhaust *v* dihysbyddu, disbyddu.

exhausted *adj* lluddedig.

exhaustion *n* lludded *m*.

exhaustive *adj* trwyadl, trylwyr.

exhibit *v* arddangos.

exhibition *n* arddangosfa *f*.

exhilarating *adj* bywiocaol.

exhilaration *n* gorfoledd *m*, hoen *m/f*.

exhume *v* datgladdu.

exile *n* alltudiaeth *f*; alltud *m/f*. • *v* all-tudio.

exist *v* bodoli.

existence *n* bodolaeth *f*.

existent *adj* sydd ohoni.

exit *n* allanfa *f*. • *v* ymadael.

exonerate *v* esgusodi.

exoneration *n* rhyddhad *m*.

exorbitant *adj* afresymol, gormodol.

exotic *adj* dieithr, lliwgar.

expand *v* ehangu, helaethu.

expanse *n* ehangder *m*.

expansion *n* ehangiad, twf *m*.

expect *v* disgwyl.

expectation *n* disgwyliad *m*.

expediency *n* hwylustod *m*.

expedient *adj* cyfleus.

expedite *v* hwyluso, prysuro.

expedition *n* ymgyrch *m/f*.

expel *v* diarddel.

expend *v* gwario, treulio.

expense *n* traul, cost *f*.
expensive *adj* drud, costus.
experience *n* profiad *m*. • *v* profi.
experienced *adj* profiadol.
experiment *n* arbrawf *m*. • *v* arbrofi.
experimental *adj* arbrofol.
expert *adj* arbenigol; medrus. • *n* arbenigwr *m*, arbenigwraig *f*.
expertise *n* gwybodaeth arbenigol; dawn arbennig *f*.
explain *v* egluro, esbonio.
explanation *n* eglurhad, esboniad *m*.
explanatory *adj* esboniadol.
explicit *adj* croyw, diamwys.
explode *v* ffrwydro.
exploit *v* defnyddio; camddefnyddio. • *n* camp, gorchest *f*.
exploration *n* archwiliad, ymchwiliad *m*.
explore *v* archwilio, fforio.
explorer *n* fforiwr *m*.
explosion *n* ffrwydrad *m*, tanchwa *f*.
explosive *adj* ffrwydrol, tanbaid.
export *v* allforio.
exportation *n* allforio *vn*.
exporter *n* allforiwr *m*.
expose *v* dinoethi, datguddio.
exposition *n* eglurhad, dehongliad *m*.
exposure *n* datguddiad, dinoethiad *m*.
expound *v* traethu.
express *v* mynegi. • *adj* unswydd. • *n* trên cyflym *m*.
expression *n* mynegiant *m*.
expressive *adj* llawn mynegiant, mynegiannol.
expropriate *v* difeddiannu.
expulsion *n* diarddel *vn*.

exquisite *adj* cain, cyfewin.
extemporise *v* siarad/chwarae yn ddi-fyfyr.
extend *v* estyn, ehangu, ymestyn.
extension *n* estyniad *m*.
extensive *adj* eang, helaeth.
extent *n* hyd a lled; graddau *pl*.
extenuate *v* lleddfu, lleihau.
exterior *adj* allanol.
exterminate *v* difodi, difa.
external *adj* allanol.
extinct *adj* wedi darfod.
extinction *n* diwedd, tranc *m*.
extinguish *v* diffodd.
extinguisher *n* diffoddydd *m*.
extort *v* cribddeilio.
extortion *n* cribddeiliaeth *f*.
extra *adj* ychwanegol.
extract *v* echdynnu, tynnu.
extraction *n* tyniad *m*; hil *f* (family).
extraneous *adj* allanol, estron.
extraordinary *adj* anarferol, arbennig.
extravagance *n* gormodedd, rhysedd *m*.
extravagant *adj* afradlon.
extreme *adj* eithaf, pellaf.
extremist *n* eithafwr *m*, eithafwraig *f*.
extricate *v* rhyddhau, datod.
extrovert *adj* allblyg.
exuberance *n* afiaith *m*, hwyl *f*.
exuberant *adj* afieithus.
eye *n* llygad *m*. • *v* llygadu.
eyebrow *n* ael *f*.
eyelash *n* blewyn (amrant) *m*.
eyelid *n* amrant, clawr llygad *m*.
eyesight *n* golwg *m*.

F

fabric *n* defnydd *m*.
fabricate *v* llunio, ffugio.
fabrication *n* ffugiad, anwiredd *m*.
fabulous *adj* chwedlonol; aruthrol.

face *n* wyneb *m*. • *v* wynebu.
facet *n* ochr, agwedd *f*.
facile *adj* arwynebol.
facilitate *v* hyrwyddo.

facility n rhwyddineb, cyfleuster m.

facing adv yn wynebu, gyferbyn â.

fact n ffaith f.

factory n ffatri f.

factual adj ffeithiol.

faculty n cynneddf; cyfadran f.

fail v methu.

failure n methiant m.

faint v llewygu. • n llewyg m. • adj gwan, aneglur.

fair adj teg, golau. • n ffair f.

fair play n chwarae teg.

fairness n tegwch m.

faith n ffydd f.

faithful adj ffyddlon.

fake adj ffug. • v ffugio.

fall v cwympo, syrthio. • n cwymp m.

fallacy n cam-dyb m/f.

fallibility n ffaeledigrwydd m.

fallible adj ffaeledig.

false adj ffug.

false alarm n braw di-sail m.

falsify v ffugio.

falter v petruso, pallu.

fame n enwogrwydd m.

familiar adj cyfarwydd, cynefin.

familiarise v cynefino.

familiarity n cynefindra m, adnabyddiaeth fanwl f.

family n teulu m.

famine n newyn m.

famous adj enwog.

fan n edmygydd m; gwyntyll m. • v gwyntyllu, megino.

fancy n dychymyg m. • v ffansïo.

fantastic adj ffantastig, anhygoel.

fantasy n dychymyg, ffantasi m/f.

far adv ymhell. • adj pell.

fare n pris, tâl m.

farewell n ffarwél m/f.

farm n fferm f. • v ffermio.

farmer n ffermwr, ffermwraig f.

farming n amaethyddiaeth f, amaeth m.

fascinate v hudo, swyno.

fascination n cyfaredd f.

fashion n ffasiwn m/f.

fashionable adj ffasiynol.

fast v ymprydio. • n ympryd m. • adj cyflym.

fast food n bwyd parod m.

fasten v sicrhau, clymu.

fat adj tew, bras. • n saim, braster m.

fatal adj angheuol, marwol.

fatality n marwolaeth f.

fate n ffawd, tynged f.

father n tad m.

fatherhood n tadolaeth f.

fatigue n blinder, lludded m. • v blino, lluddedu.

fatuous adj gwirion, ffôl.

fault n bai, nam m.

faulty adj diffygiol, a nam arno.

favour n cymwynas f. • v ffafrio.

favourable adj ffafriol.

favourite n ffefryn m. • adj hoff.

fax n ffacs m/f. • v ffacsio.

fear v ofni. • n ofn m.

fearful adj ofnus.

fearless adj di-ofn.

feasibility n dichonoldeb f.

feasible adj posibl, dichonadwy.

feast n gwledd; gŵyl f.

feat n camp, gorchest f.

feather n pluen f.

feature n nodwedd f. • v dangos, amlygu.

February n Chwefror m.

fed-up adj: **to be ~** syrffedu.

fee n ffi f, tâl m.

feeble adj gwan, eiddil.

feebleness n eiddilwch, gwendid m.

feed v bwydo.

feel v teimlo, clywed.

feeling n teimlad m.

feign v ffugio, esgus.

fellow n cymrawd m.

female n benyw f.

feminine adj benywaidd.

feminist n ffeminydd m.

fence n ffens f.

ferment *n* eples *m.* • *v* eplesu, gweithio.

ferocious *adj* ffyrnig.

ferocity *n* ffyrnigrwydd *m.*

ferry *n* fferi *f.*

fertile *adj* ffrwythlon, toreithiog.

fertility *n* ffrwythlondeb *m.*

fervent *adj* brwd, brwdfrydig.

fervour *n* brwdfrydedd *m*, sêl *f.*

festival *n* gŵyl *f.*

festive *adj* llawen, llawn hwyl.

fetch *v* ymofyn.

fetching *adj* deniadol.

feud *n* cynnen *f*, ymrafael *m.*

fever *n* twymyn *f.*

feverish *adj* a gwres arno.

few *adj* ychydig, ambell.

fibre *n* ffibr *m.*

fickle *adj* anwadal, oriog.

fiction *n* ffuglen *f.*

fictional *adj* mewn ffuglen.

fictitious *adj* dychmygol.

fidelity *n* ffyddlondeb *m.*

fidget *v* gwingo, bigitan.

fidgety *adj* aflonydd.

field *n* cae, maes *m.*

fiend *n* cythraul *m*, cythreules *f.*

fiendish *adj* cythreulig.

fierce *adj* ffyrnig, milain.

fierceness *n* ffyrnigrwydd *m.*

fifteen *num* pymtheg.

fifteenth *adj* pymthegfed.

fifth *adj* pumed.

fiftieth *adj* hanner canfed.

fifty *num* hanner cant, pum deg.

fight *v* ymladd, brwydro.

fighter *n* ymladdwr *m*, ymladdwraig *f.*

figure *n* ffurf *f*, ffigur *m.*

file *n* ffeil; rhathell *f.* • *v* ffeilio, llyfnhau.

fill *v* llanw, llenwi.

film *n* haen; ffilm *f.* • *v* ffilmio.

filter *n* hidlen *f.* • *v* hidlo.

filth *n* budreddi, mochyndra *m.*

filthy *adj* mochynnaidd.

fin *n* asgell *f.*

final *adj* olaf, terfynol.

finalise *v* cwblhau.

finance *n* cyllid *m.*

financial *adj* ariannol, cyllidol.

financier *n* cyllidwr *m*, cyllidwraig *f.*

find *v* darganfod. • *n* darganfyddiad *m.*

findings *n* casgliadau *pl.*

fine *adj* cain; mân. • *n* dirwy *f.*

finesse *n* cynildeb *m.*

finger *n* bys *m.* • *v* byseddu.

fingernail *n* ewin *m/f.*

finish *v* gorffen, cwblhau.

fir (tree) *n* ffynidwydden *f.*

fire *n* tân *m.* • *v* tanio.

fire engine *n* injan dân *f.*

fire extinguisher *n* diffoddydd tân *m.*

fire station *n* gorsaf dân *f.*

firearm *n* dryll *m.*

fireman *n* dyn tân *m.*

fireplace *n* lle tân *m.*

fireproof *adj* gwrthdan.

firework *n* tân gwyllt *m.*

firm *adj* cadarn, ffyrf. • *n* cwmni *m.*

firmness *n* cadernid *m.*

first *adj* cyntaf.

first aid *n* cymorth cyntaf *m.*

first name *n* enw cyntaf *m.*

first-class *adj* rhagorol, di-ail.

first-hand *adj* uniongyrchol.

first-rate *adj* o'r radd flaenaf.

fish *n* pysgodyn *m.* • *v* pysgota.

fisherman *n* pysgotwr *m.*

fisherwoman *n* pysgotwraig *f.*

fishing *n* pysgota *vn.*

fissure *n* hollt, agen *f.*

fist *n* dwrn *m.*

fit *n* ffit *f.* • *adj* ffit, heini. • *v* ffitio, gweddu.

fitness *n* ffitrwydd; addasrwydd *m.*

fitting *adj* addas, gweddus.

five *num* pump.

fix *v* sicrhau, gosod.

fixation *n* obsesiwn *m.*

fixed *adj* sefydlog.

fizz(le) *v* hisian.

fizzy *adj* byrlymog.

flabby *adj* llipa.

flag *n* baner *f.*

flagrant *adj* amlwg, eglur.

flair *n* dawn *f.*

flake *n* cen *pl*; pluen *f.* • *v* caenu; pluo.

flamboyant *adj* tanbaid, lliwgar.

flame *n* fflam *f.*

flammable *adj* hylosg.

flank *n* ystlys *f.*

flap *n* llabed *f.*

flare *v* ffaglu, fflachio. • *n* fflach *f.*

flash *n* fflach *f.* • *v* fflachio.

flask *n* fflasg *f.*

flat *adj* fflat, gwastad.

flatten *v* gwastatu.

flatter *v* gwenieithio.

flattery *n* sebon *m*, gweniaith *f.*

flaunt *v* gwneud yn fawr.

flavour *n* blas, sawr *m.* • *v* blasu.

flaw *n* nam *m*, mefl *f.*

fleck *n* smotyn, brychni *m.*

flee *v* dianc, ffoi.

fleece *n* cnu *m.*

fleet *n* llynges *f.* • *adj* chwim.

fleeting *adj* brysiog, diflanedig.

flesh *n* cnawd *m.*

flex *n* fflecs *m.* • *v* ystwytho.

flexibility *n* hyblygrwydd *m.*

flexible *adj* hyblyg, ystwyth.

flicker *v* neidio.

flight *n* ehediad, hediad *m.*

flimsy *adj* tila, bregus.

flinch *v* cilio, syflyd.

fling *v* taflu, lluchio.

flippant *adj* gwamal, ysgafala.

flipper *n* asgell *f.*

flirt *v* fflyrtian. • *n* merchetwr *m*, hoeden *f.*

flirtation *n* cyboli *vn.*

float *v* nofio, arnofio.

flock *n* praidd *m*, diadell *f.*

flood *n* llif, dilyw *m.* • *v* boddi.

floodlight *n* llifolau *m.*

floor *n* llawr *m.* • *v* llorio.

flop *n* methiant *m.*

floppy *adj* llipa. • ~ **disc** *n* disg hyblyg *m/f.*

flora *n* planhigion *pl.*

floral *adj* blodeuog.

florid *adj* blodeuog, gwritgoch.

florist *n* gwerthwr blodau *m*; siop flodau *f.*

flounder *v* ymdrybaeddu.

flour *n* blawd, fflŵr *m.*

flourish *v* ffynnu.

flourishing *adj* llewyrchus, ffyniannus.

flout *v* wfftio.

flow *v* llifo, ffrydio. • *n* llif; llanw *m.*

flower *n* blodyn, blodeuyn *m.* • *v* blodeuo.

flowery *adj* blodeuog.

fluctuate *v* amrywio.

fluctuation *n* amrywiad *m.*

fluency *n* llithrigrwydd *m.*

fluent *adj* rhugl, rhwydd.

fluff *n* blew, blewach *pl.*

fluid *n* hylif *m.*

fluke *n* lwc mwnci, lwc mul, ffliwcen *f.*

flurry *n* cwthwm, hwrdd *m.*

flush *v* gwrido; tynnu dŵr. • *n* gwrid *m.*

flushed *adj* gwridog.

fluster *v* drysu, hurtio.

flute *n* ffliwt, chwibanogl *f.*

flutter *v* ysgwyd, crynu.

fly *v* hedfan, ehedeg. • *n* cleren *f*, pryf *m.*

flyer *n* hedfanwr *m*, hedfanwraig *f.*

flying *n* hedfan *vn.*

foam *n* ewyn *m.* • *v* ewynnu.

foaming *adj* ewynnog.

focus *n* man canol, ffocws *m.*

foe *n* gelyn *m.*

fog *n* niwl *m.*

foggy *adj* niwlog.

fold *n* plyg, plygiad *m.* • *v* plygu.

folder *n* plygydd *m.*

foliage n dail, deiliach pl.
folio n ffolio m.
folk n pobl, gwerin f.
folklore n llên gwerin f.
follow v dilyn, canlyn.
follower n dilynwr, dilynydd m.
folly n ffolineb m.
fond adj hoff.
fondle v anwylo, anwesu.
fondness n hoffter m.
food n bwyd m.
food processor n prosesydd bwyd m.
foodstuffs n bwydydd pl.
fool n ffŵl, hurtyn m. • v twyllo.
foolhardy adj byrbwyll, rhyfygus.
foolish adj ffôl, gwirion.
foolproof adj di-feth.
foot n troed f.
football n pêl-droed f.
footballer n pêl-droediwr m.
footbridge n pompren f.
footnote n troednodyn m.
footpath n llwybr troed m.
footprint n ôl troed m.
footstep n cam m.
for prep am, ar gyfer. • conj gan, can-ys.
foray n cyrch, ymosodiad m.
forbid v gwahardd.
forbidding adj anghynnes, di-serch.
force n grym m. • v gorfodi.
forceful adj grymus, egnïol.
forceps n gefel (fain) f.
forcible adj trwy rym.
forearm n elin f.
foreboding n argoel f.
forecast v darogan. • n rhagolygon pl.
forefinger n bys blaen m.
foregone adj rhagweladwy, anochel.
foreground n tu blaen, blaendir m.
forehead n talcen m.
foreign adj estron.
foreigner n estron, tramorwr m.
foreman n fforman m.
foremost adj cyntaf, blaenaf.

forensic adj fforensig.
forerunner n rhagflaenydd m.
foresee v rhag-weld.
foresight n rhagwelediad m.
forest n coedwig, fforest f.
foretaste n rhagflas m.
foretell v darogan, proffwydo.
forever adv am byth.
forewarn v rhybuddio o flaen llaw.
foreword n rhagair m.
forfeit v fforffedu.
forge n gefail f. • v ffugio.
forger n ffugiwr m.
forgery n ffugiad m.
forget v anghofio.
forgetful adj anghofus.
forgive v maddau.
forgiveness n maddeuant m.
fork n fforc, fforch f. • v fforchio.
forked adj fforchog.
form n ffurf; ffurflen f. • v ffurfio.
formal adj ffurfiol.
formality n ffurfioldeb m.
format n diwyg m. • v fformatio.
formation n trefniant m.
formative adj ffurfiannol.
former adj blaenorol, cyn-.
formula n fformwla f.
forsake v gadael, cefnu ar.
fort n caer f.
forthcoming adj ar ddod, ar gyrraedd.
forthwith adv ar unwaith.
fortieth adj deugeinfed.
fortification n atgyfnerthiad m.
fortify v cryfhau, atgyfnerthu.
fortnight n pythefnos m/f.
fortuitous adj trwy hap a damwain.
fortunate adj ffodus.
fortune n ffawd f; golud m.
forty num deugain.
forward adj blaen; digywilydd. • n blaenwr m.
fossil n ffosil m.
foster v magu.
foster child n plentyn maeth m.

foster mother n mamfaeth f.

foul adj aflan. • v baeddu, difwyno.

found v sefydlu, sylfaenu.

foundation n sylfaen m.

foundry n ffowndri f.

fountain n ffynnon f.

four num pedwar m, pedair f.

fourfold adj yn bedwar cymaint.

fourteen num pedwar ar ddeg m, pedair ar ddeg f.

fourteenth adj pedwerydd m/pedwaredd f ar ddeg.

fourth adj pedwerydd m, pedwaredd f.

fowl n ffowlyn m, dofednod pl.

fox n cadno, llwynog m.

foyer n cyntedd m.

fracas n helynt f.

fraction n ffracsiwn m.

fracture n toriad m. • v torri.

fragile adj brau.

fragility n breuder, eiddilwch m.

fragment n darn, dryll m.

fragmentary adj darniog, drylliedig.

fragrance n peraroglau, persawr m.

fragrant adj persawrus.

frail adj brau, musgrell.

frailty n eiddilwch, llesgedd m.

frame n ffrâm f, fframwaith m. • v fframio.

franchise n rhyddfraint; masnachfraint f.

frank adj plaen, agored.

frankness n didwylledd m.

frantic adj gwyllt, gorffwyll.

fraternal adj brawdol.

fraternise v cyfeillachu.

fratricide n brawdladdiad m.

fraud n twyll m.

fraudulent adj twyllodrus.

free adj rhydd; rhad ac am ddim. • v rhyddhau.

freedom n rhyddid m.

freelance adj ar ei liwt ei hun.

freely adv yn rhydd.

freewheel v hwylio mynd.

free will n gwirfodd m.

freeze v rhewi.

freezer n rhewgell f.

freezing adj rhewllyd, iasoer.

freighter n llong gludo f.

French fries n sglodion tatws pl.

frenzied adj gorffwyll.

frenzy n gorffwylltra, gwylltineb m.

frequency n amlder, amledd m.

frequent adj aml, mynych. • v mynychu.

fresco n ffresgo m.

fresh adj newydd, croyw, iach.

freshly adv o'r newydd.

freshness n ffresni m.

freshwater adj dŵr croyw.

fret v poeni, pryderu.

friction n drwgdeimlad; ffrithiant m.

Friday n Gwener m: **Good ~** Gwener y Groglith.

friend n cyfaill m, cyfeilles f.

friendliness n cyfeillgarwch m.

friendly adj cyfeillgar.

friendship n cyfeillgarwch m.

fright n ofn m.

frighten v codi ofn, dychryn.

frightened adj ofnus, wedi cael ofn.

frightful adj dychrynllyd.

frigid adj rhewllyd, oeraidd.

fringe n rhidens pl, cwr m.

frivolity n gwagedd, lol m.

frivolous adj gwamal, penchwiban.

frock n ffrog f.

frog n broga, llyffant (melyn) m.

frolic v prancio.

from prep o, oddi wrth.

front n blaen m. • adj ffrynt.

front door n drws ffrynt m.

frontier n ffin f, goror m/f.

front-wheel drive n blaenyriant m.

frost n rhew, barrug, llwydrew m.

frostbite n ewinrhew m.

frosty adj rhewllyd, barugog.

froth n ewyn m. • v ewynnnu.

frothy adj ewynnog.

frown v gwgu.

frozen adj wedi rhewi.

frugal adj cynnil, darbodus.

fruit n ffrwyth m.

fruiterer n gwerthwr ffrwythau m.

fruitful adj ffrwythlon.

fruition n dwyn ffrwyth vn.

fruitless adj diffrwyth.

frustrate v rhwystro.

frustrated adj rhwystredig.

frustration n rhwystredigaeth f.

fry v ffrio.

frying pan n padell ffrio f.

fudge n cyffug m.

fuel n tanwydd m.

fugitive n ffoadur m.

fulfil v cyflawni.

fulfilment n cwblhau vn.

full adj llawn, cyflawn.

full moon n lleuad lawn f.

fullness n llawnder m.

full-time adj llawn amser.

fully adv yn llawn, yn hollol.

fumble v ymbalfalu, dal yn lletchwith.

fume v berwi; mygu.

fumigate v mygdarthu.

fun n hwyl f, sbort m/f.

function n swyddogaeth f; ffwythiant m.

functional adj gweithrediadol.

fund n stôr, cronfa f. • v ariannu.

fundamental adj sylfaenol.

funeral n angladd, cynhebrwng m.

funnel n twmffat, twndis m.

funny adj doniol, digrif.

fur n ffwr m.

furious adj cynddeiriog, candryll.

furnace n ffwrnais, ffwrn f.

furnish v dodrefnu; rhoi.

furniture n dodrefn, celfi pl.

furrow n cwys f. • v aredig, torri cwys.

furry adj blewog.

further adj pellach. • adv ymhellach.
• v hyrwyddo.

further education n addysg bellach f.

furthermore adv ar ben hynny.

furtive adj lladradaidd, llechwraidd.

fury n ffyrnigrwydd m, cynddaredd f.

fuse v ffiwsio; ymdoddi. • n ffiws f.

fuse box n blwch ffiwsiau m.

fusion n ymasiad m.

fuss n ffwdan f. • ffysan, ffwdanu.

fussy adj ffwdanus, trafferthus.

futile adj ofer, seithug.

futility n seithugrwydd m.

future n dyfodol m.

fuzzy adj crychiog; aneglur.

G

gabble v clebran, rwdlian.

gadget n dyfais f, teclyn m.

gaiety n sirioldeb, llonder m.

gain n ennill, cynnydd m. • v ennill, elwa.

gait n cerddediad, osgo m.

galaxy n galaeth f.

gale n tymestl f.

gallant adj dewr, gwrol.

gallery n oriel f.

gallop n carlam m. • v carlamu.

galore adv digonedd, llond gwlad.

galvanise v galfaneiddio.

gamble v gamblo, hapchwarae. • n menter f.

gambler n gamblwr n.

gambling n hapchwarae, gamblo vn.

game n gêm f, chwarae m.

gang n haid f, criw m.

gangway n eil, tramwyfa f.

gap n bwlch m, adwy f.

garage n garej f, modurdy m.

garbage n sbwriel m.

garbage can n bin sbwriel m.

garden n gardd f.

gardener n garddwr m, garddwraig f.

gardening n garddio vn.
garlic n garlleg m.
garment n dilledyn, pilyn m.
garnish v addurno, garnisio.
garret n croglofft f.
garrulous adj siaradus, tafodrydd.
garter n gardas flm.
gas n nwy m.
gas cylinder n potel nwy f.
gaseous adj nwyol.
gash n archoll f. • v torri.
gasp v ebychu.
gassy adj nwyol.
gastronomic adj gastronomegol.
gate n clwyd f.
gather v crynhoi, ymgynnull.
gaudy adj gorliwgar.
gauge n medrydd, mesurydd m. • v mesur.
gaunt adj esgyrnog, main.
gay adj siriol; hoyw.
gaze v syllu. • n trem f.
gear n gêr m/f.
gearbox n gerbocs m.
gem n tlws m, gem m/f.
gender n cenedl; rhyw f.
gene n genyn m.
genealogical adj achyddol.
genealogy n achyddiaeth f.
general adj cyffredinol. • n cadfridog m.
generalisation n cyffredinoliad m.
generalise v cyffredinoli.
generation n cenhedlaeth f; cynhyrchiad m.
generator n generadur, cynhyrchydd m.
generosity n haelioni, haelfrydedd m.
generous adj hael.
genial adj hynaws, siriol.
genitals n organau cenhedlu pl.
genius n athrylith flm..
gentle adj addfwyn, tirion.
gentleman n bonheddwr, gŵr bonheddig m.

gentleness n addfwynder m.
genuine adj dilys.
genus n math m, rhywogaeth f.
geographer n daearyddwr m, daearyddwraig f.
geography n daearyddiaeth f.
geologist n daearegydd m.
geology n daeareg f.
geometry n geometreg f.
germinate v egino.
gesticulate v gwneud ystumiau.
gesture n arwydd, ystum m.
get v cael, ymofyn.
geyser n ffynnon boeth, geiser f.
ghost n ysbryd m.
giant n cawr m, cawres f.
gibe v gwawdio, gwatwar. • n gwawd m.
giddiness n pendro f.
giddy adj chwil, penfeddw.
gift n anrheg, rhodd f.
gifted adj dawnus, galluog.
gigantic adj cawraidd.
gild v euro, goreuro.
gill n tagell f.
ginger n sinsir m. • adj coch.
ginger-haired person n cochyn m, cochen f.
girl n merch f.
girlfriend n cariad m.
gist n swm a sylwedd m.
give v rhoi.
gizzard n glasog f.
glacial adj rhewlifol.
glacier n rhewlif m, afon iâ f.
glad adj balch, llawen.
gladden v bodloni, sirioli.
glamorous adj hudolus, swynol.
glamour n swyngyfaredd, hudoliaeth f.
glance v bwrw cipolwg.
glare n disgleirdeb m. • v rhythu'n ddig.
glass n gwydr; gwydryn m.
glasses n sbectol f.

glaze *v* sgleinio; gosod gwydr mewn.

gleam *n* llygedyn, pelydryn *m*.

glee *n* afiaith *m*, hoen *f*.

glide *v* llithro.

glimmer *n* llygedyn *m*.

glimpse *n* cip *m*, cipolwg *m/f*. • *v* cael cipolwg.

glint *v* pefrio.

glitter *v* disgleirio, pelydru.

global *adj* byd-eang.

globe *n* cylch *m*, glob *f*, y byd *m*.

gloom *n* tywyllwch, gwyll *m*.

gloomy *adj* tywyll.

glorious *adj* gogoneddus, godidog.

glory *n* gogoniant *m*.

glove *n* maneg *f*.

glow *v* tywynnu, cochi. • *n* gwrid *m*, gwawr *f*.

glue *n* glud *m*. • *v* gludio, gludo.

glum *adj* digalon, prudd.

glutton *n* bolgi *m*.

gnome *n* dynan, pwca *m*.

go *v* mynd (*see* Appendix).

goal *n* gôl *f*.

goat *n* gafr *f*.

gobble *v* llowcio.

God *n* Duw *m*.

godfather *n* tad bedydd *m*.

godlike *adj* fel duw.

godmother *n* mam fedydd *f*.

gold *n* aur *m*.

golden *adj* aur, euraid.

goldsmith *n* eurych, gof aur *m*.

golf *n* golff *m*.

golfer *n* golffiwr *m*, golffwraig *f*.

gong *n* gong *f*.

good *adj* da.

goodbye *excl* da bo, hwyl.

good-looking *adj* golygus.

goodness *n* daioni *m*.

goodwill *n* ewyllys da *m*.

goose *n* gŵydd *f*.

gorge *n* ceunant *m*. • *v* bwyta llond bol.

gorgeous *adj* gwych, pert ofnadwy.

gory *adj* gwaedlyd.

gossip *n* hen geg *f*; clecs *pl*. • *v* hel clecs, cloncian.

govern *v* llywodraethu.

government *n* llywodraeth *f*.

governor *n* llywodraethwr *m*, llywodraethwraig *f*.

gown *n* gŵn *m*.

grab *v* cydio, gafael.

grace *n* gosgeiddrwydd *m*; bendith *f*. • *v* harddu.

graceful *adj* gosgeiddig.

gradation *n* graddoliad *m*.

grade *n* graddfa *f*.

gradual *adj* graddol, cynyddol.

graduate *v* graddio.

graft *n* impiad, impyn *m*. • *v* impio.

grain *n* gronyn *m*.

grammar *n* gramadeg *m/f*.

grammatical *adj* gramadegol.

grand *adj* crand, mawreddog.

grandchild *n* ŵyr *m*, wyres *f*.

grandad *n* tad-cu, taid *m*.

granddaughter *n* wyres *f*.

grandeur *n* gwychder, mawredd *m*.

grandfather *n* tad-cu, taid *m*.

grandma *n* mam-gu, nain *f*.

grandmother *n* mam-gu, nain *f*.

grandson *n* ŵyr *m*.

grandstand *n* prif safle *m*.

grant *v* caniatáu. • *n* grant, cymhorthdal *m*.

granulate *v* gronynnu.

granule *n* gronyn *m*.

grapes *n* grawnwin *pl*.

grapefruit *n* grawnffrwyth *m*.

graph *n* graff *m*.

graphic *adj* graffig.

grasp *v* cael gafael ar.

grass *n* porfa *f*, glaswellt *m*.

grasshopper *n* ceiliog y rhedyn, sioncyn y gwair *m*.

grassy *adj* gwelltog.

grate *n* grât *m/f*. • *v* rhygnu, merwino.

grateful *adj* diolchgar.

gratification n boddhad m.

gratify v boddhau, rhyngu bodd.

gratifying adj braf, boddhaus.

gratis adv am ddim.

gratitude n diolchgarwch m.

gratuitous adj di-alw-amdano, di-reswm.

gratuity n cildwrn m, rhodd f.

grave n bedd m. • adj difrifol.

graveyard n mynwent f.

gravity n disgyrchiant; difrifoldeb, dwyster m.

gravy n gwlych, grefi m.

graze v pori.

grease n saim m. • v iro.

great adj mawr.

greatness n mawredd m.

greed n trachwant, gwanc m.

greedy adj barus, gwancus.

green adj gwyrdd, glas.

greenery n glesni m.

greenhouse n tŷ gwydr m.

greenish adj gwyrddaidd.

greet v cyfarch.

greeting n cyfarchiad m.

grey adj llwyd, glas.

greyish adj llwydaidd.

grid n rhwyllwaith, gratin m.

grief n galar m.

grievance n cwyn f, achwyniad m.

grieve v galaru.

grievous adj difrifol.

grill n gridyll m. • v grilio.

grim adj didrugaredd.

grimace n ystum m/f, cuwch m.

grime n baw, parddu m.

grind v malu, llifanu.

grip n gafael f. • v gafael, gafaelyd.

groan v ochneidio, griddfan. • n ochenaid f, griddfan m.

grocer n groser m.

groom n gwas, gwastrawd m. • v gwastrodi, tacluso.

groove n rhigol f.

grope v ymbalfalu.

grotesque adj afluniaidd.

ground n daear f. • v tirio.

ground floor n llawr gwaelod m.

groundless adj di-sail.

group n twr, dyrnaid, grŵp m. • v casglu.

grove n llwyn m.

grovel v ymgreinio.

grow v tyfu.

grower n tyfwr m, tyfwraig f.

growl v chwyrnu, arthio.

growth n twf, tyfiant m.

grudge n dig m, cynnen f.

gruelling adj yn lladdfa.

gruesome adj erchyll.

grumble v cwyno, grwgnach.

guarantee n gwarant f. • v gwarantu.

guard n gard, giard, gwyliwr m. • v gwarchod.

guardian n gwarchodwr m, gwarchodwraig f.

guardianship n gwarchodaeth f.

guess v dyfalu. • n amcan, dyfaliad m.

guest n gwestai m.

guidance n arweiniad m.

guide v arwain, tywys. • n arweinydd, tywysydd m.

guidebook n arweinlyfr m.

guild n urdd f.

guile n dichell f, twyll m.

guilt n euogrwydd m.

guilty adj euog.

guise n rhith m.

guitar n gitâr m.

gull n gwylan f.

gullibility n gwiriondeb, diniweidrwydd m.

gullible adj hygoelus.

gulp n llwnc m. • v llyncu, llowcio.

gum n gwm m. • v gludio.

gun n dryll, gwn m.

gunpowder n powdwr gwn m.

gunshot n ergyd gwn m/f.

gurgle v byrlymu.

gush v ffrydio; parablu.

gust *n* hwrdd, cwthwm *m*.
gusto *n* awch, afiaith *m*.
gusty *adj* gwyntog.
gut *n* perfedd *m*. • *v* diberfeddu.
gutter *n* cafn *m*, landar *m/f*.

guzzle *v* llowcio.
gymnasium *n* campfa *f*.
gymnastics *n* gymnasteg *f*.
gynaecologist *n* gynecolegydd *m*.
gypsy *n* sipsi *m*.

H

habit *n* arfer *m/f*, arferiad *m*.
habitable *adj* y gellir byw ynddo, cyfannedd.
habitat *n* cynefin *m*.
habitual *adj* arferol, cyson.
haemorrhage *n* gwaedlif *m*.
haggard *adj* blinderus.
haggle *v* bargeinio.
hail *n* cenllysg, cesair *pl*. • *v* cyfarch; bwrw cenllysg/cesair.
hair *n* blewyn; gwallt *m*.
haircut *n* toriad gwallt *m*.
hairless *adj* di-wallt, moel.
hairstyle *n* ffasiwn gwallt *f*.
hairy *adj* blewog, gwalltog.
hale *adj* iach, sionc.
half *n* hanner *m*.
half-hearted *adj* llugoer, claear.
half-hour *n* hanner awr *m*.
half-moon *n* hanner lleuad *m*.
halfway *adv* hanner ffordd.
hall *n* neuadd *f*.
hallow *v* cysegru, sancteiddio.
hallucination *n* rhith *m*.
halt *v* aros, sefyll.
ham *n* cig mochyn *m*.
hammer *n* morthwyl, mwrthwl *m*. • *v* morthwylo.
hammock *n* gwely crog *m*.
hamper *n* basged, cawell *f*. • *v* rhwystro, atal.
hand *n* llaw *f*. • *v* estyn.
handbag *n* bag llaw *m*.
handbrake *n* brêc llaw *m*.
handful *n* llond llaw, dyrnaid *m*.
handicap *n* anfantais *f*.

handicapped *adj* dan anfantais.
handkerchief *n* hances, ffunen *f*, macyn *m*.
handle *n* carn, coes, dolen *m*. • *v* bodio, trafod.
handlebar *n* corn *m*.
handrail *n* canllaw *m/f*.
handsome *adj* golygus, hardd.
handwriting *n* ysgrifen *f*.
hang *v* crogi.
hangover *n* pen mawr *m*.
haphazard *adj* hap a damwain.
hapless *adj* anffodus.
happen *v* digwydd.
happening *n* digwyddiad *m*.
happily *adv* yn hapus.
happiness *n* hapusrwydd, dedwyddwch *m*.
happy *adj* hapus, dedwydd, llawen.
harass *v* blino, poeni.
harbour *n* porthladd *m*.
hard *adj* anodd, caled.
harden *v* caledu.
hardiness *n* caledwch, gwytnwch *m*.
hardly *adv* prin, o'r braidd.
hardness *n* caledwch *m*.
hard-up *adj* mae'n dynn/fain ar.
hardy *adj* caled, gwydn.
hare *n* ysgyfarnog *f*.
harm *n* drwg, niwed *m*. • *v* niweidio, gwneud drwg.
harmful *adj* niweidiol.
harmonious *adj* cytûn.
harmony *n* harmoni *m*, cynghanedd *f*.
harp *n* telyn *f*.
harsh *adj* garw, caled.

harshness *n* gerwinder, craster *m*.
harvest *n* cynhaeaf *m*. • *v* cynaeafu.
harvester *n* medelwr *m*.
haste *n* brys *m*, hast *f*.
hasten *v* brysio, cyflymu.
hasty *adj* brysiog, byrbwyll.
hat *n* het *f*.
hatch *v* deor.
hatchet *n* bwyell *f*.
hate *n* casineb, atgasedd *m*. • *v* casáu.
hatred *n* casineb, atgasedd *m*.
haughtiness *n* rhodres, trahauster *m*.
haughty *adj* ffroenuchel, trahaus.
haul *v* halio, llusgo.
haunt *v* aflonyddu ar.
have *v* bod gan, meddu ar (*see also* Appendix).
haversack *n* bag cefn *m*, ysgrepan *f*.
havoc *n* llanast *m*.
hay *n* gwair *m*.
hay fever *n* clefyd y gwair *m*.
hazard *n* perygl *m*. • *v* peryglu, mentro.
hazardous *adj* peryglus.
haze *n* tarth, tes *m*.
hazelnuts *n* cnau cyll *pl*.
hazy *adj* niwlog, tesog.
he *pron* ef, fe.
head *n* pen *m*.
headache *n* pen tost, cur pen *m*.
headland *n* penrhyn *m*.
headlight *n* lamp flaen *f*.
headline *n* pennawd *m*.
headlong *adv* pendramwnwgl; llwrw ei ben.
headstrong *adj* penstiff, gwrthnysig.
headwaiter *n* prif weinydd *m*, prif weinyddes *f*.
heady *adj* meddwol, llesmeiriol.
heal *v* gwella, iacháu.
health *n* iechyd *m*.
healthiness *n* iechyd da *m*.
healthy *adj* iach, iachus.
heap *n* pentwr *m*, tomen *f*. • *v* pentyrru.
hear *v* clywed.
hearing *n* clyw; gwrandawiad *m*.

heart *n* calon *f*.
heart failure *n* methiant y galon *m*.
hearth *n* aelwyd *f*.
heartless *adj* creulon, didostur.
hearty *adj* calonnog, twymgalon.
heat *n* gwres *m*. • *v* twymo.
heater *n* gwresogydd *m*.
heathen *n* pagan *m*.
heating *n* gwres *m*.
heatwave *n* gwres mawr *m*.
heave *v* codi, gwthio.
heaven *n* nefoedd, nef *f*.
heaviness *n* trymder *m*.
heavy *adj* trwm.
hectic *adj* fel ffair, prysur ofnadwy.
hedge *n* clawdd, gwrych *m*.
hedgehog *n* draenog *m*.
heed *v* talu sylw.
heedless *adj* di-hid, di-hidio.
heel *n* sawdl *m*/*f*.
hefty *adj* cadarn, glew.
height *n* taldra, uchder *m*.
heighten *v* codi'n uwch.
heinous *adj* ysgeler, anfad.
heir *n* etifedd, aer *m*.
helicopter *n* hofrenydd *m*.
hell *n* uffern *f*.
helmet *n* helm, helmed *f*.
help *v* cynorthwyo, helpu. • *n* cymorth *m*.
helper *n* cynorthwywr *m*.
helpful *adj* o gymorth, defnyddiol.
helpless *adj* diymgeledd, diymadferth.
hemisphere *n* hemisffer *m*.
hen *n* iâr *f*.
henceforward *adv* mwyach, o hyn ymlaen.
hen-house *n* cwt ieir *m*.
hepatitis *n* llid yr afu *m*.
her *pron* ei, hi.
herb *n* llysieuyn *m*.
herbalist *n* meddyg llysiau, perlysieuydd *m*.
herd *n* buches *f*, gyr *m*, haid *f*.
here *adv* yma.

hereby *adv* drwy hyn, gan hynny.

hereditary *adj* etifeddol.

heredity *n* etifeddeg *f*.

heritage *n* etifeddiaeth, treftadaeth *f*.

hermit *n* meudwy *m*.

hernia *n* torllengig *m*.

hero *n* arwr, gwron *m*.

heroic *adj* arwrol.

heroine *n* arwres *f*.

hers *pron* ei, 'w.

herself *pron* hi ei hun/hunan.

hesitate *v* petruso.

hesitation *n* petruster *m*.

heterogeneous *adj* cymysgryw, ang-hydryw.

heterosexual *adj* gwahanrywiol.

hiatus *n* bwlch *m*, adwy *f*.

hiccup *n* ig *f*. • *v* igian.

hide *v* cuddio. • *n* croen *m*.

hideaway *n* cuddfan *f*.

hideous *adj* erchyll, hyll.

hierarchy *n* hierarchaeth *f*.

hi-fi *n* hei-ffei *m*.

high *adj* uchel.

highlight *n* uchafbwynt *m*.

highness *n* uchder, uchelder *m*.

hike *v* heicio.

hilarious *adj* doniol iawn, digrif tu hwnt.

hill *n* bryn *m*, rhiw *f*.

hillside *n* llechwedd, llethr *f*.

hilly *adj* mynyddig, bryniog.

him *pron* ef, e, o, ei, 'i.

himself *pron* ei hun, hunan.

hinder *v* llesteirio, rhwystro.

hindrance *n* rhwystr, llestair *m*.

hindsight *n* synnwyr trannoeth *m*.

hint *n* awgrym, tinc *m*. • *v* lledawgrymu.

hip *n* clun *f*.

hire *v* llogi, cyflogi.

his *pron* ei, 'i.

hiss *v* poeri, hisian.

historian *n* hanesydd *m*.

historic(al) *adj* hanesyddol.

history *n* hanes *m*.

hit *v* bwrw, taro.

hitch-hike *v* bodio, ffawdheglu.

hoard *n* celc, casgliad *m*. • *v* casglu, cronni.

hoarse *adj* cryg, cryglyd.

hoarseness *n* crygni *m*.

hobby *n* diddordeb *m*, hobi *f*.

hoist *v* codi, halio.

hold *v* dal, gafael. • *n* howld *f*.

hold up *n* lladrad arfog *m*; tagfa *f*.

holder *n* deiliad *m*.

hole *n* twll *m*.

holiday *n* gŵyl *f*; ~s gwyliau *pl*.

hollow *adj* gwag, cau.

holocaust *n* galanas, cyflafan *f*, holocawst *m*.

holy *adj* sanctaidd, cysegredig.

homage *n* gwrogaeth *f*.

home *n* cartref *m*, aelwyd *f*.

homeless *adj* di-gartref.

homely *adj* cartrefol.

homesick *adj* hiraethus.

homesickness *n* hiraeth *m*.

homework *n* gwaith cartref *m*.

homicide *n* dynleiddiad *m/f*.

homogeneous *adj* cydryw.

homosexual *adj* cyfunrhywiol. • *n* gwrywgydiwr *m*.

honest *adj* gonest, onest.

honesty *n* gonestrwydd, onestrwydd *m*.

honey *n* mêl *m*.

honorary *adj* mygedol, anrhydeddus.

honour *n* anrhydedd *m/f*, bri *m*. • *v* anrhydeddu.

honourable *adj* anrhydeddus.

hood *n* cwfl, cwcwll *m*.

hoof *n* carn *m*.

hook *n* bach, bachyn *m*. • *v* bachu.

hoop *n* cylchyn, cylch *m*.

hooter *n* corn *m*, hwter *f*.

hop *n* herc, naid fach *f*. • *v* hercian.

hope *n* gobaith *m*. • *v* gobeithio.

hopeful *adj* gobeithiol.

horizon *n* gorwel *m*.

horizontal *adj* llorweddol.

hormone *n* hormon *m*.

horn *n* corn *m*.

horoscope *n* horosgop *m*.

horrible *adj* ofnadwy, erchyll.

horrific *adj* arswydus, dychrynllyd.

horrify *v* brawychu, arswydo.

horror *n* arswyd, dychryn *m*.

horse *n* ceffyl *m*.

horseback *adv*: on ~ ar gefn ceffyl.

horseman *n* marchog *m*.

horsepower *n* marchnerth *m*.

horseshoe *n* pedol *f*.

horsewoman *n* marchoges *f*.

horticulture *n* garddwriaeth *f*.

horticulturist *n* garddwr *m*, garddwraig *f*.

hospitable *adj* croesawgar.

hospital *n* ysbyty *m*.

hospitality *n* croeso, lletygarwch *m*.

host *n* llu; gwesteiwr *m*.

hostage *n* gwystl *m*.

hostess *n* gwesteiwraig *f*.

hostile *adj* gelyniaethus.

hostility *n* gelyniaeth *f*.

hot *adj* twym, poeth.

hotel *n* gwesty *m*.

hotelier *n* gwestywr *m*.

hothead *n* penboethyn *m*.

hotplate *n* plât poeth *m*.

hour *n* awr *f*.

hour-glass *n* awrwydr *m*.

hourly *adv* o awr i awr, wrth yr awr.

house *n* tŷ *m*. • *v* lletya, cartrefu.

houseboat *n* cwch preswyl *m*.

household *n* teulu *m*.

householder *n* deiliad, penteulu *m*.

housekeeper *n* gwraig cadw tŷ *f*.

housewife *n* gwraig tŷ *f*.

housework *n* gwaith tŷ *m*.

hovel *n* hofel *f*.

hover *v* hofran.

how *adv* sut, fel; ~ **do you do!** sut mae, sut ydych chi.

however *adv* sut bynnag.

howl *v* udo. • *n* gwaedd *f*.

hub *n* both *f*, craidd *m*.

hue *n* arlliw *m*, gwawr *f*.

hug *v* cofleidio. • *n* cofleidiad *m*.

huge *adj* anferth, anferthol.

hull *n* cragen llong *f*.

hum *v* mwmian, mwmial, sïo, suo.

human *adj* dynol.

humane *adj* dyngarol.

humanist *n* dyneiddiwr *m*.

humanity *n* dynoliaeth, dynolryw *f*.

humanise *v* dynoli.

humble *adj* diymhongar, gostyngedig. • *v* darostwng.

humdrum *adj* undonog, diflas.

humid *adj* llaith.

humiliate *v* bychanu, torri crib.

humiliation *n* gwarth, cywilydd *m*.

humility *n* gostyngeiddrwydd, gwyleidd-dra *m*.

humorous *adj* doniol.

humour *n* doniolwch, hiwmor *m*; hwyliau *pl*.

hump *n* crwbi, crwb *m*.

hundred *num* can, cant.

hundredth *adj* canfed.

hunger *n* chwant bwyd, newyn *m*. • *v* newynu.

hungry *adj* newynog, ar fy nghythlwng.

hunt *v* hela. • *n* helfa *f*.

hunter *n* heliwr *m*, helwraig *f*.

hurdle *n* clwyd *f*.

hurl *v* lluchio, hyrddio.

hurricane *n* corwynt *m*.

hurry *v* brysio, prysuro. • *n* brys *m*, hast *m/f*.

hurt *v* brifo, niweidio. • *n* dolur *m*, gloes *f*.

hurtful *adj* niweidiol, cas.

husband *n* gŵr *m*.

hut *n* caban, cwt *m*.

hydrant *n* hydrant *m*.

hydraulic *adj* hydrolig.

hydroelectric *adj* hydro-electrig.

hygiene *n* hylendid, glanweithdra *m*.

hygienic *adj* hylan.
hypochondriac *n* claf diglefyd *m*.
hypocrisy *n* rhagrith *m*.
hypocritical *adj* rhagrithiol, dauwynebog.

hypothesis *n* damcaniaeth *f*.
hypothetical *adj* damcaniaethol.
hysterical *adj* hysteraidd, gorffwyll.
hysterics *n* sterics *pl*.

I

I *pron* fi, i, mi.
ice *n* iâ, rhew *m*.
ice cream *n* hufen iâ *m*.
ice rink *n* llawr sglefrio *m*.
ice skating *n* sglefrio *vn*.
icy *adj* rhewllyd.
idea *n* syniad *m*.
ideal *adj* delfrydol.
identical *adj* unfath.
identification *n* adnabyddiaeth *f*.
identify *v* adnabod, enwi.
identity *n* hunaniaeth *f*.
idiot *n* ynfytyn, hurtyn *m*.
idiotic *adj* ynfyd.
idle *adj* didoreth, segur.
idleness *n* segurdod *m*.
idler *n* diogyn *m*.
idol *n* eilun *m*, delw *f*.
idolise *v* addoli, dotio.
idyllic *adj* paradwysaidd.
if *conj* os, pe; ~ **not** oni.
ignite *v* cynnau, tanio.
ignoble *adj* israddol, taeogaidd.
ignominious *adj* gwarthus, cywilyddus.
ignorance *n* anwybodaeth *f*.
ignorant *adj* anwybodus.
ignore *v* anwybyddu, diystyru.
ill *adj* tost, sâl.
illegal *adj* anghyfreithlon.
illegality *n* anghyfreithlondeb *m*.
illegible *adj* annarllenadwy.
illegitimacy *n* anghyfreithlondeb *m*.
illegitimate *adj* anghyfreithlon.
illicit *adj* anghyfreithlon.
illiterate *adj* anllythrennog.
illness *n* salwch, afiechyd *m*.
illogical *adj* afresymegol.

illuminate *v* goleuo, addurno.
illusion *n* rhith *m*.
illusory *adj* lledrithiol.
illustrate *v* darlunio.
illustration *n* darlun *m*.
illustrious *adj* disglair, o fri.
image *n* delw, delwedd *f*.
imaginary *adj* dychmygol.
imagination *n* dychymyg *m*.
imagine *v* dychmygu.
imbecile *adj* ynfyd, gwan ei feddwl.
imitate *v* dynwared, efelychu.
imitation *n* dynwarediad, efelychiad *m*.
immaterial *adj* ansylweddol, dibwys.
immeasurable *adj* anfesuradwy, difesur.
immediate *adj* di-oed, syth.
immense *adj* anferth, enfawr.
immigrant *n* mewnfudwr *m*, mewnfudwraig *f*.
immigration *n* mewnfudiad *m*.
imminent *adj* ar ddigwydd, agos.
immobile *adj* disymud, diymod.
immobility *n* llonyddwch, ansymudoldeb *m*.
immoderate *adj* anghymedrol.
immoral *adj* anfoesol.
immorality *n* anfoesoldeb *m*.
immortal *adj* anfarwol.
immune *adj* rhydd rhag.
immunise *v* imwneiddio, gwrth-heintio.
immutable *adj* digyfnewid.
impact *n* effaith *f*; trawiad *m*.
impalpable *adj* annheimladwy.
impart *v* rhoi, cyfrannu.
impartial *adj* diduedd.

impartiality *n* tegwch, amhleidioldeb *m*.

impassive *adj* didaro, digyffro.

impatience *n* diffyg amynedd *m*.

impatient *adj* diamynedd.

impeccable *adj* dilychwin, di-fai.

impede *v* rhwystro, atal.

impending *adj* agos, ar ddod.

impenetrable *adj* anhydraidd.

imperceptible *adj* anghanfyddadwy.

imperfect *adj* amherffaith.

imperfection *n* amherffeithrwydd *m*.

impermeable *adj* anhydraidd.

impersonal *adj* amhersonol.

impertinence *n* digywilydd-dra *m*.

impertinent *adj* digywilydd.

impetuosity *n* gwylltineb, byrbwylltra *m*.

impetuous *adj* byrbwyll.

implant *v* impio, mewnblannu.

implement *n* offeryn, erfyn *m*.

implicate *v* cysylltu rhywun â.

implication *n* goblygiad *m*.

implicit *adj* ymhlyg.

implore *v* crefu, deisyf, erfyn.

imply *v* awgrymu, golygu.

impolite *adj* anghwrtais, anfoesgar.

import *v* mewnforio.

importance *n* pwys, pwysigrwydd *m*.

important *adj* pwysig.

impose *v* gosod.

imposition *n* baich, bwrn *m*.

impossibility *n* amhosibilrwydd *m*.

impossible *adj* amhosibl.

impostor *n* twyllwr *m*.

impotence *n* anallu, diymadferthedd *m*.

impotent *adj* diymadferth, analluog.

impoverish *v* tlodi.

impoverishment *n* tlodi *vn*.

impracticable *adj* anymarferol.

imprecise *adj* amhenodol, heb fod yn fanwl.

impress *v* pwysleisio, pwyso.

impression *n* argraffiad *m*.

impressionable *adj* hawdd gwneud argraff arno.

impressive *adj* trawiadol.

imprint *n* argraffiad *m*.

imprison *v* carcharu.

imprisonment *n* carchariad *m*.

improbability *n* annhebygolrwydd *m*.

improbable *adj* annhebygol.

improper *adj* anghywir, anweddus.

improve *v* gwella.

improvement *n* gwelliant *m*.

improvise *v* cyfansoddi ar y pryd.

imprudent *adj* annoeth.

impudent *adj* digywilydd, haerllug.

impulse *n* ysgogiad *m*.

impulsive *adj* byrbwyll.

impunity *n* yn ddi-gosb.

in *prep* yn, mewn.

inability *n* anallu *m*.

inaccurate *adj* anghywir, anfanwl.

inactive *adj* diysgog, segur.

inadequate *adj* annigonol.

inadmissible *adj* annerbyniol.

inane *adj* hurt, gwirion.

inanimate *adj* difywyd.

inapplicable *adj* anaddas, anghymwys.

inaudible *adj* anghlywadwy, anhyglyw.

incalculable *adj* anfesuradwy, difesur.

incapable *adj* analluog.

incapacitate *v* analluogi.

incapacity *n* anallu, analluogrwydd *m*.

incarcerate *v* carcharu.

incautious *adj* difeddwl, diofal.

incentive *n* cymhelliad, symbyliad *m*.

inception *n* dechreuad, cychwyniad *m*.

incessant *adj* di-baid, di-dor.

incidence *n* trawiant, amlder *m*.

incident *n* digwyddiad *m*.

incidental *adj* achlysurol.

incisive *adj* miniog, treiddgar.

incite *v* annog, cymell.

inclination *n* gogwydd *m*, tuedd *f*.

incline *v* gogwyddo, tueddu.

include *v* cynnwys.

including *prep* yn cynnwys, gan gynnwys.

incognito *adv* heb wybod i neb.

incoherent *adj* digyswllt, dryslyd.

income *n* incwm *m*.

incomparable *adj* anghymarol, dihafal.

incompetence *n* analluogrwydd *m*.

incompetent *adj* anghymwys, anobeithiol.

incomplete *adj* anghyflawn, anorffenedig.

incomprehensible *adj* annealladwy.

inconceivable *adj* anhygoel,y tu hwnt i amgyffred.

incongruity *n* anghysondeb, anghymarusrwydd *m*.

incongruous *adj* anghymarus.

inconsiderate *adj* difeddwl, di-hid.

inconsistent *adj* anghyson.

inconspicuous *adj* disylw, anamlwg.

incontrovertible *adj* diamheuol, di-ymwad.

inconvenience *n* anghyfleustra, anhwylustod *m*.

inconvenient *adj* anghyfleus.

incorporate *v* corffori, ymgorffori.

incorporation *n* ymgorfforiad, corfforiad *m*.

incorrect *adj* anghywir.

increase *v* cynyddu. • *n* twf, cynydd *m*.

increasing *adj* cynyddol.

incredible *adj* anghredadwy, anhygoel.

incredulous *adj* anghrediniol.

incriminate *v* taflu bai ar, cyhuddo.

incur *v* achosi.

incurable *adj* anwelladwy, na ellir ei wella.

incursion *n* cyrch *m*.

indebted *adj* dyledus.

indecent *adj* anweddus, aflednais.

indecision *n* petruster, amhendantrwydd *m*.

indecisive *adj* petrus, amhendant.

indefatigable *adj* diflino, dyfal.

indefinite *adj* amhendant.

indemnify *v* gwarantu, digolledu.

indemnity *n* sicrhad *m*.

independence *n* annibyniaeth *f*.

independent *adj* annibynnol.

indeterminate *adj* amhenodol, amheus.

index *n* mynegai *m*.

indicate *v* dynodi, mynegi.

indication *n* arwydd *m*.

indifference *n* difrawder, difaterwch *m*.

indifferent *adj* difater, dihidio.

indigenous *adj* brodorol, cynhenid.

indigent *adj* tlawd, anghenus.

indigestion *n* diffyg traul *m*.

indignant *adj* dig.

indignation *n* dicter, digofaint *m*.

indirect *adj* anuniongyrchol.

indiscreet *adj* annoeth, tafodrydd.

indiscretion *n* cam gwag; datgeliad cyfrinach *m*.

indispensable *adj* anhepgor, anhepgorol.

indisputable *adj* diamheuol.

indistinct *adj* aneglur.

indistinguishable *adj* diwahaniaeth, yr un ffunud.

individual *adj* unigol. • *n* unigolyn *m*.

individuality *n* hunaniaeth *f*.

indolence *n* diogi, syrthni *m*.

indolent *adj* dioglyd, didoreth.

indoors *adv* i mewn, gartref.

induce *v* cymell, darbwyllo.

inducement *n* cymhelliad, ysgogiad *m*.

indulge *v* boddio, maldodi.

indulgent *adj* goddefgar, maldodus.

industrial *adj* diwydiannol.

industrialise *v* diwydiannu.

industrious *adj* diwyd, gweithgar.

industry *n* diwydiant, gweithgarwch *m*.

inebriated *adj* meddw.

inedible *adj* anfwytadwy.

inefficiency *n* aneffeithlonrwydd *m*.

inefficient *adj* aneffeithlon.

ineligible *adj* anghymwys.

inept *adj* di-glem, lletchwith.

inequality *n* anghydraddoldeb, anghyfartaledd *m*.

inertia *n* syrthni, diffyg ynni *m*.

inestimable *adj* difesur, dirfawr.

inevitable *adj* anochel, anorfod.

inexhaustible *adj* dihysbydd.

inexpedient *adj* annoeth, anaddas.

inexpensive *adj* rhad.

inexplicable *adj* anesboniadwy, astrus.

infallible *adj* di-ffael, di-feth.

infamous *adj* gwarthus, cywilyddus.

infancy *n* babandod *m*.

infant *n* baban *m*.

infantile *adj* babanaidd, plentynnaidd.

infatuated *adj* wedi gwirioni, wedi mopio.

infatuation *n* gwirioni, gwallgofi *vn*.

infect *v* heintio.

infectious *adj* heintus.

infer *v* casglu.

inference *n* casgliad *m*.

inferior *adj* israddol.

inferiority *n* israddoldeb *m*.

infernal *adj* uffernol.

infest *v* bod yn fyw o.

infidelity *n* anffyddlondeb *m*.

infiltrate *v* ymdreiddio.

infinite *adj* annherfynol.

infinity *n* anfeidroldeb, annherfynoldeb *m*.

infirm *adj* musgrell, methedig.

infirmity *n* gwendid, eiddilwch *m*.

inflame *v* cynnau, ennyn.

inflammation *n* llid, enyniad *m*.

inflatable *adj* pwmpiadwy.

inflate *v* chwythu gwynt i.

inflation *n* chwyddiant *m*.

inflict *v* peri.

influence *n* dylanwad *m*. • *v* dylanwadu.

influential *adj* dylanwadol.

influenza *n* ffliw *f*.

inform *v* hysbysu.

informal *adj* anffurfiol.

informality *n* anffurfioldeb *m*.

information *n* gwybodaeth *f*, hysbysrwydd *m*.

infrequent *adj* anaml, prin.

infringe *v* torri, troseddu.

infringement *n* trosedd *m*.

infuriate *v* cynddeiriogi.

ingenious *adj* dyfeisgar.

ingenuity *n* dyfeisgarwch *m*.

ingenuous *adj* diniwed, didwyll.

inglorious *adj* distadl, dinod.

ingratitude *n* anniolchgarwch *m*.

ingredient *n* elfen *f*; cynhwysyn *m*.

inhabit *v* byw, preswylio.

inhabitable *adj* preswyliadwy, ffit i fyw.

inhabitants *n* trigolion *pl*.

inhale *v* anadlu i mewn.

inherit *v* etifeddu.

inheritance *n* etifeddiaeth, treftadaeth *f*.

inhibit *v* rhwystro, atal.

inhibition *n* ataliaeth *f*.

inhospitable *adj* digroeso.

inhuman *adj* annynol.

inhumanity *n* creulondeb *m*.

inimical *adj* gelyniaethus.

inimitable *adj* dihafal, unigryw.

initial *adj* cychwynnol, dechreuol.

initiate *v* cychwyn, dechrau.

initiation *n* cychwyniad; derbyniad *m*.

initiative *n* cam cyntaf *m*; menter *f*.

inject *v* chwistrellu.

injection *n* chwystrelliad *m*.

injunction *n* gorchymyn *m*, gwaharddeb *f*.

injure *v* anafu, niweidio.

injury *n* anaf, niwed *m*.

injustice *n* anghyfiawnder, cam *m*.

ink *n* inc *m*.

inlet *n* cilfach *f*.

inn *n* tafarndy, gwesty *m*.

innate *adj* cynhenid.

inner *adj* mewnol.

innkeeper *n* tafarnwr *m*, tafarnwraig *f*.

innocence *n* diniweidrwydd; dieuogrwydd *m*.

innocent *adj* diniwed, dieuog.

innocuous *adj* diniwed, diddrwg.

innovate *v* arloesi.

innuendo *n* ensyniad *m*.

innumerable *adj* dirifedi, aneirif.

inoculate *v* brechu.

inoffensive *adj* diniwed, difalais.

inopportune *adj* anghyfleus, annhymig.

inquest *n* cwest, cwêst *m*.

inquire *v* holi, gofyn.

inquiry *n* ymchwiliad, ymholiad *m*.

inquisition *n* chwil-lys *m*.

inquisitive *adj* chwilfrydig, busneslyd.

insane *adj* gwallgof, gorffwyll.

insanity *n* gwallgofrwydd *m*.

insatiable *adj* anniwall.

inscribe *v* llythrennu, arysgrifennu.

inscription *n* arysgrif *f*; cyflwyniad *m*.

inscrutable *adj* annirnad.

insect *n* trychfilyn *m*.

insecure *adj* llac, ansicr.

insecurity *n* ansicrwydd *m*.

insemination *n* ffrwythloniad *m*.

insensible *adj* anymwybodol.

insensitive *adj* ansensitif, croendew.

inseparable *adj* anwahanadwy.

insert *v* gosod, mewnosod.

insertion *n* mewnosodiad *m*, addalen *f*.

inside *n* tu mewn *m*.

inside out *adv* y tu chwith allan, tu mewn tu maes.

insidious *adj* llechwraidd.

insight *n* mewnwelediad *m*.

insignificant *adj* dinod, distadl.

insinuate *v* ensynio.

insinuation *n* ensyniad *m*.

insipid *adj* diflas, merfaidd.

insist *v* mynnu.

insistence *n* taerineb *m*.

insistent *adj* taer, penderfynol.

insolence *n* haerllugrwydd *m*.

insolent *adj* haerllug.

inspect *v* archwilio, arolygu.

inspection *n* archwiliad, arolygiad *m*.

inspector *n* arolygwr, arolygydd *m*.

instability *n* ansefydlogrwydd *m*.

install *v* sefydlu; gosod.

instalment *n* rhan *f*; rhandal *m*.

instance *n* enghraifft *f*.

instant *adj* parod, di-oed. • *n* eiliad *f/m*.

instead (of) *prep* yn lle.

instigate *v* symbylu, ysgogi.

instinct *n* greddf *f*.

instinctive *adj* greddfol.

institute *v* sefydlu, cychwyn.

institution *n* sefydliad *m*.

instruct *v* hyfforddi.

instrument *n* erfyn, offeryn *m*.

insufficiency *n* diffyg, prinder *m*.

insufficient *adj* annigonol, dim digon.

insular *adj* ynysig.

insulate *v* ynysu.

insulation *n* inswleiddio *vn*.

insult *v* sarhau. • *n* sarhad *m*.

insurance *n* yswiriant *m*.

insure *v* yswirio.

intact *adj* cyfan.

integrate *v* cyfannu, cymathu.

integration *n* integreiddio *vn*.

integrity *n* uniondeb, gonestrwydd *m*.

intellect *n* deall *m*.

intellectual *adj* deallusol.

intelligence *n* deallusrwydd *m*.

intelligent *adj* deallus, call.

intelligible *adj* dealladwy.

intend *v* bwriadu, amcanu.

intense *adj* dwys, angerddol.

intensify *v* dwysáu.

intensity *n* dwysedd, dwyster *m*.

intensive *adj* dwys.

intention n bwriad, amcan m.

intentional adj bwriadol.

intercede v eiriol.

intercept v rhyng-gipio.

interest v diddori. • n diddordeb; llog m.

interesting adj diddorol.

interfere v ymyrryd.

interior adj y tu mewn.

interlock v cyd-gloi.

interlude n egwyl f.

intermediary n canolwr, cyfryngwr m.

intermediate adj canolradd.

interminable adj di-ben-draw, diddi-wedd.

intermingle v cydgymysgu.

intermittent adj ysbeidiol.

intern v carcharu.

internal adj mewnol.

international adj rhyngwladol, cydwladol.

interpret v dehongli.

interpretation n dehongliad m.

interpreter n lladmerydd, dehonglwr m.

interrogate v holi.

interrogation n holiad m.

interrupt v ymyrryd, torri ar draws.

interruption n ymyriad m.

intersect v croestorri.

intersection n croesffordd f.

intertwine v plethu.

interval n egwyl f; cyfwng m.

intervene v ymyrryd.

intervention n ymyrraeth f.

interview n cyfweliad m. • v cyf-weld.

interviewer n holwr, cyfwelydd m.

intestine n coluddyn m.

intimacy n agosatrwydd m.

intimidate v dychryn.

into prep i mewn.

intolerable adj annioddefol.

intolerant adj anoddefgar.

intonation n goslef; cyweiriaeth f.

intoxicate v meddwi.

intoxication n meddwdod m.

intricacy n cymhlethdod m.

intricate adj cymhleth, cywrain.

intrigue n cynllwyn m. • v cyfareddu.

intriguing adj cyfareddol.

intrinsic adj hanfodol, cynhwynol.

introduce v cyflwyno.

introduction n cyflwyniad m.

introverted adj mewnblyg.

intruder n tresmaswr m.

intuition n greddf f.

intuitive adj greddfol.

inundate v gorlifo, boddi.

invade v goresgyn.

invader n gosresgynnydd m.

invalid n claf m.

invalidate v dirymu.

invaluable adj hynod werthfawr.

invasion n goresgyniad m.

invent v dyfeisio.

invention n dyfais f.

inventor n dyfeisydd m.

investigation n ymchwiliad m.

investigator n ymchwilydd m.

invincible adj anorchfygol.

inviolable adj dihalog.

invisible adj anweledig, anweladwy.

invitation n gwahoddiad m.

invite v gwahodd.

invoice n anfoneb f.

invoke v galw ar.

involuntary adj anfwriadol.

involve v tynnu mewn.

involvement n cysylltiad m, rhan f.

irascible adj piwis, pigog.

irate adj dig, dicllon.

iron n haearn m. • v smwddio.

ironic adj eironig.

irony n eironi m.

irrational adj afresymol.

irreconcilable adj anghymodadwy.

irregular adj afreolaidd.

irregularity n afreoleidd-dra m.

irreparable adj anadferadwy, na ellir ei drwsio.

irreplaceable *adj* na ellir ei debyg.
irresistible *adj* anorchfygol.
irresponsible *adj* anghyfrifol.
irreverence *n* amarch *m*.
irrigate *v* dyfrhau.
irrigation *n* dyfrhad *m*.
irritability *n* anniddigrwydd *m*.
irritable *adj* piwis, anniddig.
irritate *v* cythruddo, pryfocio.
irritation *n* dig *m*; cosi *vn*.
island *n* ynys *f*.
isle *n* ynys *f*.
isolate *v* ynysu.

isolation *n* ynysiad, arwahanrwydd *m*.
issue *n* rhifyn; testun *m*.
it *pron* ef; hi; ei.
itch *v* cosi.
item *n* eitem *f*.
itinerant *adj* crwydrol, teithiol.
itinerary *n* amserlen deithio *f*.
its *pron* ei.
itself *pron* ei hun, ei hunan.
ivory *n* ifori *m*.
ivy *n* iorwg, eiddew *m*.

J

jabber *v* clebran, baldorddi.
jack *n* jac; cnaf, gwalch (card) *m*.
jacket *n* siaced *f*.
jackpot *n* gwobr fawr *f*.
jagged *adj* danheddog.
jail *n* carchar *m*, dalfa *f*.
jailer *n* ceidwad/swyddog carchar *m*.
jam *n* jam *m*.
January *n* Ionawr *m*.
jar *n* jar *f*.
jargon *n* jargon *m/f*.
jaw *n* gên *f*.
jazz *n* jazz *m*.
jealous *adj* eiddigeddus, cenfigennus.
jealousy *n* cenfigen *f*, eiddigedd *m*.
jeans *n* jîns *pl*.
jeer *v* gwawdio, gwatwar.
jelly *n* jeli *m*.
jeopardise *v* peryglu.
jerk *n* plwc *m*.
jersey *n* siersi *f*.
jest *n* cellwair *m*.
jester *n* croesan, cellweiriwr *m*.
jet *n* ffrwd; jet *f*; muchudd *m*.
jettison *v* gollwng, taflu dros y bwrdd.
jewel *n* gem *f*.
jewellery *n* gemwaith *m*.
Jewish *adj* Iddewig.
jigsaw *n* jig-so *m*.

jinx *n* rhaib *m*.
job *n* gwaith *m*.
jockey *n* joci *m*.
jocular *adj* cellweirus.
jog *v* loncian.
join *v* cydio, uno; ymuno.
joint *n* cymal; uniad *m*.
joke *n* jôc *m*. • *v* jocan.
joker *n* digrifwr *m*.
jolly *adj* llawen, llon.
jostle *v* gwthio.
journal *n* cylchgrawn *m*.
journalism *n* newyddiaduraeth *f*.
journalist *n* newyddiadurwr *m*.
journey *n* taith *f*. • *v* teithio.
joy *n* llawenydd *m*.
joyful *adj* gorfoleddus.
jubilation *n* gorfoledd *m*.
jubilee *n* jiwbilî *f*.
Judaism *n* Iddewiaeth *f*.
judge *n* barnwr, beirniad *m*. • *v* barnu.
judgment *n* barn *f*.
judicious *adj* doeth.
judo *n* jiwdo *m*.
jug *n* jŵg *m/f*.
juggle *v* jyglo.
juice *n* sudd *m*.
juicy *adj* llawn sudd.
July *n* Gorffennaf *m*.

jumble v cymysgu, drysu.
jump v neidio. • n naid f.
June n Mehefin m.
jungle n jyngl f.
junior adj iau.
jurisdiction n awdurdod m.
juror n rheithiwr m.

jury n rheithgor m.
just adj teg, cyfiawn.
justice n cyfiawnder m.
justification n cyfiawnhad m.
justify v cyfiawnhau.
juvenile adj ifanc.
juxtaposition n cyfosodiad m.

K

kaleidoscope n caleidosgop m.
kangaroo n cangarŵ m.
keen adj craff; brwd.
keenness n brwdfrydedd; awch m.
keep v cadw.
kernel n cnewyllyn m.
kettle n tegell m.
key n allwedd f; cywair m.
keyboard n bysellfwrdd m, allweddell f.
key ring n cylch allweddi m.
keystone n maen clo m.
kick v cicio. • n cic f.
kidnap v herwgipio.
kidney n aren f.
killer n lleiddiad, lladdwr m.
killing n lladd vn.
kiln n odyn f.
kilo n kilo m.
kilogram n kilogram m.
kilometre n kilometr m.
kin n tylwyth m.
kind adj caredig. • n math m/f.
kindle v cynnau, ennyn.
kindliness n caredigrwydd m.
kindly adj twymgalon, hynaws.

kindness n caredigrwydd m.
king n brenin m.
kingdom n teyrnas f.
kiss n cusan f/m. • v cusanu.
kit n pac, gêr m.
kitchen n cegin f.
kitten n cath fach f.
knack n dawn f.
knead v tylino.
knee n pen-glin m.
kneel v penlinio, penglinio.
knife n cyllell f.
knight n marchog m.
knit v gwau, gweu.
knob n bwlyn, dwrn m.
knock v curo. • n cnoc f.
knot n cwlwm m. • v clymu.
know v gwybod, adnabod.
know-how n gallu, medr m.
knowledge n gwybodaeth, adnaby-ddiaeth f.
knowledgeable adj gwybodus, hy-ddysg.
knuckle n cwgn, migwrn m.

L

label n label m/f.
laboratory n labordy m.
labour n llafur m. • v llafurio.
labourer n llafurwr, gweithiwr m.
labourious adj llafurus.

lace n carrai; les f.
lacerate v rhwygo.
lack v bod heb. • n diffyg m.
lad n llanc m.
ladder n ysgol f.

lady n boneddiges; arglwyddes f.

lag v llusgo.

lagoon n lagŵn m.

lair n gwâl, ffau f.

lake n llyn m.

lame adj cloff.

lament v galaru. • n galarnad f.

lamentable adj truenus.

lamentation n galarnad f.

lamp n lamp, llusern f.

lance n gwaywffon f.

lancet n fflaim f.

land n tir m; gwlad f. • v glanio.

landlord n landlord m.

landmark n carreg derfyn f; nod tir m.

landscape n tirlun m.

landslide n tirlithriad m.

lane n lôn f.

language n iaith f.

languish v nychu, dihoeni.

lantern n llusern f.

lapel n llabed f/m.

lapse n esgeulustra, llithriad m. • v llithro.

larder n pantri m.

large adj mawr, bras.

larva n larfa m/f.

lascivious adj anllad, trythyll.

lash n llach f. • v chwipio, fflangellu.

last adj diwethaf, olaf. • v para, parhau.

last-minute adj munud olaf.

late adj hwyr, diweddar.

latent adj cudd, cêl.

lateral adj ochrol.

lather n ewyn m, trochion pl.

latitude n lledred; rhyddid m.

laudable adj clodwiw, canmoladwy.

laugh v chwerthin. • n chwerthiniad m.

laughter n chwerthin vn.

launch v lansio, gwthio cwch i'r dŵr.

laundry n golchdy m.

lava n lafa m.

lavatory n tŷ bach m.

lavish adj hael.

law n deddf, cyfraith f.

lawful adj cyfreithlon.

lawmaker n deddfwr m.

lawn n lawnt f.

lawyer n cyfreithiwr m, cyfreithwraig f.

lax adj llac.

laxative n moddion gweithio m.

lay v dodwy; gosod.

layer n haen, haenen f.

laziness n diogi m.

lazy adj diog.

lead n plwm m. • v arwain.

leader n arweinydd m.

leadership n arweinyddiaeth f.

leading adj blaenllaw.

leaf n deilen f.

leaflet n taflen f.

league n cynghrair f/m.

leak n gollyngiad m. • v gollwng.

lean v pwyso. • adj main.

leap v neidio. • n naid f.

learn v dysgu.

learning n dysg f.

lease n prydles f. • v prydlesu.

leash n tennyn m.

least adj lleiaf; **at** ~ o leiaf.

leather n lledr m.

leave n caniatâd m. • v gadael.

lecture n darlith f. • v darlithio.

lecturer n darlithydd m.

left adj chwith.

left-handed adj llaw chwith.

left-luggage office n storfa baciau f.

leftovers n gweddillion pl.

leg n coes f.

legal adj cyfreithlon, cyfreithiol.

legalise v cyfreithloni.

legality n cyfreithlondeb m.

legend n chwedl f.

legendary adj chwedlonol.

legible adj darllenadwy.

legion n lleng f.

legislate v deddfu.

legislation n deddfwriaeth f.

legislative adj deddfwriaethol.

legislature *n* corff deddfwriaethol *m*.

legitimacy *n* cyfreithlondeb *m*.

legitimate *adj* cyfreithlon.

leisure *n* hamdden *f*. • **~ly** *adj* hamddenol.

lemon *n* lemon *m*.

lemonade *n* lemonêd *m*.

lend *v* benthyca.

length *n* hyd *m*.

lengthen *v* hwyhau, estyn.

lengthy *adj* hir.

lenient *adj* tirion.

lens *n* lens *f*.

leotard *n* leotard *m/f*.

lesbian *n* lesbiad *f*.

less *adj* llai.

lessen *v* lleihau.

lesser *adj* llai, lleiaf.

lesson *n* gwers *f*.

let *v* gadael; gosod.

lethal *adj* marwol, angheuol.

lethargic *adj* cysglyd, swrth.

lethargy *n* syrthni *m*.

letter *n* llythyr *m*; llythyren *f*.

lettering *n* llythrennu *vn*.

lettuce *n* letysen *f*.

level *adj* gwastad. • *n* lefel *f*. • *v* gwastatáu.

lever *n* trosol *m*.

levity *n* ysgafnder *m*.

liability *n* atebolrwydd *m*; **he's a ~** mae'n fwrn.

liable *adj* tueddol; tebyg.

liaise *v* cysylltu.

liaison *n* cysylltiad *m*.

liar *n* celwyddgi *m*.

liberal *adj* rhyddfrydig, rhyddfrydol.

liberate *v* rhyddhau.

liberation *n* rhyddhad *m*, gwaredigaeth *f*.

liberty *n* rhyddid *m*.

librarian *n* llyfrgellydd *m*.

library *n* llyfrgell *f*.

licence *n* trwydded *f*.

lick *v* llyfu.

lid *n* caead, clawr *m*.

lie *n* celwydd *m*. • *v* dweud celwyddau; gorwedd.

lieu *n*: **in ~ of** yn lle.

life *n* bywyd *m*.

life jacket *n* siaced achub *f*.

life sentence *n* carchar am oes.

lifeless *adj* marw, difywyd.

life-sized *adj* o faintioli llawn.

lift *v* codi.

ligament *n* gewyn, tennyn *m*.

light *n* goleuni *m*. • *adj* ysgafn; golau. • *v* cynnau.

lighten *v* ysgafnhau; goleuo.

lighthouse *n* goleudy *m*.

lighting *n* goleuo, tanio *vn*.

lightning *n* mellt *pl*.

light year *n* blwyddyn oleuni *f*.

like *adj* tebyg. • *adv* fel. • *v* hoffi.

likelihood *n* tebyg, tebygolrwydd *m*.

likely *adj* tebygol, tebyg.

liken *v* tebygu, cymharu.

likeness *n* tebygrwydd *m*.

likewise *adv* hefyd, yn ogystal.

liking *n* hoffter *m*.

limb *n* aelod *m*.

limit *n* terfyn *m*. • *v* cyfyngu.

limitation *n* cyfyngiad *m*.

limp *v* hercian. • *n* cloffni *m*. • *adj* llipa.

line *n* llinell *f*; llinyn *m*.

liner *n* llong fawr, leiner *f*.

linger *v* oedi, sefyllian.

linguist *n* ieithydd *m*.

linguistic *adj* ieithyddol.

link *n* dolen gyswllt *f*. • *v* cyplysu.

lion *n* llew *m*.

lip *n* gwefus *f*, min *m*.

lip-read *v* darllen gwefusau.

lipstick *n* minlliw *m*.

liqueur *n* gwirod *m/f*.

liquid *n* hylif *m*.

liquidise *v* hylifo.

liquor *n* gwirod *m/f*.

lisp *v* siarad â thafod tew. • *n* tafod tew *m*.

list *n* rhestr *f*. • *v* rhestru.

listen *v* gwrando.

literal *adj* llythrennol.

literary *adj* llenyddol.

literature *n* llenyddiaeth *f*.

litigation *n* mynd i gyfraith *vn*.

litigious *adj* ymgyfreithgar, cynhennus.

litre *n* litr *m*.

litter *n* sbwriel *m*.

little *adj* bach, ychydig.

live *v* byw. • *adj* byw.

livelihood *n* bywoliaeth *f*.

liveliness *n* bywiogrwydd *m*.

lively *adj* bywiog.

liver *n* afu, iau *m*.

livid *adj* (yn) gandryll.

living *n* byw *m*.

living room *n* ystafell fyw *f*.

load *v* llwytho. • *n* llwyth *m*.

loaf *n* torth *f*.

loan *n* benthyciad *m*.

loathe *v* casáu.

loathing *n* atgasedd, casineb *m*.

lobster *n* cimwch *m*.

local *adj* lleol.

locate *v* lleoli.

location *n* lleoliad *m*.

lock *n* clo *m*. • *v* cloi.

locker *n* cwpwrdd bach *m*.

lockout *n* cloi allan *vn*.

locomotive *n* injan drên *f*.

lodge *v* lletya.

lodger *n* lletywr *m*, lletywraig *f*.

log *n* boncyff, plocyn *m*.

logic *n* rhesymeg *f*.

logical *adj* rhesymegol.

loiter *v* loetran, sefyllian.

lollipop *n* lolipop *m*.

lonely *adj* unig.

loneliness *n* unigrwydd, unigedd *m*.

long *adj* hir, maith. • *v* dyheu, hiraethu.

longevity *n* hirhoedledd *m*.

longing *n* dyhead, hiraeth *m*.

long-range *adj* pellgyrhaeddol.

long-term *adj* hirdymor.

look *v* edrych, disgwyl. • *n* golwg *f*.

loop *n* dolen *f*.

loose *adj* rhydd, llaes.

loosen *v* rhyddhau, llaesu.

loot *v* ysbeilio. • *n* ysbail *f*.

loquacious *adj* siaradus, huawdl.

loquacity *n* huodledd *m*.

lose *v* colli.

loss *n* colled *f*.

lot *n* coelbren *m*; **a** ~ llawer.

lotion *n* hufen, eli *m*.

lottery *n* lotri, loteri *f*/*m*.

loud *adj* uchel.

loudspeaker *n* uchelseinydd, corn siarad *m*.

lounge *n* lolfa *f*.

lovable *adj* hoffus, serchus.

love *n* cariad, serch *m*. • *v* caru, dwlu.

loveliness *n* prydferthwch *m*.

lovely *adj* hyfryd, prydferth.

lover *n* cariad, carwr *m*.

loving *adj* cariadus.

low *adj* isel. • *v* brefu.

lower *v* gostwng.

lowly *adj* gostyngedig.

loyal *adj* teyrngar, ffyddlon.

loyalty *n* teyrngarwch *m*.

lucid *adj* clir, eglur.

luck *n* lwc, ffawd *f*.

luckless *adj* anlwcus.

lucky *adj* lwcus, ffodus.

lucrative *adj* proffidiol.

ludicrous *adj* chwerthinllyd, hurt.

luggage *n* bagiau *pl*.

lukewarm *adj* claear, llugoer.

lull *v* gostegu. • *n* gosteg *m*/*f*.

luminous *adj* disglair, golau.

lump *n* lwmpyn, talp *m*.

lunch *n* cinio canol dydd *m*.

lungs *n* ysgyfaint *pl*.

lure *n* abwydyn, llith *m*. • *v* denu.

lurk *v* llechu.

lush *adj* toreithiog, iraidd.

lust *n* blys, trachwant *m*. • *v* chwennych.

lustre *n* llewyrch *m*.

luxuriance n helaethrwydd m, toreth f.
luxuriant adj toreithiog.
luxurious adj moethus.

luxury n moethusrwydd m.
lyrical adj telynegol.
lyrics n geiriau pl.

M

machination n cynllwyn m.
machine n peiriant m.
machinery n peirianwaith m.
mad adj gwallgof.
madam n madam, meistres f.
madden v gwylltio, cynddeiriogi.
madman n gwallgofddyn m.
madness n gwallgofrwydd m.
magazine n cylchgrawn m.
magic n hud a lledrith m. • adj lledrithiol.
magnanimous adj mawrfrydig, hael.
magnet n magned m.
magnetic adj magnetig.
magnetism n magneteg f.
magnificence n gwychder, ardderchowgrwydd m.
magnificent adj gwych, ardderchog.
magnify v chwyddo, mwyhau.
magnitude n maintioli m.
maid n morwyn f.
mail n post m.
mail train n trên post m.
maim v andwyo, llurgunio.
main adj prif.
main line n lein fawr f.
main road n priffordd, ffordd fawr f.
mainland n tir mawr m.
maintain v cynnal; maentumio.
maintenance n cynhaliaeth f; cynnal a chadw vn.
majestic adj urddasol.
majesty n urddas; mawrhydi m.
major adj prif, mwyaf.
majority n mwyafrif m.
make v gwneud.
makeshift adj dros dro.
make-up n colur m.

malady n anhwylder, clefyd m.
malaise n anniddigrwydd, anhwylder m.
malaria n malaria, y cryd m.
malcontent adj anfoddog, anfodlon.
male adj gwryw, gwrywaidd. • n gwryw m.
malevolence n malais, mileindra m.
malevolent adj maleisus, milain.
malice n malais m.
malicious adj maleisus.
malign adj niweidiol, milain. • v pardduo.
malleable adj hydrin.
malnutrition n diffyg maeth m.
malpractice n camymddygiad, esgeulustod m.
maltreat v cam-drin.
mammal n mamolyn m.
man n dyn, gŵr m.
manage v rheoli, ymdopi.
management n rheolaeth f.
manager n rheolwr m, rheolwraig f.
managing director n rheolwr-gyfarwyddwr m.
mandatory adj gorfodol.
manhandle v trafod â nerth bôn braich.
maniac n gwallgofddyn m.
manic adj manig, lloerig.
manifest adj amlwg. • v datguddio.
manifestation n amlygiad, ymddangosiad m.
manipulate v trafod, trin.
mankind n dynolryw, dynoliaeth f.
manliness n gwroldeb, dewrder m.
manly adj gwrol.
man-made adj o waith llaw dyn.

manner *n* ffordd *f*, modd *m*.

manoeuvre *n* symudiad *m*.

manual *adj* llaw. • *n* llawlyfr *m*.

manufacture *v* gweithgynhyrchu.

manufacturer *n* gwneuthurwr *m*.

manuscript *n* llawysgrif *f*.

many *adj* llawer; **how ~?** pa faint, pa sawl.

map *n* map *m*.

mar *v* difetha, sbwylio.

marble *n* marmor *m*.

March *n* Mawrth *m*.

march *n* gorymdaith; ymdeithgan *f*. • *v* gorymdeithio.

margarine *n* margarîn *m*.

margin *n* ymyl *m/f*, godre *m*.

marginal *adj* ymylol.

marine *adj* morol.

marital *adj* priodasol.

maritime *adj* glan môr.

mark *n* marc, nod *m*. • *v* nodi, marcio.

market *n* marchnad *f*.

marketable *adj* gwerthadwy.

marmalade *n* marmalêd *m*.

marriage *n* priodas *f*.

married *adj* priod.

marry *v* priodi.

marsh *n* cors, mignen *f*.

marshy *adj* corsog.

martial *adj* milwrol.

martyr *n* merthyr *m*, merthyres *f*.

marvel *n* rhyfeddod *m*. • *v* rhyfeddu.

marvellous *adj* rhyfeddol.

masculine *adj* gwryw, gwrywaidd.

mask *n* mwgwd *m*. • *v* mygydu, cuddio.

mason *n* saer maen, masiwn *m*.

mass *n* offeren *f*; màs *m*.

massacre *n* cyflafan *f*. • *v* lladd.

massage *n* tylino'r corff *vn*.

massive *adj* anferth, enfawr.

mast *n* hwylbren, mast *m*.

master *n* meistr *m*. • *v* meistroli.

mastermind *v* cynllunio.

mastery *n* meistrolaeth *f*.

match *n* matsen; gêm *f*.

matchless *adj* digymar, digyffelyb.

mate *n* mêt, partner *m*. • *v* cyplu.

material *adj* materol; pwysig.

maternal *adj* mamol.

maternity hospital *n* ysbyty mamau *m*.

mathematical *adj* mathemategol.

mathematics *n* mathemateg *f*.

matrimonial *adj* priodasol.

matted *adj* yn glymau.

matter *n* sylwedd, mater *m*. • *v* bod yn bwysig.

mattress *n* matres *m/f*.

mature *adj* aeddfed. • *v* aeddfedu.

maturity *n* aeddfedrwydd *m*.

maximum *n* uchafswm *m*.

may *v* gallu.

May *n* Mai *m*.

mayor *n* maer *m*, maeres *f*.

maze *n* drysfa *f*.

me *pron* fi, fy, 'm, mi.

meadow *n* dôl *f*.

meagre *adj* prin, tenau.

meal *n* pryd *m*.

mean *adj* cybyddlyd. • *v* golygu.

meander *v* ymddolennu, dolennu.

meaning *n* ystyr *m/f*.

meanness *n* crintachrwydd, cybydd-dod *m*.

meantime *n* cyfamser.

measure *n* mesur *vn*.

measurement *n* mesur, mesuriad *m*.

meat *n* cig *m*.

mechanic *n* peiriannydd *m*.

mechanical *adj* peirianyddol, mecan-yddol.

mechanism *n* peirianwaith *m*.

medal *n* medal *f*.

media *n* cyfryngau *pl*.

mediate *v* cyflafareddu.

mediator *n* eiriolwr, cyfryngydd *m*.

medical *adj* meddygol.

medicinal *adj* meddyginiaethol.

medicine *n* meddyginiaeth *f*, moddion *pl*.

mediocre *adj* gweddol, cyffredin.

meditate v myfyrio, synfyfyrio.

meditation n myfyrdod m.

meditative adj synfyfyriol.

medium n canol; cyfrwng m. • adj gweddol, cymedrol.

medium wave n y donfedd ganol f.

meek adj addfwyn, gostyngedig.

meekness n gostyngeiddrwydd, addfwynder m.

meet v cyfarfod.

meeting n cyfarfod m.

melancholy n iselder ysbryd m. • adj pruddglwyfus.

mellow adj aeddfed, mwyn. • v aeddfedu.

melody n alaw f.

melon n melon m.

melt v toddi, ymdoddi.

member n aelod m.

memorable adj cofiadwy, bythgofiadwy.

memorandum n memorandwm m.

memorise v dysgu ar gof.

memory n cof m.

menace n bygythiad m.

mend v cyweirio, trwsio.

menial adj isel, gwasaidd.

menstruation n mislif m.

mental adj meddyliol.

mentality n meddylfryd m.

mention v crybwyll, sôn.

menu n bwydlen f.

mercantile adj masnachol.

mercenary n milwr cyflog m.

merchandise n marsiandïaeth f, nwyddau pl.

merchant n masnachwr, gwerthwr m; masnachwraig, gwerthwraig f.

merciful adj trugarog.

mercy n trugaredd m/f.

mere adj dim ond, yn unig.

merge v cyfuno.

merger n cyfuniad m.

merit n haeddiant, teilyngdod m. • v haeddu, teilyngu.

merry adj llawen, llon.

mesh n rhwyll, masgl f.

mesmerise v mesmereiddio.

mess n llanastr m, smonach f.

message n neges f.

messenger n negesydd m.

metal n metel m.

metallic adj metelaidd.

meteorological adj meteorolegol.

meteorology n meteoroleg f.

meter n mesurydd m.

method n dull m.

methodical adj trefnus.

metropolitan adj prifddinasol.

mew v mewian.

microphone n microffon m.

microscope n microsgop m.

mid adj canol.

midday n canol dydd m.

middle adj canol. • n canol m.

middling adj canolig, gweddol.

midnight n hanner nos m.

midway adv hanner ffordd.

midwife n bydwraig f.

might n grym, nerth m.

mighty adj nerthol, aruthrol fawr.

migrate v mudo, ymfudo.

migration n ymfudiad m.

mild adj mwyn, tyner.

mildness n mwynder, tynerwch m.

mile n milltir f.

militant adj milwriaethus.

militate v milwrio.

milk n llaeth, llefrith m. • v godro.

milky adj llaethog.

mill n melin f. • v malu, melino.

millimetre n milimetr m.

million n miliwn f.

millionaire n miliwnydd m.

millionth adj miliynfed.

mime n meim f.

mimic v dynwared.

mimicry n dynwarediad m.

mince v briwo, briwsioni.

mind n meddwl m. • v gwarchod; malio.

mindful *adj* gofalus.

mine *pron* eiddof fi.

miner *n* glöwr, mwynwr *m*.

mineral *n* mwyn *m*.

mingle *v* cymysgu.

miniature *n* miniatur *m*.

minimise *v* lleihau.

minimum *n* isafbwynt, lleiafswm *m*.

minister *n* gweinidog *m*. • *v* bugeilio, gweinidogaethu.

ministry *n* gweinyddiaeth *f*; gweinidogaeth *f*.

minor *adj* lleiaf.

minority *n* lleiafrif *m*.

minus *n* minws *m*.

minute *adj* mân.

minute *n* munud *f/m*.

miracle *n* gwyrth *f*.

miraculous *adj* gwyrthiol.

mirage *n* rhith *m*.

mirror *n* drych *m*.

misadventure *n* anffawd *f*.

misbehave *v* camymddwyn.

misbehaviour *n* camymddygiad *m*.

miscarriage *n* camweinyddiad; erthyliad *m*.

miscellaneous *adj* amrywiol.

miscellany *n* amrywiaeth *f*, cymysgwch *m*.

mischief *n* drygioni, drwg *m*.

mischievous *adj* drygionus, maleisus.

misconception *n* camdybiaeth *f*, camsyniad *m*.

misconduct *n* camymddygiad, camweinyddiad *m*.

misdeed *n* trosedd, camwedd *m*.

misdemeanour *n* camymddygiad *m*.

miser *n* cybydd *m*.

miserable *adj* diflas, trist, digalon.

misery *n* diflastod, trueni *m*.

misfortune *n* anlwc, anffawd *f*.

misgovern *v* camreoli.

mishap *n* damwain *f*.

misjudge *v* camfarnu.

mislead *v* camarwain.

misogynist *n* casäwr gwragedd *m*.

misprint *n* gwall argraffu *m*.

Miss *n* Miss, Y Fns *f*.

miss *v* methu, colli.

missing *adj* coll, ar goll.

mission *n* perwyl *m*; cenhadaeth *f*.

mist *n* niwl *m*.

mistake *v* camgymryd. • *n* camgymeriad *m*.

Mister *n* Mister, bonwr *m*.

mistress *n* meistres *f*.

mistrust *v* drwgdybio. • *n* drwgdybiaeth *f*.

misty *adj* niwlog.

misunderstanding *n* camddealltwriaeth *f*.

misuse *v* camddefnyddio.

mitigate *v* lliniaru, lleddfu.

mitigation *n* lleddfiad, lliniariad *m*.

mix *v* cymysgu.

mixed *adj* cymysg.

mixture *n* cymysgedd *m/f*.

moan *n* ochenaid *f*. • *v* ocheneidio, griddfan.

moat *n* ffos *f*.

mob *n* ciwed, haid *f*.

mobile *adj* symudol.

mobilise *v* cynnull, byddino.

mobility *n* symudedd *m*.

mock *v* gwatwar, gwawdio.

mockery *n* gwatwar, gwawd *m*.

mode *n* dull, modd *m*.

model *n* model *m*. • *v* modelu.

moderate *adj* cymedrol, gweddol. • *v* cymedroli.

moderation *n* cymedroldeb *m*.

modern *adj* modern.

modernise *v* moderneiddio, diweddaru.

modest *adj* diymhongar.

modesty *n* gwyleidd-dra *m*.

modification *n* newidiad, addasiad *m*.

modify *v* addasu, cyfaddasu.

moist *adj* llaith, gwlyb.

moisten *v* gwlychu.

moisture *n* lleithder *m*.

molest v aflonyddu, ymyrryd.

molten adj tawdd.

moment n moment f.

momentary adj dros dro.

monastery n mynachlog f.

monastic adj mynachaidd.

Monday n Llun m.

monetary adj ariannol.

money n arian m.

monk n mynach m.

monkey n mwnci m.

monopolise v monopoleiddio.

monopoly n monopoli m.

monotonous adj undonog.

monotony n undonedd m.

monster n anghenfil m.

monstrous adj anferthol; gwarthus.

month n mis m.

monthly adj misol.

mood n hwyl f, tymer m/f.

moon n lleuad, lloer f.

moonlight n golau lleuad m.

moral adj moesol. • ~s n moesau pl.

morale n hyder, ysbryd m.

morality n moesoldeb m.

morbid adj afiach, morbid.

more adj mwy, ychwaneg; ~ and ~ mwyfwy.

moreover adv yn ogystal, at hynny.

morning n bore m; **good** ~ bore da.

morsel n tamaid bach m.

mortal adj meidrol, marwol. • n meidrolyn m.

mortality n marwolaeth f.

mortgage n morgais m. • v morgeisio.

mortuary n marwdy, corffdy m.

mosque n mosg m.

most adj mwyaf.

mother n mam f.

mother tongue n mamiaith f.

motherhood n mamolaeth f, bod yn fam.

mother-in-law n mam-yng-nghyfraith f.

motherly adj mamol.

motif n nodwedd m, motiff m.

motion n symudiad; cynnig m.

motionless adj disymud, llonydd.

motivation n ysgogiad, cymhelliad m.

motive n cymhelliad m.

motor n motor m.

motor vehicle n modur m.

motorbike n beic modur m.

motto n arwyddair m.

mould n mowld m. • v mowldio.

mound n twmpath m.

mount n mynydd m. • v dringo, esgyn.

mountain n mynydd m.

mountaineer n mynyddwr m, mynydd-wraig f.

mountainous adj mynyddig.

mourn v galaru.

mourning n galar m.

mouse n llygoden f.

moustache n mwstas m.

mouth n ceg f.

mouthful n cegaid, llond ceg m.

movable adj symudol, symudadwy.

move v symud. • n symudiad m.

movement n symudiad m.

moving adj gwefreiddiol, cyffrous.

mow v lladd, torri.

Mrs n Bns f.

much adj llawer.

mud n llaid, mwd m.

muddy adj mwdlyd.

multiple n lluosrif m.

multiplication n lluosi vn.

multiply v lluosi.

multitude n lliaws m, tyrfa f.

mumble v mwmian, mwmial.

munch v cnoi.

mundane adj cyffredin, dinod.

municipal adj bwrdeistrefol, trefol.

mural n murlun m.

murder n llofruddiaeth f. • v llofruddio.

murderer n llofruddiaeth f.

murky adj tywyll, lleidiog.

murmur n murmur, su m. • v sibrwd, suo.

muscle n cyhyr m.

muscular *adj* cyhyrog.
museum *n* amgueddfa *f*.
music *n* cerddoriaeth *f*.
musical *adj* cerddorol.
musician *n* cerddor *m*.
must *v* rhaid.
musty *adj* wedi llwydo.
mutate *v* treiglo.
mutation *n* treiglad *m*.
mute *adj* mud.
mutilate *v* llurgunio, difrodi.

mutilation *n* llurguniad *m*.
mutter *v* mwmian, dweud dan eich dannedd.
mutual *adj* eich gilydd, y naill a'r llall.
my *pron* fy.
myriad *n* myrdd *m*.
myself *pron* myfi fy hun.
mysterious *adj* rhyfedd, dirgel.
mystery *n* dirgelwch *m*.
myth *n* myth *m*.
mythology *n* mytholeg *f*.

N

nag *v* swnian, cadw sŵn.
nail *n* hoelen *f*; ewin *m*. • *v* hoelio.
naive *adj* diniwed.
naked *adj* noeth.
name *n* enw *m*. • *v* enwi.
nap *n* cyntun *m*.
nape *n* gwar *m/f*, gwegil *m*.
napkin *n* napcyn *m*.
narrate *v* adrodd, traethu.
narrative *n* traethiad, naratif *m*.
narrow *adj* cul, main.
nasty *adj* cas, brwnt.
nation *n* cenedl *f*.
national *adj* cenedlaethol.
nationalist *n* cenedlaetholwr *m*, cenedlaetholwraig *f*.
nationality *n* cenedligrwydd *m*.
native *adj* brodorol. • *n* brodor *m*, brodores *f*.
natural *adj* naturiol.
naturalist *n* naturiaethwr *m*, naturiaethwraig *f*.
nature *n* natur, anian *f*.
naughty *adj* drwg.
nausea *n* cyfog *m*.
nauseous *adj* cyfoglyd.
navel *n* bogail *m*.
navigate *v* mordwyo.
navigation *n* mordwyaeth *f*.
navy *n* llynges *f*.

near *prep*, *adv* yn agos. • *adj* agos.
nearly *adv* bron.
neat *adj* taclus, twt.
necessary *adj* angenrheidiol.
necessitate *v* gwneud yn angenrheidiol.
necessity *n* anghenraid, rheidrwydd *m*.
neck *n* gwddf *m*.
necklace *n* cadwyn am y gwddf *f*.
need *n* angen, eisiau *m*. • *v* bod ag angen.
needle *n* nodwydd *f*.
needy *adj* anghenus.
negation *n* nacâd *m*.
negative *adj* negyddol. • *n* negydd *m*.
neglect *v* esgeuluso. • *n* esgeulustra *m*.
negligence *n* esgeulustod *m*.
negligent *adj* esgeulus.
negotiate *v* trafod.
negotiation *n* trafodaeth *f*.
neighbour *n* cymydog *m*, cymdoges *f*.
neighbouring *adj* cyfagos.
neither *conj* na, nac.
nephew *n* nai *m*.
nerve *n* nerf *f/m*.
nervous *adj* nerfus, ar binnau.
nest *n* nyth *m/f*.
net *n* rhwyd *f*.
netball *n* pêl-rwyd *f*.
nettle *n* danhadlen *f*.
network *n* rhwydwaith *m*.

neutral *adj* niwtral.
neutrality *n* niwtraliaeth *f*.
never *adv* byth, erioed.
nevertheless *adv* serch hynny.
new *adj* newydd.
newborn *adj* newydd-anedig.
news *n* newyddion *pl*.
newspaper *n* papur newydd *m*.
New Year *n* Blwyddyn Newydd *m*;
 ~'s Day *n* Dydd Calan *m*; ~'s Eve
 Nos Galan *f*.
next *adj* nesaf, wedyn.
nibble *v* deintio, cnoi.
nice *adj* dymunol, hyfryd.
niche *n* cilfach *f*.
nickname *n* llysenw *m*. • *v* llysenwi.
niece *n* nith *f*.
night *n* nos, noson *f*; **good ~** nos da.
nightly *adv* beunos. • *adj* nosol.
nightmare *n* hunllef *f*.
nimble *adj* chwim, heini.
nine *num* naw.
nineteen *num* pedwar ar bymtheg *m*,
 pedair ar bymtheg *f*.
nineteenth *adj* pedwerydd (*m*)/ped-
 waredd (*f*) ar bymtheg.
ninetieth *adj* naw degfed.
ninety *num* naw deg.
ninth *adj* nawfed.
no *adv* na, ni. • *adj* dim.
noble *adj* bonheddig, urddasol.
nobody *pron* neb.
nocturnal *adj* nosol.
nod *n* amnaid *f*. • *v* amneidio.
noise *n* sŵn, twrw *m*.
noisiness *n* sŵn, twrw *m*.
nominal *adj* mewn enw.
nominate *v* enwebu, cynnig enw.
nomination *n* enwebiad *m*.
nonchalant *adj* didaro.
none *pron* dim un.
nonentity *n* neb o bwys *m*.
nonetheless *adv* serch hynny.
nonplussed *adj* syn, syfrdan.
nonsense *n* dwli *m*, lol *f*, ffwlbri *m*.

nonsensical *adj* gwirion, hurt.
nonstop *adj* dibaid, syth.
noon *n* canol dydd, hanner dydd *m*.
nor *conj* na, nac.
normal *adj* arferol, rheolaidd.
north *n* gogledd *m*.
northeast *n* gogledd-ddwyrain *m*.
northern *adj* gogleddol.
northwest *n* gogledd-orllewin *m*.
nose *n* trwyn *m*.
nostalgia *n* hiraeth *m*.
nostril *n* ffroen *f*.
not *adv* heb, na, nad, ni, nid.
notable *adj* nodedig, hynod.
note *n* nodyn *m*. • *v* nodi.
notebook *n* llyfr nodiadau *m*.
nothing *n* dim byd *m*.
notice *n* hysbysiad *m*. • *v* sylwi.
noticeable *adj* amlwg.
notify *v* hysbysu, rhoi gwybod.
notion *n* syniad, amcan *m*.
notoriety *n* enwogrwydd *m*.
notorious *adj* ag enw drwg.
nourish *v* meithrin.
nourishment *n* maeth *m*.
novel *n* nofel *f*.
novelty *n* newyddbeth *m*.
November *n* Tachwedd *m*.
novice *n* newyddian *m/f*.
now *adv* yn awr.
nowadays *adv* heddiw, y dyddiau hyn.
nowhere *adv* yn unman.
nuance *n* arlliw *m*.
nuclear *adj* niwclear.
nude *adj* noethlymun.
nudity *n* noethni *m*.
nuisance *n* digon o farn, poendod *m*.
numb *adj* dideimlad. • *v* merwino,
 fferru.
number *n* rhif *m*, nifer *m/f*. • *v* cyfrif,
 rhifo.
numbness *n* merwindod, diffyg teim-
 lad *m*.
numeral *n* rhifol *m*.
numerical *adj* rhifol.

nurse *n* nyrs *f/m.* • *v* nyrsio.
nursery *n* meithrinfa *f.*
nurture *v* meithrin, magu.

nut *n* cneuen *f.*
nutritious *adj* maethlon.
nylon *n* neilon *m.*

O

oak *n* derwen *f.*
oar *n* rhwyf *f.*
oath *n* llw *m.*
obedience *n* ufudd-dod *m.*
obedient *adj* ufudd.
obese *adj* tew iawn.
obesity *n* tewdra *m.*
obey *v* ufuddhau.
object *n* gwrthrych *m.* • *v* gwrthwynebu.
objection *n* gwrthwynebiad *m.*
objective *adj* gwrthrychol.
obligation *n* gorfodaeth *f*, rheidrwydd *m.*
obligatory *adj* gorfodol.
oblige *v* gorfodi; gwneud tro da.
obliging *adj* cymwynasgar.
oblique *adj* lletraws, ar osgo.
oblivious *adj* heb sylwi.
obnoxious *adj* ffiaidd.
obscene *adj* anweddus.
obscure *adj* aneglur, tywyll. • *v* cuddio, tywyllu.
obscurity *n* dinodedd, tywyllwch *m.*
observant *adj* sylwgar.
observation *n* sylw *m.*
observatory *n* arsyllfa *f.*
observe *v* cadw; gwylio.
obsession *n* obsesiwn *n.*
obsessive *adj* obsesiynol.
obsolete *adj* wedi hen ddarfod.
obstacle *n* rhwystr *m.*
obstinate *adj* ystyfnig, pengaled.
obstruct *v* rhwystro, cau.
obstruction *n* rhwystr *m*, tagfa *f.*
obtain *v* cael, ennill.
obtainable *adj* ar gael.
obvious *adj* amlwg.
occasion *n* achlysur *m.* • *v* achosi.

occasional *adj* achlysurol.
occupant *n* deiliad *m.*
occupation *n* gwaith *m*; deiliadaeth *f.*
occupy *v* meddiannu.
occur *v* digwydd, taro.
occurrence *n* digwyddiad *m.*
ocean *n* cefnfor *m.*
oceanic *adj* cefnforol.
October *n* Hydref *m.*
odd *adj* od, rhyfedd.
odious *adj* ffiaidd, anghynnes.
odour *n* aroglau, oglau *m.*
of *prep* o.
off *adv* ymaith, i ffwrdd.
offence *n* trosedd *m/f.*
offend *v* pechu, tramgwyddo.
offensive *adj* ymosodol; sarhaus.
offer *v* cynnig. • *n* cynnig *m.*
office *n* swyddfa *f.*
officer *n* swyddog *m.*
official *adj* swyddogol.
officiate *v* gweinyddu, gweinidogaethu.
offset *v* gwrthbwyso.
offshore *adj* ar y môr.
offspring *n* epil *pl*, hil *f.*
oil *n* olew *m.* • *v* iro.
oil painting *n* darlun olew *m.*
oil tanker *n* tancer olew *m/f.*
ointment *n* eli *m.*
O.K. *excl* iawn, i'r dim.
old *adj* hen.
old age *n* henaint *m.*
olive *n* ffrwyth yr olewydd *m.*
olive oil *n* olew olewydd *m.*
omelette *n* omled *m/f.*
omission *n* hepgoriad, esgeulustod *m.*
omit *v* gadael allan.
on *prep* ar. • *adv* ymlaen.

once *adv* unwaith.
one *num* un.
onerous *adj* beichus, trwm.
one-sided *adj* unochrog.
onion *n* wynionyn *m*.
onlooker *n* gwyliwr *m*.
only *adj* unig. • *adv* dim ond, yn unig.
onus *n* cyfrifoldeb *m*.
opaque *adj* afloyw, didraidd.
open *adj* agored. • *v* agor.
opening *n* agoriad *m*.
openness *n* natur agored *f*.
opera *n* opera *f*.
operate *v* gweithio, gweithredu.
operation *n* llawdriniaeth *f*; gweithrediad *m*.
operator *n* gweithiwr, gweithredwr *m*.
opine *v* barnu, tybio.
opinion *n* barn *f*.
opinion poll *n* pôl piniwn, arolwg barn *m*.
opponent *n* gwrthwynebydd *m*.
opportune *adj* amserol, cyfleus.
opportunity *n* cyfle *m*.
oppose *v* gwrthwynebu.
opposing *adj* gwrthwynebus.
opposite *adj* cyferbyn.
opposition *n* gwrthwynebiad *m*.
oppress *v* gormesu.
oppressive *adj* gormesol.
optimist *n* optimydd *m*.
optimistic *adj* optimistaidd, ffyddiog.
optimum *adj* gorau posibl.
option *n* dewis *m*.
optional *adj* dewisol.
opulent *adj* cyfoethog, godidog.
or *conj* neu.
oral *adj* llafar, geneuol.
orange *n* oren *m*.
orbit *n* cylchdro *m*.
orchestra *n* cerddorfa *f*.
ordain *v* ordeinio.
order *n* gorchymyn *m*; trefn *f*. • *v* gorchymyn.
orderly *adj* trefnus.

ordinary *adj* cyffredin.
ore *n* mwyn *m*.
organ *n* organ *f*.
organic *adj* organaidd.
organisation *n* mudiad *m*; trefnu *vn*.
organise *v* trefnu.
organism *n* organedd *m*.
oriental *adj* dwyreiniol.
orifice *n* twll *m*.
origin *n* dechreuad, tarddiad *m*.
original *adj* gwreiddiol.
originality *n* gwreiddioldeb *m*.
ornament *n* addurn *m*.
ornate *adj* addurnedig.
orphan *adj* amddifad.
orthodox *adj* uniongred.
oscillate *v* pendilio.
other *pron* arall, llall, amgen.
otherwise *adv* fel arall.
our *pron* ein.
ourselves *pron* ein hunain.
out *adv* allan, maes.
outburst *n* ffrwydrad *m*.
outcome *n* canlyniad *m*.
outdo *v* rhagori ar.
outdoor *adj* awyr agored, allanol.
outer *adj* allanol.
outfit *n* dillad *pl*.
outgoing *adj* ymadawol; rhadlon.
outlay *n* gwariant *m*; traul *f*.
outline *n* amlinelliad, braslun *m*.
outlook *n* rhagolwg *m*.
output *n* allgynnyrch *m*.
outrage *n* gwarth *m*. • *v* gwylltio, cythruddo.
outright *adv* yn llwyr; yn syth. • *adj* llwyr.
outset *n* dechrau *m*.
outside *n adv* tu allan.
outstrip *v* trechu.
oval *adj* hirgrwn.
ovary *n* ofari *m/f*.
oven *n* ffwrn *f*, popty *m*.
over *prep* uwch, dros. • *adj* gor, rhy.
overall *adj* at ei gilydd.

overbalance v cwympo drososdd.
overcast adj cymylog.
overcharge v codi gormod.
overcoat n cot fawr f.
overcome v goresgyn, trechu.
overdo v gorwneud.
overdraft n gorddrafft m.
overdue adj hwyr.
overestimate v goramcangyfrif.
overflow v gorlifo. • n gorlifiad m.
overhaul n archwiliad m, atgyweirio vn.
overland adj traws gwlad.
overlap v gorgyffwrdd.
overlook v edrych dros; esgeuluso.
overnight adv dros nos.
overpower v trechu.
overrate v gorbrisio, gorganmol.
overrun v heidio.
overseas adv dramor.
oversee v goruchwylio.

oversight n amryfusedd m; arolygiaeth f.
oversleep v cysgu'n hwyr.
overtake v goddiweddyd.
overthrow v dymchwel.
overtime n goramser m, oriau ychwanegol pl.
overturn v dymchwel, moelyd.
overwhelm v llethu, sathru.
overwhelming adj llethol, anorthrech.
overwork v gorweithio.
owe v mae ar.
owing adj dyledus; oherwydd.
owl n tylluan f.
own adj hunan. • v meddu, piau.
owner n perchennog m.
ox n ych m.
oxygen n ocsygen m.
oyster n wystrysen f.
ozone n osôn m.

P

pace n cam m. • v camu.
pacific adj heddychlon, heddychol.
pacification n tawelu, llonyddu vn.
pacify v tawelu, gwastrodi.
pack n pecyn m. • v pacio.
package n pecyn m.
packet n paced m.
pact n cyfamod, cytundeb m.
pad n pad m.
paddle v padlo. • n padlen, rhodl f.
pagan adj paganaidd.
page n tudalen m/f; macwy m.
pail n bwced m/f.
pain n poen m/f, dolur m. • v brifo.
pained adj poenus, pryderus.
painful adj poenus.
painstaking adj gofalus, dyfal.
paint v peintio.
painter n peintiwr m, peintwraig f.
painting n peintiad, llun m.
pair n pâr m.

palatable adj blasus.
palate n taflod y genau f.
pale adj gwelw, llwyd.
palette n paled m.
pallet n gwely gwellt m.
pallid adj gwelw, llwyd.
palpable adj cyffyrddadwy; eglur.
palpitation n dychlamiad y galon m.
pamper v mwytho, maldodi.
pamphlet n pamffledyn, llyfryn m.
pan n padell f.
panache n steil m.
pane n cwarel, paen m.
panel n panel m.
pang n gwayw f.
panic v gwylltio, gwylltu.
pant v dyhefod, peuo.
panther n panther m.
pantry n pantri m.
pants n trôns pl.
paper n papur m. • v papuro.

paperweight *n* pwysau papur *m*.

par *n* cyfartaledd *m*. • *adj* cyfartal.

parachute *n* parasiwt *m*.

parade *n* sioe, gorymdaith *f*.

paradise *n* paradwys *f*.

paradox *n* paradocs *m*.

paragraph *n* paragraff *m*.

parallel *adj* cyfochrog . • *n* cyflin *f*.

paralyse *v* parlysu.

paralysis *n* parlys *m*.

paramount *adj* goruchaf, pennaf.

paranoid *adj* paranoiaidd.

parasite *n* parasit *m*.

parcel *n* parsel *m*. • *v* parselu.

parch *v* crasu, sychu.

pardon *n* maddeuant *m*. • *v* maddau.

parent *n* rhiant *m*; ~s rhieni *pl*.

park *n* parc *m*. • *v* parcio.

parking lot *n* maes parcio *m*.

parliament *n* senedd *f*.

parody *n* parodi *m/f*. • *v* paradïo.

parry *v* troi naill ochr.

part *n* rhan *f*. • *v* gwahanu, rhannu.
  • ~ly *adv* yn rhannol.

partial *adj* rhannol; pleidiol.

participate *v* cyfranogi, cymryd rhan.

participation *n* cyfranogiad *m*.

particle *n* gronyn; geiryn *m*.

particular *adj* arbennig, neilltuol.

partition *n* pared, palis *m*. • *v* rhannu.

partner *n* cymar *m/f*.

party *n* plaid *f*; parti *m*.

pass *v* pasio. • *n* bwlch *m*.

passage *n* tramwyfa, rhodfa *f*.

passenger *n* teithiwr *m*, teithwraig *f*.

passer-by *n* un sy'n mynd heibio.

passion *n* angerdd *m*, nwyd *m/f*.

passionate *adj* angerddol.

passive *adj* goddefol.

passport *n* trwydded deithio *f*, pasport *m*.

past *adj* cynt. • *n* gorffennol *m*. • *prep* wedi.

paste *n* past *m*. • *v* pastio.

pastime *n* difyrrwch *m*.

pastry *n* toes *m*.

pasture *n* porfa *f*.

patch *n* clwt *m*. • *v* clytio.

patent *adj* amlwg. • *n* breinlen *f*, patent *m*. • *v* rhoi patent ar.

paternal *adj* tadol.

paternity *n* tadogaeth *f*.

path *n* llwybr *m*.

pathetic *adj* truenus, pathetig.

patience *n* amynedd *m/f*.

patient *adj* amyneddgar. • *n* claf *m*.

patrol *v* patrolio.

patron *n* noddwr *m*, noddwraig *f*.

patronise *v* noddi; bod yn nawddogol.

pattern *n* patrwm *m*.

pause *n* saib *m*. • *v* oedi, gorffwys.

pave *v* palmantu.

pavement *n* palmant, pafin *m*.

paw *n* pawen *f*. • *v* pawennu.

pay *n* cyflog *m*. • *v* talu; **to ~ back** adalu.

payable *adj* taladwy, dyledus.

payment *n* tâl *m*.

pea *n* pysen *f*.

peace *n* heddwch *m*, tangnefedd *m/f*.

peaceful *adj* heddychol, heddychlon, distaw.

peak *n* pig *m/f*, brig *m*.

pear *n* gellygen, peren *f*.

pearl *n* perl *m*.

peasant *n* gwladwr *m*.

pebble *n* cerigyn *m*.

peculiar *adj* hynod.

peculiarity *n* hynodrwydd *m*; noddwedd *f*.

pedal *n* pedal *m*. • *v* pedlo.

pedestrian *n* cerddwr *m*. • *adj* ar draed, pedestraidd.

peel *v* crafu, plicio. • *n* croen, pil *m*.

peer *n* cymar *m*.

peerless *adj* digymar.

pelt *n* croen *m*.

pen *n* pin ysgrifennu *m*; corlan *f*.

penalty *n* cosb *f*.

pencil *n* pensel, pensil *f*.

pendulum n pendil m.
penetrate v treiddio.
peninsula n gorynys f, penrhyn m.
penitentiary n carchar m.
penknife n cyllell boced f.
penpal n cyfaill drwy'r post m.
pension n pensiwn m. • v pensiynu.
pensive adj meddylgar.
penultimate adj cynderfynol, olaf ond un.
people n pobl f. • v poblogi.
pepper n pupur m. • v pupro.
per annum adv y flwyddyn.
perceive v canfod.
percentage n canran f.
perception n dirnadaeth f.
perch n clwyd f.
percussion n taro vn; offerynnau taro pl.
perdition n colledigaeth f, difancoll m.
perennial adj lluosflwydd.
perfect adj perffaith. • v perffeithio.
perfection n perffeithrwydd m.
perform v perfformio, chwarae.
performance n perfformiad m.
performer n perfformiwr, chwaraewr m.
perfume n persawr m. • v perarogli.
perhaps adv efallai, hwyrach.
peril n perygl m.
perilous adj peryglus.
perimeter n perimedr; terfyn allanol m.
period n cyfnod m.
periodic adj cyfnodol.
perish v marw, trengi.
perishable adj darfodus, byrhoedlog.
permanent adj parhaol.
permissible adj caniataol, goddefadwy.
permission n caniatâd m.
permissive adj goddefgar.
permit v caniatáu. • n trwydded, hawlen f.
perpetrate v bod yn gyfrifol, cyflawni.
perpetual adj parhaol, parhaus.

perplex v drysu, mwydro.
persecute v erlid.
persecution n erledigaeth f.
persevere v dyfalbarhau, dal ati.
persist v dyfalbarhau, dal ati.
persistence n dyfalbarhad m.
persistent adj dyfal.
person n rhywun m.
personage n rhywun pwysig m.
personal adv personol.
personality n personoliaeth f.
personnel n personél m.
perspective n persbectif m.
perspiration n chwys m.
perspire v chwysu.
persuade v darbwyllo, perswadio.
persuasion n perswâd m.
persuasive adj yn dwyn perswâd.
pertaining: ~ to prep parthed, ynglŷn â.
pertinent adj perthnasol.
perturb v aflonyddu, tarfu.
peruse v darllen, craffu ar.
perverse adj gwrthnysig, croes.
pessimist n pesimist m/f.
pest n pla; poendod m.
pester v plagio, poeni.
pestilence n pla m, haint m/f.
pet n anifail anwes m.
petal n petal m.
petition n deiseb f.
petticoat n pais f.
pettiness n bychander, bychandra m.
petty adj mân, pitw.
phantom n drychiolaeth f, ysbryd m.
pharmacist n fferyllydd m.
pharmacy n fferyllfa f.
phase n cyfnod m.
phenomenal adj gwyrthiol.
phenomenon n ffenomen f, rhyfeddod m.
philosopher n athronydd m.
philosophical adj athronyddol.
philosophise v athronyddu.
philosophy n athroniaeth f.
phobia n ffobia m.

phone n ffôn m. • v ffonio.
phone book n llyfr ffôn m.
phone call n galwad ffôn m.
photograph n ffotograff m. • v tynnu llun.
photographer n tynnwr lluniau, ffotograffydd m.
photography n ffotograffiaeth f.
phrase n ymadrodd m. • v mynegi, geirio.
phrase book n llyfr ymadrodion m.
physical adj corfforol.
physician n meddyg m.
physicist n ffisegydd m.
physiotherapy n ffisiotherapi m.
physique n corffolaeth f.
pianist n pianydd m.
piano n piano m.
pick v pigo, dewis. • n y gorau m.
picnic n picnic m.
pictorial adj darluniadol.
picture n llun, darlun m. • v darlunio, dychmygu.
pie n pastai f.
piece n darn m.
pierce v gwanu, trywanu.
piercing adj treiddgar.
pig n mochyn m.
pigeon n colomen f.
pile n twmpath, pentwr m. • v pentyrru.
pilgrim n pererin m.
pill n pilsen f.
pillar n piler m, colofn f.
pillow n clustog f, gobennydd m.
pilot n peilot m. • v llywio.
pin n pin m. • v pinio.
pincers n pinsiwrn m.
pine n pinwydden f. • v hiraethu.
pineapple n pinafal m.
pink adj pinc.
pint n peint m.
pioneer n arloeswr m, arloeswraig f.
pious adj duwiol.
pipe n pibell f, pib m.

pipeline n piblin m.
piracy n môr-ladrad m.
pirate n môr-leidr m.
pistol n pistol m.
pitcher n piser m.
pitiable adj truenus, gresynus.
pitiful adj truenus.
pity n tosturi m. • v tosturio wrth.
placard n placard m.
placate v tawelu.
place n lle m. • v lleoli.
placid adj llonydd, tawel.
plague n pla m. • v plagio, poeni.
plain adj plaen, moel. • n gwastadedd m.
plait n pleth f, plethyn m. • v plethu.
plan n cynllun m. • v cynllunio.
plane n plân m. • v plaenio.
planet n planed f.
plank n astell, ystyllen f.
planner n cynlluniwr m.
plant n llysieuyn, planhigyn m. • v plannu.
plantation n planhigfa f.
plaster n plastr m. • v plastro.
plastic adj plastig.
plate n plât m.
platform n platfform m.
platter n dysgl f.
plausible adj credadwy.
play n drama f. • v chwarae.
player n chwaraewr m, chwaraewraig f.
playful adj chwareus.
playwright n dramodydd m.
plea n deisyfiad m, apêl m/f.
plead v pledio, erfyn.
pleasant adj hyfryd, dymunol.
please v rhyngu bodd, plesio.
pleased adj bodlon, balch.
pleasure n pleser, mwynhad m.
pledge n ernes f, addewid m/f. • v addo.
plentiful adj helaeth, toreithiog.
plenty n digon, digonedd m.

pliable *adj* hyblyg, ystwyth.

pliers *n* gefelen *f*.

plot *n* llain *f*; plot *m*. • *v* plotio.

plough *n* aradr *m/f*. • *v* aredig.

pluck *v* tynnu, plycio. • *n* dewrder, plwc *m*.

plug *n* plwg *m*. • *v* plwgio.

plumber *n* plymer *m*.

plump *adj* llond eich croen.

plunge *v* plymio.

plural *adj* lluosog.

plus *n* plws *m*.

pneumonia *n* llid yr ysgyfaint, niwmonia *m*.

poach *v* potsio, herwhela.

poacher *n* potsiwr *m*.

pocket *n* poced *f*. • *v* pocedu.

poem *n* cerdd *f*.

poet *n* bardd *m*.

poetry *n* barddoniaeth *f*.

poignant *adj* dwys, ingol.

point *n* pwynt *m*. • *v* pwyntio.

pointed *adj* miniog.

poise *n* ymarweddiad *m*.

poison *n* gwenwyn *m*. • *v* gwenwyno.

poisonous *adj* gwenwynig, gwenwynllyd.

poke *v* gwthio, procio.

poker-faced *adj* difynegiant.

pole *n* polyn; pegwn *m*.

police *n* heddlu *m*.

police officer *n* heddwas, plismon *m*, plismones *f*.

police station *n* swyddfa'r heddlu *f*.

policy *n* polisi *m*.

polish *v* gloywi, caboli.

polished *adj* caboledig, gloyw.

polite *adj* boneddigaidd.

politeness *n* boneddigeiddrwydd *m*.

political *adj* gwleidyddol.

politician *n* gwleidydd *m*.

politics *n* gwleidyddiaeth *f*.

pollute *v* llygru.

pollution *n* llygredd *m*.

pompous *adj* mawreddog.

pond *n* pwll *m*.

ponder *v* ystyried.

pony *n* merlyn *m*, poni *m/f*.

pool *n* pwll *m*.

poor *adj* tlawd, truan.

populace *n* poblogaeth *f*.

popular *adj* poblogaidd.

popularity *n* poblogrwydd *m*.

populate *v* poblogi.

population *n* poblogaeth *f*.

porch *n* porth, cyntedd *m*.

pork *n* porc, cig mochyn *m*.

port *n* porthladd *m*.

portable *adj* cludadwy.

portion *n* rhan, cyfran *f*.

portrait *n* portread, darlun *m*.

portray *v* portreadu, darlunio.

pose *n* ystum *m/f*.

position *n* ystum *m/f*, safle *m*.

positive *adj* cadarnhaol, pendant.

possess *v* meddu, perchenogi.

possession *n* meddiant *m*, perchenogaeth *f*.

possibility *n* posibilrwydd *m*.

possible *adj* posibl.

post *n* post *m*.

postage stamp *n* stamp post *m*.

postcard *n* cerdyn post *m*.

poster *n* poster *m*.

posterior *n* pen-ôl *m*.

posthumous *adj* ar ôl marwolaeth.

postman *n* postmon *m*.

post office *n* llythyrdy *m*, swyddfa bost *f*.

postpone *v* gohirio.

potion *n* dogn *m*.

pouch *n* cod *f*, cwdyn *m*.

poultry *n* dofednod *pl*.

pound *n* punt *f*; pwys *m*. • *v* pwyo, pwnio.

pour *v* arllwys, tywallt.

poverty *n* tlodi *m*.

powder *n* powdr, powdwr *m*. • *v* powdro.

powdery *adj* fel powdr mân.

power *n* gallu, grym *m*.
powerful *adj* grymus.
powerless *adj* di-rym.
practicable *adj* ymarferol, posibl.
practical *adj* ymarferol.
practicality *n* ymarferoldeb *m*.
practice *n* ymarfer, arfer *m/f*.
practise *v* ymarfer.
pragmatic *adj* pragmataidd.
praise *n* canmoliaeth *f*.
prance *v* prancio.
prattle *v* clebran, clepian.
prawn *n* corgimwch *m*.
pray *v* gweddïo.
prayer *n* gweddi *f*.
preach *v* pregethu.
preacher *n* pregethwr *m*.
precarious *adj* ansicr.
precaution *n* gofal, rhagofal *m*.
precede *v* rhagflaenu.
precedent *n* cynsail *m/f*.
precinct *n* canolfan siopa *m/f*.
precious *adj* gwerthfawr.
precipitate *v* ysgogi, bwrw. • *adj* brysiog.
precise *adj* manwl.
precision *n* manwl gywirdeb *m*.
precocious *adj* henaidd.
preconceive *v* rhagdybio.
preconception *n* rhagdybiaeth *f*.
predator *n* rheibiwr *m*.
predecessor *n* rhagflaenydd *m*.
predict *v* darogan, proffwydo.
predictable *adj* rhagweladwy.
prediction *n* proffwydoliaeth *f*.
predominant *adj* mwyaf, pennaf.
predominate *v* tra-arglwyddiaethu.
preface *n* rhagair *m*.
prefer *v* bod yn well gan, ffafrio.
preferable *adj* gwell.
preference *n* ffafriaeth *f*.
preferential *adj* ffafriol.
prefix *n* rhagddodiad *m*.
pregnancy *n* beichiogrwydd *m*.
pregnant *adj* beichiog.

prehistoric *adj* cynhanesyddol.
prejudice *n* rhagfarn *f*. • *v* niweidio.
prejudiced *adj* rhagfarnllyd.
prejudicial *adj* niweidiol.
preliminary *adj* rhagarweiniol.
premature *adj* cynamserol, anrhymig.
premeditated *adj* bwriadol.
premises *n* adeilad *m/f*, tŷ *m*.
premium *n* premiwm *m*.
premonition *n* rhagrybudd *m*.
preparation *n* paratoad *m*.
preparatory *adj* rhagbaratoawl.
prepare *v* paratoi.
preposterous *adj* hurt, chwerthinllyd.
prerogative *n* braint *f*.
prescription *n* presgripsiwn *m*.
presence *n* presenoldeb *m*.
present *n* anrheg, rhodd *f*. • *adj* presennol. • *v* cyflwyno.
presentable *adj* cymeradwy, taclus.
presenter *n* cyflwynydd *m*.
preservation *n* cadwraeth *f*.
preservator *n* cadwriaethwr *m*, cadwriaethwraig *f*.
preserve *v* cadw; cyffeithio. • *n* cyffaith, jam *m*.
preside *v* llywyddu.
president *n* llywydd *m*.
press *v* gwasgu. • *n* gwasg *f*.
pressure *n* pwysau, pwysedd, gwasgedd *m*.
prestige *n* bri *m*.
presumable *adj* tebygol.
presume *v* tybio, rhagdybio.
presumption *n* tybiaeth *f*.
pretence *n* esgus *m*.
pretend *v* cymryd arnoch.
pretext *n* esgus *m*.
pretty *adj* pert, del.
prevail *v* darbwyllo.
prevalent *adj* cyffredin.
prevent *v* rhwystro, atal.
prevention *n* rhwystro, atal *vn*.
previous *adj* blaenorol, cynt.

prey n ysglyfaeth f.
price n pris m.
prick v pigo.
pride n balchder m.
priest n offeiriad m.
priesthood n offeiriadaeth f.
primacy n blaenoriaeth f.
primarily adv yn bennaf.
primary adj cynradd, cychwynnol.
primate n primat m.
prime n anterth m. • adj prif.
prime minister n prif weinidog m.
primitive adj cyntefig.
prince n tywysog m.
princess n tywysoges f.
principal adj prif. • n pennaeth m.
principle n egwyddor m.
print v argraffu. • n ôl; print m.
printer n argraffwr, argraffydd m.
prior adj cynharach, cynt.
priority n blaenoriaeth f.
prison n carchar m.
prisoner n carcharor m.
privacy n preifatrwydd m.
private adj preifat.
privilege n braint f.
prize n gwobr f. • v gwerthfawrogi.
pro prep o blaid.
probability n tebyg, tebygolrwydd m.
probable adj tebygol, tebyg.
probation n profiannaeth f.
probationary adj ar brawf.
probe n chwiliedydd m. • v chwilio.
problem n problem f.
problematical adj amheus, problem-
atig.
procedure n trefn f, dull o weithredu
m.
proceed v mynd ymlaen.
process n proses f.
procession n gorymdaith f.
proclaim v datgan, cyhoeddi.
proclamation n datganiad, cyhoeddi-
ad m.
procure v cael, sicrhau.

procurement n caffaeliad m.
prod v procio.
prodigious adj aruthrol.
prodigy n rhyfeddod m.
produce v cynhyrchu.
producer n cynhyrchydd m.
product n cynnyrch m.
production n cynhyrchiad m.
productive adj cynhyrchiol.
profess v proffesu.
profession n galwedigaeth f, proffesi-
wn m.
professional adj proffesiynol.
professor n athro m.
proficiency n gallu, medr m.
proficient adj hyddysg; rhugl.
profile n amlinell f, proffil m.
profit n elw m. • v elwa.
profitability n proffidioldeb m.
profitable adj proffidiol.
profound adj dwfn.
program(me) n rhaglen f.
programmer n rhaglennwr, rhaglen-
nydd m.
progress n hynt, cwrs m. • v mynd yn
eich blaen.
progression n dilyniant, symudiad m.
progressive adj blaengar; cynyddol.
prohibit v gwahardd.
project v taflu, taflunio. • n cywaith m.
projection n tafluniad m.
prolific adj toreithiog.
prolong v hwyhau.
promenade n rhodfa f.
prominence n amlygrwydd m.
prominent adj amlwg.
promise n addewid m/f. • v addo.
promising adj addawol.
promote v dyrchafu; hyrwyddo.
promoter n hyrwyddwr m.
promotion n dyrchafiad m.
prompt adj prydlon, diymdroi. • v pro-
cio cof.
prone adj wyneb i waered; chwannog.
pronounce v datgan; ynganu.

pronounced *adj* pendant, amlwg.
pronouncement *n* datganiad *m*.
pronunciation *n* ynganiad, cynaniad *m*.
proof *n* prawf *m*.
prop *v* pwyso yn erbyn. • *n* prop *m*, ateg *f*.
propaganda *n* propaganda *m*.
propel *v* gyrru, gwthio ymlaen.
propeller *n* sgriw yrru *f*.
propensity *n* tuedd *f*, tueddiad *m*.
proper *adj* go iawn, priodol.
property *n* eiddo *m*; priodoledd *f*.
prophecy *n* proffwydoliaeth *f*.
prophet *n* proffwyd *m*, proffwydes *f*.
proportion *n* rhan, cyfran *f*.
proportional *adj* cyfrannol, cymesurol.
proposal *n* cynnig *m*.
propose *v* cynnig *m*.
proposition *n* cynnig, cynigiad *m*.
proprietor *n* perchen, perchennog *m*.
prosecute *v* erlyn.
prosecution *n* erlyniad *m*.
prospect *n* rhagolwg *m*. • *v* chwilota.
prospective *adj* arfaethedig.
prosper *v* ffynnu.
prosperity *n* ffyniant *m*.
prosperous *adj* ffyniannus, llewyrchus.
prostitute *n* putain *f*.
protagonist *n* prif gymeriad *m*.
protect *v* amddiffyn, gwarchod.
protection *n* amddiffyniad *m*.
protective *adj* amddiffynnol, gwarcheidiol.
protein *n* protein *m*.
protest *v* gwrthdystio, protestio. • *n* gwrthdystiad *m*, protest *f*.
Protestant *n* Protestant *m*.
protester *n* gwrthdystiwr *m*, gwrthdystwraig *f*.
prototype *n* cynddelw *f*.
proud *adj* balch.
prove *v* profi.

proverb *n* dihareb *f*.
provide *v* darparu.
providence *n* rhagluniaeth *f*.
province *n* talaith *f*.
provincial *adj* taleithiol.
provision *n* darpariaeth *f*.
provisional *adj* dros dro.
provocation *n* cythrudd, achos.
provocative *adj* pryfoclyd.
provoke *v* cythruddo, pryfocio.
prowess *n* medrusrwydd *m*.
prowl *v* prowlan.
prowler *n* llerciwr *m*.
proximity *n* agosrwydd *m*.
prudence *n* pwyll, gofal *m*.
prudent *adj* darbodus, gofalus.
pry *v* busnesa.
pseudonym *n* ffugenw *m*.
psychiatric *adj* seiciatrig, seiciatraidd.
psychiatrist *n* seiciatrydd *m*.
psychic *adj* seicig.
psychoanalyst *n* seicdreiddiwr *m*.
psychologist *n* seicolegydd *m*.
psychology *n* seicoleg *f*.
puberty *n* oed aeddfedrwydd *m*.
public *adj* cyhoeddus. • *n* y cyhoedd *m*.
publication *n* cyhoeddiad *m*.
publicity *n* cyhoeddusrwydd *m*.
publish *v* cyhoeddi.
publisher *n* cyhoeddwr *m*.
publishing *n* cyhoeddi *vn*.
pudding *n* pwdin *m*.
puddle *n* pwll *m*.
puff *n* chwa *f*. • *v* chwythu, pwffian.
pull *v* tynnu. • *n* tynfa *f*, plwc *m*.
pulley *n* pwli *m*, chwerfan *f*.
pulsate *v* curo, dychlamu.
pulse *n* curiad y galon *m*.
pulverise *v* malurio.
pump *n* pwmp *m*. • *v* pwmpio.
punch *n* dyrnod *m/f*. • *v* dyrnu, pwnsio.
punctual *adj* prydlon.

punctuate *v* atalnodi.
punctuation *n* atalnodiad *m*.
punish *v* cosbi.
punishment *n* cosb *f*.
puny *adj* eiddil, pitw.
pupil *n* disgybl *m*; cannwyll y llygad *f*.
puppet *n* pyped *m*.
puppy *n* ci bach *m*.
purchase *v* prynu. • *n* pryniant *m*.
purchaser *n* prynwr *m*, prynwraig *f*.
pure *adj* pur.
purification *n* puro, pureiddio *vn*.
purify *v* puro, pureiddio.
purity *n* purdeb *m*.
purple *adj* porffor.

purpose *n* bwriad, pwrpas *m*.
purse *n* pwrs *m*, cod *f*.
pursue *v* ymlid, dilyn.
pursuit *n* ymlid *m*.
push *v* gwthio. • *n* gwthiad, hwb *m*.
put *v* rhoi, gosod.
putrid *adj* pwdr.
putty *n* pwti *m*.
puzzle *n* pos, pysl *m*.
puzzling *adj* astrus.
pyjamas *n* pyjamas *pl*.
pylon *n* peilon *m*.
pyramid *n* pyramid *m*.
python *n* peithon *m*.

Q

quack *v* cwacio. • *n* doctor bôn clawdd *m*.
quagmire *n* cors, mignen *f*.
quaint *adj* od, henffasiwn.
quake *v* dirgrynu.
qualification *n* cymhwyster *m*.
qualified *adj* trwyddedig.
qualify *v* bod yn gymwys; cymhwyso; goleddfu.
quality *n* ansawdd *m/f*.
qualm *n* pang *m*, petruso *vn*.
quantity *n* maint, swm *m*.
quarantine *n* cwarantin *m*.
quarrel *n* ffrae *f*. • *v* ffraeo, cecru.
quarrelsome *adj* cecrus.
quarry *n* cloddio.
quarter *n* chwarter *m*. • *v* rhannu'n bedair, chwarteru.
quarterly *adj* chwarterol.
quash *v* dileu, gwastrodi.
quay *n* cei *m*.
queen *n* brenhines *f*.
queer *adj* rhyfedd.

quell *v* tawelu, gostegu.
quench *v* diffodd, torri.
query *n* ymholiad *m*. • *v* holi; amau.
quest *n* cais *m*.
question *n* cwestiwn *m*. • *v* holi.
questionable *adj* amheus.
questioner *n* holwr *m*, holwraig *f*.
questionnaire *n* holiadur *m*.
quibble *v* hollti blew.
quick *adj* cyflym, buan.
quicken *v* cyflymu.
quiet *adj* tawel, distaw.
quietness *n* tawelwch, distawrwydd *m*.
quip *n* ateb parod *m*. • *v* cellwair.
quit *v* gadael, rhoi'r gorau i.
quite *adv* yn hollol.
quiver *v* crynu.
quiz *n* cwis *m*, cystadleuaeth *f*. • *v* holi.
quota *n* cwota *m*.
quotation *n* dyfyniad *m*.
quote *v* dyfynnu.

R

rabbit *n* cwningen *f.*
rabble *n* ciwed *f.*
rabies *n* y gynddaredd *f.*
race *n* ras; hil *f.* • *v* rhedeg ras, rasio.
racial *adj* hiliol.
rack *n* rhesel *f.*
racket *n* raced *f.*
radiant *adj* pelydrol, yn disgleirio.
radiate *v* tywynnu, disgleirio.
radiation *n* pelydriad *m*, ymbelydredd *m.*
radiator *n* rheiddiadur *m.*
radical *adj* radicalaidd.
radio *n* radio *m.*
radioactive *adj* ymbelydrol.
raft *n* rafft *f.*
rag *n* clwtyn, cadach *m.*
rage *n* cynddaredd *f.* • *v* cynddeiriogi.
ragged *adj* carpiog.
raging *adj* gwyllt, ffyrnig.
raid *n* cyrch, ymosodiad *m.* • *v* ymosod, dwyn cyrch.
rail *n* canllaw; cledren *f.*
railway *n* rheilffordd *f.*
rain *n* glaw *m.* • *v* bwrw glaw, glawio.
rainbow *n* enfys *f.*
rainy *adj* glawiog.
raise *v* codi.
raisin *n* rhesinen *f.*
rally *n* rali *f.*
ramble *v* crwydro.
ramp *n* esgynfa *f.*
ramshackle *adj* simsan.
rancid *adj* sur.
rancour *n* chwerwder, gwenwyn *m.*
random *adj* ar hap, damweiniol.
range *n* amrediad; paith *m.*
rank *n* rheng *f.*
ransack *v* chwilota; anrheithio.
ransom *n* pridwerth *m.*
rape *n* trais *m.* • *v* treisio.
rapid *adj* cyflym, buan.
rapidity *n* cyflymdra, buander *m.*

rapist *n* treisiwr *m.*
rapt *adj* wedi ymgolli.
rapture *n* perlewyg *m.*
rare *adj* prin.
rarity *n* prinder *m.*
rash *adj* byrbwyll, carlamus. • *n* brech *f.*
rashness *n* byrbwylltra, gwylltineb *m.*
rat *n* llygoden Ffrengig *f.*
rate *n* cyfradd, graddfa *f.*
rather *adv* yn hytrach.
ratification *n* cadarnhad *m.*
ratify *v* cadarnhau.
ration *n* dogn *m/f.*
rational *adj* rhesymol.
rattle *v* clecian, clindarddach. • *n* rygaryg *m.*
ravage *v* difrodi.
rave *v* rafio.
ravenous *adj* gwancus.
ravine *n* ceunant *m.*
raw *adj* amrwd, crai.
ray *n* pelydryn *m.*
raze *v* chwalu.
razor *n* rasel *f.*
reach *v* cyrraedd, estyn.
react *v* adweithio.
reaction *n* adwaith, ymateb *m.*
read *v* darllen.
reader *n* darllenydd *m.*
readily *adv* â chroeso; yn hawdd.
readiness *n* parodrwydd *m.*
reading *n* darlleniad *m.*
readjust *v* ailaddasu.
ready *adj* parod.
real *adj* go iawn, gwirioneddol.
realisation *n* cyflawniad *m*; sylweddoli *vn.*
realise *v* sylweddoli; cyflawni.
reality *n* gwirionedd *m.*
reappear *v* ailymddangos.
rear *n* y tu ôl *m.* • *v* codi.
reason *n* rheswm *m.* • *v* rhesymu.

reasonable *adj* rhesymol.

reasoning *n* ymresymiad *m*.

reassure *v* tawelu meddwl, codi calon.

rebel *n* gwrthryfelwr *m*, gwrthryfelwraig *f*. • *v* gwrthryfela.

rebellion *n* gwrthryfel *m*.

rebound *v* adlamu.

rebuild *v* ailadeiladu.

rebuke *v* ceryddu. • *n* cerydd *m*.

recall *v* galw yn ôl, cofio.

recapture *v* adennill, ailfeddiannu.

recede *v* cilio.

receipt *n* derbynneb *f*.

receivable *adj* derbyniadwy.

receive *v* derbyn.

recent *adj* diweddar.

receptacle *n* llestr *m*.

reception *n* derbyniad *m*.

recession *n* dirwasgiad *m*.

recipe *n* rysáit *f*.

recipient *n* derbynnydd *m*.

reciprocal *adj* o'r ddwy ochr.

recital *n* datganiad *m*.

recite *v* adrodd.

reckless *adj* dibris, dienaid.

reckon *v* cyfrif.

reclaim *v* adennill, adfer.

recline *v* gorwedd, gorweddian.

recognise *v* adnabod, cydnabod.

recognition *n* cydnabyddiaeth *f*.

recoil *v* adlamu.

recollect *v* dwyn i gof, cofio.

recollection *n* cof *m*.

recommend *v* argymell.

recompense *n* iawn, ad-daliad *m*. • *v* talu iawn.

reconcile *v* cymodi, cysoni.

reconciliation *n* cymod *m*.

reconsider *v* ailystyried.

record *v* cofnodi, recordio. • *n* cofnod *m*.

recount *v* adrodd, traethu.

recourse *n*: **to have ~ to** troi at.

recover *v* ailddarganfod; adennill; adfer.

recovery *n* adferiad *m*.

recreation *n* adloniant *m*.

recriminate *v* edliw, dannod.

recrimination *n* edliwiad *m*.

recruit *v* recriwtio.

rectangle *n* hirsgwar, petryal *m*.

rectification *n* cywiriad *m*, unioni *vn*.

rectify *v* unioni, cywiro.

recumbent *adj* ar eich gorwedd.

recur *v* digwydd eto, ailddigwydd.

recurrence *n* ail-ymddangosiad, ailddigwyddiad *m*.

recurrent *adj* drosodd a thro.

red *adj* coch. • *n* cochni *m*.

redden *v* cochi.

redeem *v* prynu; cyfnewid.

redemption *n* iachawdwriaeth *f*.

redness *n* cochni *m*.

redouble *v* dwysáu.

redress *v* unioni.

reduce *v* lleihau.

reduction *n* lleihad *m*.

redundancy *n* colli swydd *vn*.

redundant *adj* diangen, segur.

reel *n* ril, rilen *f*.

re-enter *v* ailddychwelyd.

re-establish *v* ailsefydlu.

refer *v* cyfeirio.

referee *n* dyfarnwr; canolwr *m*.

reference *n* cyfeiriad; tystlythyr *m*.

refine *v* puro, coethi.

refinement *n* coethder, cywreinrwydd *m*.

reflect *v* adlewyrchu; myfyrio.

reflection *n* adlewyrchiad; meddwl *m*.

reform *v* diwygio. • *n* diwygiad *m*.

reformer *n* diwygiwr *m*.

refrain *v*: **to ~ from** ymatal rhag.

refresh *v* adfywio.

refrigerator *n* cwpwrdd rhew *m*.

refuge *n* noddfa, lloches *f*.

refugee *n* ffoadur *m*.

refund *v* ad-dalu. • *n* ad-daliad *m*.

refusal *n* gwrthodiad *m*.

refuse *v* gwrthod. • *n* sbwriel, ysbwriel *m*.

regain *v* adennill, ailennill.

regal *adj* brenhinol.

regard *v* edrych ar.

regardless *adv* er hynny, er gwaethaf pawb a phopeth.

regenerate *v* aileni, adfywio.

regeneration *n* adfywiad *m*.

regime *n* cyfundrefn *f*.

region *n* rhanbarth *m*.

register *n* cofrestr *f*. • *v* cofrestru, cofnodi.

registration *n* cofrestru *vn*.

regressive *adj* atchweliadol.

regret *n* edifeirwch *m*. • *v* edifarhau, difaru.

regular *adj* cyson, rheolaidd. • **~s** *n* ffyddloniaid *pl*.

regularity *n* cysondeb *m*.

regulate *v* rheoli, rheoleiddio.

regulation *n* rheol *f*.

rehabilitate *v* adsefydlu; ymaddasu.

rehabilitation *n* ymaddasiad *m*.

reimburse *v* ad-dalu.

reimbursement *n* ad-daliad *m*.

reinforce *v* atgyfnerthu.

reiterate *v* ailadrodd.

reiteration *n* ailadrodd *vn*.

reject *v* gwrthod.

rejection *n* gwrthodiad *m*.

rejoice *v* gorfoleddu.

relapse *v* llithro'n ôl, cwympo'n ôl.

relate *v* adrodd; cydymdeimlo.

relation *n* perthynas *f*.

relationship *n* perthynas *f*.

relative *adj* perthynol. • *n* perthynas *m*/*f*.

relax *v* ymlacio.

relaxation *n* ymlaciad *m*.

relay *v* trosglwyddo.

release *v* rhyddhau.

relevant *adj* perthnasol.

reliable *adj* dibynadwy, sicr.

reliance *n* hyder *m*, ffydd *f*.

relief *n* rhyddhad *m*.

relieve *v* lleddfu, rhyddhau.

religion *n* crefydd *f*.

religious *adj* crefyddol.

relinquish *v* gollwng, rhoi'r gorau i.

reluctant *adj* anfodlon.

rely *v* dibynnu.

remain *v* aros.

remainder *n* gweddill, rhelyw *m*.

remark *n* sylw *m*. • *v* gwneud sylw, dweud.

remarkable *adj* hynod, nodedig.

remedy *n* meddyginiaeth *f*. • *v* gwella.

remember *v* cofio.

remind *v* atgoffa.

reminiscences *n* atgofion *pl*.

remit *v* maddau; anfon.

remnant *n* gweddill *m*.

remonstrate *v* protestio wrth.

remote *adj* diarffordd, anghysbell.

remoteness *n* pellenigrwydd *m*.

removable *adj* symudol.

remove *v* symud ymaith, dileu.

remunerate *v* talu, gwobrwyo.

renew *v* adnewyddu.

renewal *n* adnewyddiad *m*.

renounce *v* rhoi'r gorau i.

renovate *v* adnewyddu.

renown *n* enwogrwydd *m*.

rent *n* rhent *m*. • *v* gosod ar rent.

renunciation *n* ymwrthod, ymwadu â *vn*.

reorganisation *n* ad-drefnu *vn*.

reorganise *v* ad-drefnu.

repair *v* atgyweirio, trwsio. • *n* atgyweiriad *m*.

repatriate *v* dychwelyd i'w wlad ei hun.

repay *v* ad-dalu.

repayment *n* ad-daliad *m*.

repeal *v* diddymu. • *n* diddymiad *m*.

repeat *v* ailadrodd.

repent *v* edifarhau, edifaru.

repetition *n* ailadroddiad *m*.

replace *v* ailosod; amnewid.

replenish v ail-lenwi, adnewyddu.

replete adj llawn, cyforiog.

reply n ateb m. • v ateb.

report v adrodd. • n adroddiad m.

reporter n gohebydd m.

reprehend v ceryddu.

reprehensible adj gresynus, beius.

represent v cynrychioli.

representation n portread, darlun m.

representative adj cynrychiadol. • n cynrychiolydd m.

repress v gwastrodi, ffrwyno.

repression n gormes m/f, gorthrwm f.

reprieve n gohiriad m.

reprimand v ceryddu.

reprisal n dial, dialedd m.

reproach n cerydd m. • v ceryddu, edliw.

reproduce v atgynhyrchu.

reproduction n atgynhyrchiad, copi m.

republic n gweriniaeth f.

republican adj gweriniaethol.

repudiate v gwrthod arddel.

repulse n ôl-hyrddio vn.

repulsion n ffieidd-dra m.

repulsive adj ffiaidd, atgas.

reputation n enw, bri m.

request n cais m. • v gofyn am, ceisio.

require v gofyn, mynnu.

requirement n angen m.

requisite adj gofynnol, angenrheidiol.

rescue v achub.

research v ymchwilio. • n ymchwil f/m.

resemblance n tebygrwydd m.

resemble v bod yn debyg.

resent v bod yn ddig.

resentment n dig m.

reservation n gwarchodfa f.

reserve v cadw.

reside v byw.

residence n tŷ m, preswylfa f.

resident n preswylydd m.

resign v ymddiswyddo.

resignation n ymddiswyddiad m.

resist v gwrthsefyll.

resistance n gwrthsafiad m.

resolute adj di-droi'n-ôl, penderfynol.

resolution n adduned f; penderfyniad m.

resolve v penderfynu, torri (dadl).

resort v defnyddio. • n cyrchfan m.

resource n adnodd m.

respect n parch m. • v parchu.

respectability n parchusrwydd m.

respectable adj parchus.

respectful adj llawn parch.

respecting prep ynglŷn â.

respective adj priod, priodol.

respite n seibiant, saib m.

respond v ymateb.

response n ateb, ymateb m.

responsibility n cyfrifoldeb m.

responsible adj cyfrifol.

rest n saib, seibiant m. • v gorffwys.

restitution n adferiad m.

restive adj anhydrin.

restoration n adferiad m.

restore v adfer.

restrain v ffrwyno, dal yn ôl.

restrict v cyfyngu.

restriction n cyfyngiad m.

restrictive adj cyfyngol.

result n canlyniad m.

resume v ailgychwyn.

resuscitate v dadebru, adfywio.

retail v adwerthu, mân-werthu.

retain v cadw.

retaliate v talu'r pwyth yn ôl.

reticence n swildod m.

retire v ymddeol.

retired adj wedi ymddeol.

retirement n ymddeoliad m.

retort n ateb parod m.

retrace v olrhain.

retreat v cilio.

retribution n dial m, cosb f.

retrieve v adennill.

return v dychwelyd. • n dychweliad m.

reunion *n* aduniad *m*.

reunite *v* aduno.

reveal *v* datgelu.

revelation *n* datguddiad *m*.

revenge *n* dial, dialedd *m*.

revengeful *adj* dialgar.

revenue *n* cyllid, incwm *m*.

reverberate *v* atseinio, diasbedain.

reverberation *n* atsain *f*, dirgryniad *m*.

reversal *n* gwrthdroad *m*.

reverse *v* bacio.

reversible *adj* cildroadwy.

reversion *n* atchweliad *m*.

revert *v* dychwelyd.

review *v* adolygu. • *n* adolygiad *m*.

revise *v* diwygio, adolygu.

revision *n* adolygiad *m*.

revival *n* adfywiad, diwygiad *m*.

revive *v* adfywio, bywiogi.

revoke *v* diddymu.

revolt *v* gwrthryfela. • *n* gwrthryfel *m*.

revolution *n* chwyldro *m*.

revolutionary *adj* chwyldroadol.

revolve *v* cylchdroi.

revulsion *n* ffieidd-dod *m*.

reward *n* gwobr *f*. • *v* gwobrwyo.

rhetorical *adj* rhethregol.

rheumatism *n* gwynegon *pl*, cryd cymalau *m*.

rhyme *n* odl *f*. • *v* odli.

rhythm *n* rhythm *m*.

rhythmical *adj* rhythmig.

rib *n* asen *f*.

ribbon *n* rhuban *m*.

rice *n* reis *m*.

rich *adj* cyfoethog.

richness *n* cyfoeth *m*.

rid *v* cael gwared.

riddle *n* pos *m*.

ride *v* marchogaeth; teithio.

ridge *n* trum, crib *f*.

ridicule *n* gwawd, gwatwar *m*. • *v* gwawdio, gwatwar.

ridiculous *adj* chwerthinllyd.

rife *adj* rhemp.

rifle *n* reiffl *f*.

rig *v* rigio. • *n* llwyfan (olew) *m*/*f*.

right *adj* de, iawn. • *n* hawl *f*.

righteous *adj* cyfiawn.

rigid *adj* anhyblyg.

rigorous *adj* llym, llwyr.

rigour *n* llymder *m*.

rim *n* ymyl *m*/*f*.

ring *n* modrwy *f*, cylch *m*. • *v* canu.

rink *n* llawr *m*.

rinse *v* streulio, rinsio.

riot *n* terfysg *m*.

riotous *adj* terfysglyd.

rip *v* rhwygo.

ripe *adj* aeddfed.

ripen *v* aeddfedu.

ripple *n* crychiad *m*.

rise *v* esgyn. • *n* codiad, esgyniad *m*.

rising *adj* sy'n codi.

risk *n* perygl *m*, menter *f*. • *v* mentro.

risky *adj* peryglus, mentrus.

rite *n* defod *f*.

ritual *adj* defodol.

rival *n* cystadleuydd *m*. • *v* cystadlu â.

rivalry *n* cystadleuaeth *f*.

river *n* afon *f*.

road *n* ffordd, heol *f*.

roam *v* crwydro.

roar *v* rhuo. • *n* rhu, rhuad *m*.

roast *v* rhostio.

rob *v* dwyn, lladrata.

robber *n* lleidr *m*.

robbery *n* lladrad *m*.

robust *adj* cryf, cydnerth.

robustness *n* cryfder, cadernid *m*.

rock *n* craig *f*. • *v* siglo.

rocket *n* roced *f*.

rocking chair *n* cadair siglo *f*.

rocky *adj* creigiog.

rodent *n* cnofil *m*.

rogue *n* gwalch, cnaf *m*.

roll *v* treiglo, rholio.

roller *n* rowl *m*/*f*.

romance *n* rhamant *f*.

romantic *adj* rhamantaidd, rhamantus.

roof n to m. • v toi.
room n ystafell f.
root n gwraidd, gweiddyn m.
rope n rhaff f.
rose n rhosyn m.
rosemary n rhosmari m.
rot v pydru. • n pydredd m.
rotate v cylchdroi.
rotation n cylchdro m.
rotund adj crwn.
rouge n powdwr coch m.
rough adj garw.
roughness n garwedd, gerwinder m.
round adj crwn. • n tôn gron f.
roundness n crynder m.
rouse v cynhyrfu, deffro.
route n ffordd f.
routine n arfer m/f, trefn arferol f.
rove v crwydro.
row n ffrae f, twrw m.
row n rhes f.
royal adj brenhinol.
royalty n brenhiniaeth f; breindal m.
rub v rhwbio.
rubber n rwber m.
rubbish n sbwriel m.
rudder n llyw m.
ruddiness n gwrid m, cochni m.

rude adj anghwrtais.
rudeness n anghwrteisi, haerllugrwydd m.
ruffle v crychu, chwalu, aflonyddu.
rug n rỳg, carthen f.
rugged adj garw, clogyrnog.
ruin n adfail, murddun m. • v llwyr ddifetha, distrywio.
ruinous adj dinistriol, andwyol.
rule n rheol f. • v rheoli, teyrnasu.
rumble v trystio, rymblan.
ruminate v cnoi cil.
rummage v chwilota, twrio.
rumour n si, sôn m.
run v rhedeg.
rung n ffon f, gris m.
runner n rhedwr m.
runway n llwybr glanio m.
rupture n torllengig m.
ruse n ystryw m/f.
rush n rhuthr m. • v rhuthro.
rust n rhwd m. • v rhydu.
rustic adj gwladaidd. • n gwerinwr, gwladwr m.
rustle v siffrwd.
rusty adj rhydlyd.
ruthless adj didostur.
rye n rhyg m.

S

sabotage n difrod bwriadol m.
sachet n bag bychan m.
sack n sach m/f.
sacrament n sagrafen f, y cymun m.
sacred adj cysegredig.
sacrifice n aberth m/f. • v aberthu.
sacrilege n halogiad m.
sad adj trist.
sadden v tristáu.
saddle n cyfrwy m. • v cyfrwyo.
sadness n tristwch m.
safe adj diogel.
safeguard n amddiffynfa f. • v diogelu.

safety n diogelwch m.
sage n saets m.
sail n hwyl f. • v hwylio.
sailor n morwr m.
saint n sant m, santes f.
sake n: for the ~ er mwyn.
salad n salad m.
salary n cyflog m/f.
sale n arwerthiant m, sêl f.
salesman n gwerthwr m.
saliva n poer m.
salmon n eog m.
saloon n salŵn m/f.

salt *n* halen *m*. • *v* halltu.
salt cellar *n* llestr halen *m*.
salubrious *adj* iachusol.
salubrity *n* iachusrwydd *m*.
salutary *adj* llesol.
salute *v* saliwtio. • *n* saliwt *f*.
salvation *n* achubiaeth, iachawdwriaeth *f*.
same *adj* yr un.
sameness *n* unffurfiaeth *f*.
sample *n* sampl *f*. • *v* samplo.
sanatorium *n* sanatoriwm *m*.
sanctify *v* sancteiddio, cysegru.
sanction *n* cosb *f*, sancsiwn *f*. • *v* cadarnhau.
sanctuary *n* seintwar *f*; cysegr *m*.
sand *n* tywod *m*.
sandal *n* sandal *f*.
sandwich *n* brechdan *f*.
sandy *adj* tywodlyd.
sane *adj* call.
sanguine *adj* hyderus.
sanity *n* pwyll, callineb *m*.
sapling *n* coeden ifanc *f*.
sarcasm *n* coegni *m*.
sarcastic *adj* coeglyd, sarcastig.
sardine *n* sardîn *m*.
satchel *n* bag ysgol *m*.
sate *v* digoni.
satellite *n* lloeren *f*.
satin *n* sidan gloyw *m*. • *adj* sidanaidd.
satire *n* dychan *m*.
satirical *adj* dychanol.
satisfaction *n* bodlonrwydd *m*.
satisfactory *adj* boddhaol.
satisfy *v* bodloni.
saturate *v* trwytho, mwydo.
Saturday *n* Sadwrn *m*.
sauce *n* saws *m*.
saucepan *n* sosban *f*.
saucer *n* soser *f*.
saunter *v* mynd ling-di-long, mynd o dow i dow.
sausage *n* selsigen, sosej *f*.
savage *adj* anwaraidd. • *n* anwariad *m/f*.

savagery *n* anwarineb *m*.
save *v* achub; cynilo.
saving *n* achubiaeth *f*.
savings bank *n* banc cynilo *m*.
savour *v* blasu, sawru.
saw *n* llif *f*. • *v* llifio.
say *v* dweud.
saying *n* dywediad *m*.
scaffolding *n* sgaffaldwaith *m*.
scald *v* sgaldian. • *n* llosgiad, sgaldiad *m*.
scale *n* graddfa *f*; cen *m*. • *v* dringo.
scan *v* sganio.
scandal *n* sgandal, gwarth *f*.
scandalise *v* pechu.
scandalous *adj* gwarthus, cywilyddus.
scant *adj* prin.
scantiness *n* prinder *m*.
scapegoat *n* bwch dihangol *m*.
scar *n* craith *f*.
scarce *adj* prin.
scare *v* dychryn, brawychu. • *n* dychryn, braw *m*.
scarf *n* sgarff *f*.
scarlet *n* ysgarlad, coch *m*.
scatter *v* chwalu, gwasgaru.
scene *n* golygfa *f*, lleoliad *m*.
scenery *n* golygfeydd *pl*.
scenic *adj* golygfaol.
scent *n* persawr, sawr *m*. • *v* synhwyro, ogleuo.
sceptic *n* amheuwr *m*.
sceptic(al) *adj* sgeptig.
schedule *n* rhestr; rhaglen *f*.
scheme *n* cynllun *m*. • *v* cynllwynio.
scholar *n* disgybl, ysgolhaig *m*.
school *n* ysgol *f*.
schoolboy *n* bachgen ysgol *m*.
schoolgirl *n* merch ysgol *f*.
schoolteacher *n* athro ysgol *m*, athrawes *f*.
science *n* gwyddoniaeth; gwyddor *f*.
scientific *adj* gwyddonol.
scientist *n* gwyddonydd *m*.
scintillate *v* pefrio, gwreichioni.

scissors *n* siswrn *m*.

scoff *v* gwawdio, chwerthin am ben.

scold *v* dwrdio, dweud y drefn.

scope *n* cwmpas, maes *m*.

scorch *v* rhuddo, deifio.

score *n* sgôr *f*. • *v* sgorio.

scorn *v* dirmygu, gwawdio. • *n* dirmyg *m*.

scornful *adj* dirmygus.

scoundrel *n* dihiryn *m*.

scour *v* sgwrio, ysgwrio.

scout *n* sgowt *m*.

scowl *v* gwgu, cuchio.

scramble *v* sgrialu, sgramblo.

scrap *n* darn; sgrap *m*.

scrape *v* crafu.

scratch *v* crafu. • *n* crafiad *m*.

scream *v* sgrechian. • *n* sgrech *f*.

screen *n* sgrin *f*.

screw *n* sgriw *f*. • *v* sgriwio.

screwdriver *n* sgriwdreifer *m*.

scribble *v* sgriblan. • *n* ysgrifen *f*, sgribl *m*.

script *n* sgript *f*.

Scripture *n* yr Ysgrythur *f*.

scrub *v* sgwrio. • *n* prysgwydd *pl*.

scruple *n* poen cydwybod *f*.

scrupulous *adj* gofalus, manwl gywir.

scuffle *n* ysgarmes *f*. • *v* ymgiprys.

sculptor *n* cerflunydd *m*.

sculpture *n* cerflun *m*.

scum *n* llysnafedd, ewyn *m*.

sea *n* môr *m*.

seafood *n* bwyd môr *m*.

seagull *n* gwylan *f*.

seal *n* morlo *m*; sêl *f*. • *v* selio.

seamy *adj* salw.

search *v* chwilio.

seashore *n* glan môr *f*.

seasickness *n* salwch môr *m*.

season *n* tymor *m*.

seasonable *adj* tymhorol.

seasoning *n* sesnin *m*.

seat *n* sedd *f*. • *v* eistedd.

seaweed *n* gwymon *m*.

seclude *v* o'r neilltu.

seclusion *n* neilltuaeth *f*.

second *adj* ail. • *n* eiliad *m/f*.

secondary *adj* uwchradd; eilaidd.

secrecy *n* cyfrinachedd *m*.

secret *adj* cyfrinachol. • *n* cyfrinach *f*.

secretary *n* ysgrifennydd *m*, ysgrifenyddes *f*.

secretive *adj* tawedog.

section *n* adran *f*; trychiad *m*.

sector *n* sector *m*.

secular *adj* seciwlar, lleyg.

secure *adj* diogel, sicr. • *v* sicrhau.

security *n* diogelwch *m*.

sedative *n* tawelydd *m*.

sediment *n* gwaddod *m*.

sedition *n* annog bradwriaeth *vn*.

seduce *v* hudo.

seductive *adj* hudol, hudolus.

see *v* gweld.

seed *n* hedyn, had *m*. • *v* hadu.

seek *v* ceisio, chwilio.

seem *v* ymddangos.

seemliness *n* gwedduster *m*.

seemly *adj* gweddus.

seesaw *n* si-so *m*.

segment *n* darn *m*.

seize *v* cydio, ymaflyd.

seizure *n* atafaeliad; trawiad *m*.

seldom *adv* anaml, prin.

select *v* dewis, dethol.

selection *n* detholiad *m*.

self *n* hunan *m*.

self-confident *adj* hunanhyder.

self-defence *n* hunanamddiffyn *m*.

self-employed *adj* hunangyflogedig.

self-interest *n* hunan-les *m*.

selfish *adj* hunanol.

selfishness *n* hunanoldeb *m*.

self-portrait *n* hunanbortread *m*.

self-respect *n* hunan-barch *m*.

self-service *adj* gweini arnoch eich hun.

self-styled *adj* hunanhonedig.

self-sufficient *adj* hunangynhaliol.

self-taught *adj* hunanaddysgedig.
sell *v* gwerthu.
seller *n* gwerthwr *m*, gwerthwraig *f*.
semblance *n* llun *m*, golwg *f*.
semicircle *n* hanner cylch *m*.
senate *n* senedd *f*.
senator *n* seneddwr *m*, seneddwraig *f*.
send *v* anfon.
senile *adj* hen a musgrell.
senility *n* musgrellni *m*.
senior *adj* hŷn, uwch.
sensation *n* teimlad, cynnwrf *m*.
sense *n* synnwyr *m*.
senseless *adj* disynnwyr; anymwybodol.
sensible *adj* synhwyrol.
sensitive *adj* sensitif, teimladwy.
sensual *adj* nwydus.
sensuality *n* trythyllwch *m*.
sentence *n* brawddeg; dedfryd *f*.
sentiment *n* teimlad *m*.
sentimental *adj* teimladwy.
sentinel *n* gwarchodwr *m*.
separable *adj* gwahanadwy.
separate *v* gwahanu. • *adj* ar wahân.
separation *n* gwahaniad *m*.
September *n* Medi *m*.
sepulchre *n* beddrod *m*.
sequel *n* dilyniant *m*.
sequence *n* trefn, olyniaeth *f*.
serenade *n* nosgan, serenâd *f*. • *v* canu serenâd.
serene *adj* tawel, digyffro.
serenity *n* tawelwch *m*.
sergeant *n* rhingyll *m*.
serial *n* cyfres *f*.
series *n* cyfres *f*.
serious *adj* difrifol.
sermon *n* pregeth *f*.
serpent *n* sarff *f*.
servant *n* gwas *m*.
serve *v* gwasanaethu.
service *n* gwasanaeth *m*.
serviceable *adj* defnyddiol.
servile *adj* gwasaidd.

servitude *n* caethwasanaeth *m*.
session *n* sesiwn *m/f*.
set *v* dodi, gosod. • *adj* sefydlog.
setting *n* gosodiad *m*; ~ **of the sun** machlud *m*.
settle *v* cartrefu; torri dadl.
settlement *n* cytundeb; anheddiad *m*.
seven *num* saith.
seventeen *num* dau/dwy ar bymtheg.
seventeenth *adj* ail ar bymtheg.
seventh *adj* seithfed.
seventieth *adj* saith degfed.
seventy *num* saith deg.
several *adj* sawl.
severe *adj* caled, llym.
severity *n* llymder, gerwinder *m*.
sew *v* gwnïo.
sewer *n* carthffos *f*.
sex *n* rhyw *m/f*.
sexist *adj* rhywiaethol.
sexual *adj* rhywiol.
shabby *adj* diraen.
shackle *v* llyffetheirio.
shade *n* cysgod *m*. • *v* cysgodi.
shadow *n* cysgod *m*.
shady *adj* cysgodol.
shaft *n* coes; siafft *f*.
shake *v* ysgwyd, siglo.
shallow *adj* bas.
sham *v* ffugio. • *n* twyll *m*.
shame *n* cywilydd, gwarth *m*. • *v* codi cywilydd.
shamefaced *adj* penisel.
shameful *adj* cywilyddus, gwarthus.
shampoo *n* siampŵ *m*.
shape *v* llunio. • *n* siâp *m*, ffurf *f*.
shapely *adj* lluniaidd, siapus.
share *n* cyfran *f*. • *v* rhannu.
shark *n* siarc *m*.
sharp *adj* miniog.
sharpen *v* rhoi min ar, miniogi.
sharpness *n* awch, min *m*.
shatter *v* dryllio.
shave *v* eillio.
shaver *n* rasel drydan *f*.

shawl *n* siôl *f.*

she *pron* hi.

sheaf *n* ysgub *f.*

shear *v* cneifio.

shed *n* cwt *m,* sièd *f.*

sheep *n* dafad *f.*

sheer *adj* serth.

sheet *n* cynfas *f.*

shelf *n* silff *f.*

shell *n* cragen *f.* • *v* bombardio; plisgo.

shelter *n* cysgodfan *m/f.* • *v* cysgodi.

shepherd *n* bugail *m,* bugeiles *f.*

sheriff *n* siryf *m.*

shield *n* tarian *f.* • *v* gwarchod.

shift *v* symud, newid. • *n* newid *m;* sifft *f.*

shine *v* disgleirio, tywynnu.

shining *adj* disglair, gloyw.

ship *n* llong *f.*

shipment *n* llwyth llong *m.*

shipwreck *n* llongddrylliad *m.*

shirt *n* crys *m.*

shiver *v* crynu, rhynnu.

shock *n* ysgytwad *m,* sioc *f.* • *v* rhoi ysgytwad, syfrdanu.

shoe *n* esgid *f.*

shoemaker *n* crydd *m.*

shoot *v* saethu. • *n* eginyn, blaguryn *m.*

shop *n* siop *f.*

shopper *n* siopwr *m,* siopwraig *f.*

shore *n* glan *f.*

short *adj* byr, cwta.

shortcoming *n* diffyg *m.*

shorten *v* byrhau, cwtogi.

short-sighted *adj* byr eich golwg.

shortwave *n* tonfedd fer *f.*

shot *n* ergyd *f/m.*

shotgun *n* dryll *m/f.*

shoulder *n* ysgwydd *f.*

shout *v* gweiddi. • *n* bloedd, gwaedd *f.*

shove *v* gwthio. • *n* gwthiad *m.*

shovel *n* rhaw *f.* • *v* rhofio.

show *v* dangos. • *n* arddangosfa, sioe *f.*

shower *n* cawod *f.*

shred *n* rhecsyn, darn *m.* • *v* rhwygo.

shrewd *adj* craff, hirben.

shriek *v* gwichian, sgrechian. • *n* sgrech *f.*

shrill *adj* main, treiddgar.

shrimp *n* berdysen *f.*

shrink *v* crebachu, mynd yn llai.

shrivel *v* crebachu, crychu.

shroud *n* amdo *m.*

shrub *n* prysgwydden *f.*

shudder *v* crynu. • *n* ias *f.*

shun *v* gochel, osgoi.

shut *v* cau.

shutter *n* caead *m.*

shy *adj* swil.

shyness *n* swildod *m.*

sick *adj* sâl, tost.

sicken *v* clafychu, gwneud yn sâl.

sickly *adj* gwanllyd.

sickness *n* gwaeledd *m.*

side *n* ochr *f.*

sideboard *n* seld *f.*

sidestep *v* ochrgamu.

siege *n* gwarchae *m.*

sieve *n* gogr, rhidyll *m.* • *v* rhidyllu.

sift *v* gogrwn, hidlo.

sigh *v* ochneidio. • *n* ochenaid *f.*

sight *n* golwg *m* (faculty); golygfa *f* (spectacle).

sightseeing *n* ymweld *vn.*

sign *n* arwydd *m.* • *v* arwyddo.

signal *n* arwydd; signal *m.*

signature *n* llofnod *m.*

significance *n* arwyddocâd *m.*

significant *adj* arwyddocaol.

signify *v* golygu, dynodi.

silence *n* tawelwch, distawrwydd *m.*

silent *adj* distaw, mud.

silicon chip *n* ysglodyn silicon *m.*

silk *n* sidan *m.*

silken *adj* sidanaidd.

sill *n* silff *f.*

silliness *n* ffolineb, hurtrwydd *m.*

silly *adj* ffôl, hurt.

silver *n* arian *m.*

silvery *adj* ariannaidd.

similar *adj* tebyg, fel.
similarity *n* tebygrwydd *m*.
simile *n* cyffelybiaeth, cymhariaeth *f*.
simmer *v* mudferwi.
simper *v* glaswenu.
simple *adj* syml; gwirion.
simplicity *n* symlrwydd, diniweidrwydd *m*.
simplification *n* symleiddio *vn*.
simplify *v* symleiddio.
simulate *v* dynwared.
simultaneous *adj* ar y pryd, cydamserol.
sin *n* pechod *m*. • *v* pechu.
since *adv*, *prep* ers, er. • *conj* gan.
sincere *adj* diffuant, didwyll. • ~**ly** *adv* yn bur.
sincerity *n* didwylledd, diffuantrwydd *m*.
sinew *n* gewyn, giewyn *m*.
sing *v* canu.
singe *v* deifio, rhuddo.
singer *n* canwr *m*, cantores *f*.
single *adj* sengl.
singly *adv* fesul un; ar eich pen eich hun.
singular *adj* unigol.
sinister *adj* sinistr, anfad.
sink *v* suddo. • *n* sinc *f*.
sinner *n* pechadur *m*, perchadures *f*.
sinuous *adj* dolennog, troellog.
siphon *n* siffon, seiffon *m*.
sir *n* syr *m*.
sister *n* chwaer *f*.
sister-in-law *n* chwaer-yng-nghyfraith *f*.
sit *v* eistedd.
site *n* safle *m*.
sitting *n* eistedd, eisteddiad *m*.
sitting room *n* lolfa *f*.
situation *n* sefyllfa *f*.
six *num* chwe, chwech.
sixteen *num* un ar bymtheg.
sixteenth *adj* unfed ar bymtheg.
sixth *adj* chweched.

sixtieth *adj* trigeinfed.
sixty *num* trigain, chwe deg.
size *n* maint, maintioli *m*.
sizeable *adj* sylweddol.
skate *n* esgid sglefrio *f*. • *v* sglefrio.
skating rink *n* llawr sglefrio *m*.
skeleton *n* sgerbwd *m*.
sketch *n* braslun *m*.
skewer *n* gwaell *f*. • *v* gwaёllu.
ski *n* sgi *f*. • *v* sgio.
skid *n* sglefriad *m*. • *v* sglefrio, sgidio.
skier *n* sgïwr *m*.
skill *n* medr *m*.
skilful *adj* medrus, deheuig.
skim *v* sgimio.
skin *n* croen *m*. • *v* blingo.
skinny *adj* tenau, esgyrnog.
skip *v* sgipio.
skirmish *n* sgarmes *f*.
skirt *n* sgert *f*. • *v* mynd wrth odre.
skulk *v* llechu, stelcian.
skull *n* penglog *f*.
sky *n* awyr *f*.
skylight *n* ffenestr do *f*.
skyscraper *n* cwmwlgrafwr *m*.
slab *n* slabyn *m*, slaben *f*.
slack *adj* llac.
slack(en) *v* llacio, llaesu.
slackness *n* llacrwydd, diogi *m*.
slam *v* cau'n glep.
slander *v* athrodi. • *n* athrod *m*.
slanderous *adj* athrodus.
slang *n* bratiaith *f*.
slant *v* goleddfu, gogwyddo. • *n* goleddf, gogwydd *m*.
slap *n* slapen *f*. • *v* taro, slapian.
slaughter *n* lladdfa, cyflafan *f*. • *v* lladd.
slave *n* caethwas *m*, caethferch *f*.
slavery *n* caethwasiaeth *m*.
slay *v* lladd.
sleazy *adj* llwgr.
sledge *n* sled *f*.
sleep *v* cysgu. • *n* cwsg *m*.
sleeper *n* cysgadur, cysgwr *m*.

sleepiness *n* syrthni, awydd cysgu *m*.

sleepwalking *n* cerdded yn eich cwsg.

sleepy *adj* cysglyd.

sleet *n* eirlaw *m*.

sleeve *n* llawes *f*.

slender *adj* main.

slenderness *n* meinder *m*.

slice *n* tafell, sleisen *f*. • *v* torri'n dafelli.

slide *v* llithro. • *n* llithren *f*; tryloywder *m*.

slight *adj* bychan, eiddil. • *n* sarhad *m*.

slightness *n* bychander, eiddilwch *m*.

slim *adj* main. • *v* colli pwysau.

sling *n* ffon dafl *f*.

slip *v* llithro. • *n* llithrad *m*.

slipper *n* sliper *f*.

slippery *adj* llithrig.

slit *v* hollti, torri.

slogan *n* arwyddair *m*, slogan *m/f*.

slope *n* llechwedd *f*. • *v* goleddfu.

sloth *n* diogi *m*.

slovenliness *n* blerwch, annibendod *m*.

slovenly *adj* blêr, di-hid.

slow *adj* araf.

slowness *n* arafwch *m*.

slug *n* gwlithen *f*.

sluggish *adj* dioglyd, diegni.

sluice *n* llifddor *f*.

slum *n* slym *f*.

slump *n* cwymp *m*.

slur *v* llithro, llusgo. • *n* sarhad *m*, sen *f*.

slush *n* slwtsh *m*.

sly *adj* slei, dichellgar.

slyness *n* cyfrwyster, twyll *m*.

smack *n* clec *f*. • *v* taro, curo.

small *adj* bach, bychan, mân.

smallness *n* bychander, bychandra *m*.

smart *adj* taclus, twt; call. • *v* llosgi.

smartness *n* craffter; taclusrwydd *m*.

smash *v* malu, malurio. • *n* gwrth-drawiad *m*.

smear *v* iro; difwyno.

smell *v* arogleuo, gwynto. • *n* oglau, gwynt, arogl *m*.

smelt *v* toddi.

smile *v* gwenu. • *n* gwên *f*.

smite *v* taro.

smith *n* gof *m*.

smoke *n* mwg *m*. • *v* mygu.

smoker *n* ysmygwr *m*, ysmygwraig *f*.

smoky *adj* myglyd.

smooth *adj* llyfn. • *v* llyfnhau, llyfnu.

smoothness *n* llyfnder *m*.

smother *v* mogi, mygu.

smudge *v* llychwino, gadael ôl. • *n* ôl, staen *m*.

smuggle *v* smyglo.

smuggler *n* smyglwr *m*.

snack *n* byrbryd *m*.

snail *n* malwen, malwoden *f*.

snake *n* neidr *f*.

snap *v* clecian. • *n* clec, snap *m*.

snare *n* magl *f*.

snatch *v* cipio.

sneer *v* glaswenu.

sneeze *v* tisian.

sniff *v* ffroeni, sniffian.

snivel *v* snwffian, nadu.

snob *n* hen drwyn, snobyn *m*.

snobbish *adj* crachaidd, snobyddlyd.

snooze *n* cyntun *m*.

snore *v* chwyrnu.

snow *n* eira *m*. • *v* bwrw eira.

snowman *n* dyn eira *m*.

snowplough *n* swch eira *f*.

snowy *adj* o eira.

snub *adj* smwt.

snug *adj* diddos, clyd.

so *adv* felly; mor, cyn.

soak *v* mwydo, rhoi yng ngwlych.

soap *n* sebon *m*. • *v* seboni.

soar *v* hedfan.

sob *n* ochenaid *f*. • *v* beichio wylo.

sober *adj* sobr.

sobriety *n* sobrwydd *m*.

sociability *n* cymdeithasgarwch *m*.

sociable *adj* cymdeithasgar.

social *adj* cymdeithasol.

social worker *n* gweithiwr cymdeithasol *m*.

socialist *n* sosialydd *m*.

society *n* cymdeithas *f*.

sociologist *n* cymdeithasegydd *m*.

sock *n* hosan *f*.

socket *n* soced *m/f*.

sofa *n* soffa *f*.

soft *adj* meddal, distaw.

soften *v* meddalu, tyneru, distewi.

softness *n* meddalwch, tynerwch *m*.

software *n* meddalwedd *m/f*.

soil *v* baeddu. • *n* pridd *m*.

solace *v* cysuro. • *n* cysur, solas *m*.

solar *adj* (o)'r haul.

solder *v* sodro. • *n* sodr, sodor *m*.

soldier *n* milwr *m*.

sole *n* gwadn *f/m*. • *adj* unig.

solemn *adj* difrifol, dwys.

solemnity *n* difrifoldeb *m*.

solicit *v* deisyf, erfyn.

solicitor *n* cyfreithiwr *m*.

solid *adj* cydnerth, solet. • *n* solid *m*.

solidify *v* caledu.

solidity *n* cadernid *m*.

solitary *adj* unig, ar eich pen eich hun.

solitude *n* unigedd *m*.

solstice *n* heuldro *m*.

soluble *adj* toddadwy, hydawdd.

solution *n* toddiant *m*.

solve *v* datrys.

solvency *n* y gallu i dalu *m*.

solvent *adj* ag arian.

some *adj* peth, rhyw, rhai.

somebody *pron* rhywun.

somehow *adv* rhywsut.

something *pron* rhywbeth.

sometimes *adv* weithiau, ambell waith.

somewhat *adv* rhywfaint.

somewhere *adv* rhywle.

somnolence *n* syrthni *m*.

somnolent *adj* cysglyd, swrth.

son *n* mab *m*.

song *n* cân *f*.

son-in-law *n* mab-yng-nghyfraith *m*.

sonorous *adj* soniarus.

soon *adv* cyn bo hir, yn fuan.

soot *n* parddu, huddygl *m*.

soothe *v* lliniaru, lleddfu.

sophisticated *adj* soffistigedig.

soporific *adj* cysglyd.

sordid *adj* budr, gwael.

sore *n* briw, dolur *m*. • *adj* poenus, tost.

sorrow *n* galar, tristwch *m*. • *v* gofidio, tristáu.

sorrowful *adj* trist, gofidus.

sorry *adj* edifar.

sort *n* math *m*. • *v* didoli.

soul *n* enaid *m*.

sound *adj* iach, solet. • *n* sŵn *m*.

soundness *n* sadrwydd *m*.

soup *n* cawl *m*.

sour *adj* sur.

source *n* ffynhonnell *f*.

south *n* de *m*.

southern *adj* deheuol.

southward(s) *adv* tua'r de.

souvenir *n* swfenîr *m*.

sovereign *adj* goruchaf. • *n* sofren *f*.

sovereignty *n* sofraniaeth, penarglwyddiaeth *f*.

sow *v* hau.

space *n* gofod, lle *m*.

spacious *adj* helaeth, eang.

spade *n* pâl, rhaw *f*.

span *n* rhychwant *m*. • *v* rhychwantu.

spare *v* arbed, sbario. • *adj* cynnil, prin.

sparing *adj* cynnil, darbodus.

spark *n* gwreichionen *f*.

sparkle *n* fflach *f*. • *v* pefrio, serennu.

sparse *adj* tenau, prin.

spasm *n* pwl, plwc *m*.

spatter *v* ysgeintio, tasgu.

speak *v* siarad, llefaru.

speaker *n* siaradwr *m*, siaradwraig *f*; llefarydd *m*.

spear *n* gwaywffon *f*.

special *adj* arbennig.
speciality *n* arbenigedd *m*.
species *n* rhywogaeth *f*.
specific *adj* penodol.
specification *n* manyleb *f*.
specify *v* pennu.
specimen *n* esiampl *f*.
spectacle *n* golygfa *f*.
spectacles *n* sbectol *f*, gwydrau *pl*.
spectator *n* gwyliwr *m*.
spectre *n* drychiolaeth *f*, ysbryd *m*.
speculate *v* damcaniaethu; mentro.
speculation *n* dyfaliad *m*, menter *f*.
speculative *adj* damcaniaethol; mentrus.
speech *n* lleferydd *m*; araith *f*.
speed *n* cyflymder, buanedd *m*.
speed limit *n* cyfyngiad cyflymder *m*.
speediness *n* cyflymder, cyflymdra *m*.
speedy *adj* buan.
spell *n* swyn *m*. • *v* sillafu.
spelling *n* sillafiad *m*.
spend *v* gwario, treulio.
sphere *n* sffêr *m/f*, cronnell *f*.
spherical *adj* sfferaidd.
spice *n* sbeis *m*.
spicy *adj* sbeislyd.
spider *n* corryn, pryf copyn *m*.
spike *n* pigyn *m*.
spill *v* colli, sarnu.
spin *v* troelli; nyddu.
spinal *adj* y cefn.
spine *n* asgwrn cefn *m*.
spire *n* meindwr *m*.
spirit *n* ysbryd, enaid *m*; calon *f*; gwirod *m/f*.
spirited *adj* bywiog, nwyfus.
spiritless *adj* dieneiniad, merfaidd.
spiritual *adj* ysbrydol.
spirituality *n* ysbrydolrwydd *m*.
spit *n* poer *m*. • *v* poeri.
spite *n* sbeit *m*; in ~ of er gwaethaf.
spiteful *adj* mileinig, milain.
splash *v* tasgu, sblasio.

splendid *adj* ardderchog, campus.
splendour *n* gogoniant, ysblander *m*.
splinter *n* ysgyren *f*. • *v* torri'n ysgyrion.
split *n* hollt *f*. • *v* hollti.
spoil *v* difetha.
spokesman *n* llefarydd *m*.
sponge *n* sbwng *m*.
sponsor *n* noddwr *m*.
sponsorship *n* nawdd *m*.
spontaneity *n* natur ddigymell *f*.
spontaneous *adj* digymell.
spoon *n* llwy *f*.
sporadic(al) *adj* ysbeidiol, anfynych.
sport *n* sbort *m/f*; chwaraeon *pl*.
sportsman *n* chwaraewr *m*.
sportswoman *n* chwaraewraig *f*.
spot *n* man *m/f*. • *v* brychu; gweld.
spotless *adj* dilychwin, difrycheulyd.
spouse *n* priod *m/f*.
spout *v* pistyllio, ffrydio. • *n* ffrwd *f*; pig *m/f*.
sprain *v* ysigo.
spray *n* tusw *m*; ewyn *m*. • *v* chwistrellu.
spread *v* taenu, lledaenu.
spring *v* neidio. • *n* gwanwyn *m*; ffynnon *f*.
sprinkle *v* ysgeintio.
sprout *n* eginyn, blaguryn *m*.
spruce *adj* twt, testlus.
spur *n* sbardun *m/f*. • *v* sbarduno.
spurn *v* dirmygu.
sputter *v* ffrwtian.
spy *n* ysbïwr *m*, ysbïwraig *f*. • *v* ysbïo.
squabble *v* ffraeo. • *n* ffrae *f*.
squad *n* carfan *f*.
squadron *n* sgwadron *m/f*.
squalid *adj* brwnt, budr.
squall *n* hwrdd (o wynt) *m*.
squalor *n* budreddi, aflendid *m*.
square *n* sgwâr *f/m*.
squash *v* gwasgu.
squat *v* cyrcydu.
squeak *v* gwichian.

squeal *n* gwich *f*.
squeeze *v* gwasgu.
squint *v* ciledrych. • *n* tro (yn y) llygad *m*. • *adj* llygatgam.
squirt *v* chwistrellu.
stab *v* trywanu.
stability *n* sadrwydd, sefydlogrwydd *m*.
stable *n* stabl *f*. • *adj* sefydlog.
stack *n* pentwr *m*. • *v* pentyrru.
staff *n* staff *m*; ffon *f*.
stage *n* llwyfan *m/f*.
stagger *v* gwegian.
stagnation *n* marweidd-dra *m*.
stagnate *v* troi'n ferddwr.
stain *v* staenio. • *n* staen *m*.
stair *n* gris *m/f*.
stake *n* polyn *m*.
stale *adj* hen.
stalk *n* coes *f*, coesyn *m*.
stall *n* côr *m*; stondin *m*.
stamina *n* dyfalbarhad *m*.
stammer *v* bod ag atal dweud, cecian. • *n* atal dweud *m*.
stamp *v* curo traed, pystylad. • *n* stamp *m*.
stand *v* sefyll; goddef. • *n* safiad, eisteddle *m*.
standard *n* safon; baner *f*. • *adj* safonol.
standstill *n* sefyll (yn stond) *vn*.
staple *n* ystwffwl *m*. • *adj* prif.
star *n* seren *f*.
starch *n* startsh *m*.
stare *v* rhythu, syllu.
starry *adj* serennog, serog.
start *v* cychwyn, dechrau; neidio. • *n* dechreuad *m*.
starter *n* cychwynnwr *m*.
startle *v* dychryn.
starvation *n* newyn *m*.
starve *v* newynu, llwgu.
state *n* cyflwr *m*; gwladwriaeth *f*. • *v* datgan.
stately *adj* urddasol.

statement *n* datganiad, gosodiad *m*.
statesman *n* gwladweinydd *m*.
static *adj* statig; sefydlog.
station *n* gorsaf *f*.
stationary *adj* disymud, yn eich unfan.
stationery *n* papur ysgrifennu *m*.
statistical *adj* ystadegol.
statue *n* cerflun *m*.
stature *n* corffolaeth *f*, maintoli *m*.
statute *n* statud *f*.
stay *v* aros, sefyll.
steadfast *adj* cadarn, disyflyd.
steadiness *n* sadrwydd, sefydlogrwydd *m*.
steady *adj* sefydlog, cyson. • *v* sefydlogi.
steak *n* stêc, stecen *f*.
steal *v* lladrata, dwyn.
stealthy *adj* llechwraidd, lladradaidd.
steam *n* ager *m*. • *v* mygu.
steam engine *n* peiriant ager *m*.
steel *n* dur *m*.
steep *adj* serth.
steepness *n* pa mor serth yw.
steer *v* llywio, cyfeirio.
steering wheel *n* olwyn yrru *f*.
stem *n* coes *f*.
step *n* cam, gris *m*. • *v* camu.
stepbrother *n* llysfrawd *m*.
stepsister *n* llyschwaer *f*.
stereotype *n* ystrydeb *f*.
sterile *adj* di-haint.
sterilise *v* steryllu.
sterling *adj* dilys; sterling.
stern *adj* llym, caled.
stew *n* stiw *m*.
steward *n* stiward *m*.
stewardess *n* stiwardes *f*.
stick *n* ffon *f*.
sticky *adj* gludiog.
stiff *adj* anystwyth, anhyblyg.
stiffen *v* cryfhau; caledu, cyffio.
stiffness *n* anystwythder, stiffrwydd *f*.
stifle *v* mygu.

stifling *adj* llethol.
stigmatise *v* stigmateiddio.
still *v* tawelu. • *adj* llonydd. • *adv* o hyd.
stillness *n* llonyddwch *m*.
stimulate *v* symbylu, cyffroi.
stimulus *n* symbyliad *m*.
sting *v* pigo, brathu.
stinginess *n* crintachrwydd *m*.
stingy *adj* crintachlyd, cybyddlyd.
stink *v* drewi. • *n* drewdod.
stipulate *v* mynnu.
stipulation *n* amod *m/f*.
stir *v* troi, corddi.
stitch *v* pwytho. • *n* pwyth *m*.
stock *n* stoc; cyff *m*. • *v* stocio.
stock exchange *n* cyfnewidfa stoc *f*.
stockbroker *n* brocer stoc *m*.
stocking *n* hosan *f*.
stoical *adj* stoicaidd.
stomach *n* stumog *f*, bola *m*.
stone *n* carreg *f*. • *v* llabyddio.
stony *adj* caregog.
stool *n* stôl *f*.
stoop *v* gwargrymu, plygu.
stop *v* aros, atal.
stoppage *n* ataliad *m*.
storage *n* crynhoad *m*, storfa *f*.
store *n* storfa *f*. • *v* storio.
stork *n* storc *m*.
storm *n* storm, drycin *f*.
stormy *adj* stormus.
story *n* stori *f*, hanes *m*.
stout *adj* tew; glew.
stoutness *n* tewdra *m*.
stove *n* stôf *f*.
stow *v* rhoi i'w gadw.
straight *adj* syth, union.
straightaway *adv* ar unwaith, yn union.
straighten *v* unioni.
strain *v* straenio. • *n* straen *f*.
strait *n* culfor *m*.
strand *n* traethell *f*, marian *m*.
strange *adj* rhyfedd.

strangeness *n* dieithrwch *m*.
stranger *n* dieithryn *m*.
strangle *v* llindagu, tagu.
strap *n* strapen *f*.
stratagem *n* ystryw *m/f*.
strategic *adj* strategol.
strategy *n* strategaeth *f*.
straw *n* gwellt *m*.
strawberry *n* mefusen *f*.
stray *v* crwydro. • *adj* crwydrol, ar grwydr.
streak *n* strimyn *m*.
stream *n* nant, ffrwd *f*. • *v* llifo, ffrydio.
street *n* stryd, heol *f*.
strength *n* nerth, cryfder *m*.
strengthen *v* cryfhau, atgyfnerthu.
stress *n* pwysau *m*. • *v* pwysleisio.
stretch *v* estyn, ymestyn.
stretcher *n* cludwely *m*.
strew *v* gwasgaru.
strict *adj* llym, caeth.
strictness *n* llymder, cywirdeb *m*.
stride *n* cam bras *m*.
strife *n* cynnen *f*, ymryson *m*.
strike *v* taro, bwrw.
striker *n* streiciwr; saethwr *m*.
striking *adj* trawiadol.
string *n* llinyn, cortyn *m*.
stringent *adj* caeth, llym.
strip *v* tynnu dillad. • *n* stribed *m/f*.
stripe *n* rhesen, streipen *f*.
strive *v* ymdrechu, ymlafnio.
stroke *n* ergyd *m/f*, trawiad *m*. • *v* canmol, anwesu.
stroll *v* mynd am dro.
strong *adj* grymus, cryf, cadarn.
strongbox *n* coffr cryf *m*.
structure *n* adeiledd, strwythur *m*.
struggle *v* strancio. • *n* ymdrech, brwydr *f*.
strut *v* torsythu.
stubborn *adj* ystyfnig, cyndyn.
stubbornness *n* ystyfnigrwydd, cyndynrwydd *m*.

stud n styden m.

student n myfyriwr m.

studio n stiwdio f.

studious adj myfyrgar.

study n astudiaeth f; efrydiau pl. • v astudio.

stuff n defnydd, sylwedd m. • v stwffio.

stuffing n stwffin m.

stumble v baglu.

stump n bôn, bonyn m.

stun v syfrdanu, hurtio.

stunt n sbloet f.

stupefy v peri i gysgu; syfrdanu.

stupendous adj aruthrol.

stupid adj twp.

stupidity n twpdra m.

stupor n syrthni m.

sturdiness n cryfder, cadernid m.

sturdy adj cydnerth, praff.

stutter v cecian, cecial.

style n steil m.

stylish adj cain.

suave adj gwên-deg.

subdivide v isrannu.

subdue v darostwng, gostegu.

subject n testun, goddrych m.

subjective adj goddrychol.

subjugate v darostwng.

subjugation n darostyngiad m.

sublimate v sychdarthu.

sublime adj aruchel, dyrchafedig.

sublimity n arucheledd m.

submarine n llong danfor f.

submerge v suddo, ymsuddo.

submission n ymostyngiad; cyflwyniad m.

submissive adj ymostyngol.

submit v ymostwng; cyflwyno.

subordinate adj israddol.

subscribe v tanysgrifio.

subscriber n tanysgrifiwr m.

subscription n tanysgrifiad m.

subsequent adj dilynol.

subside v suddo, gostwng.

subsidence n ymsuddiant m.

subsidiary adj cynorthwyol, atodol.

subsidise v sybsideiddio.

subsidy n cymhorthdal m.

subsist v dal i fyw, bodoli.

subsistence n cynhaliaeth f.

substance n sylwedd m.

substantial adj sylweddol.

substantiate v cadarnhau, profi.

substitute v eilyddio, cyfnewid.

substitution n cyfnewidiad m.

subterranean adj tanddaearol.

subtitle n is-deitl m.

subtle adj cynnil, cyfrwys.

subtlety n cynildeb, cywreinrwydd m.

subtract v tynnu.

suburb n maestref f.

suburban adj maestrefol.

subversive adj yn tanseilio, chwyldroadol.

subvert v tanseilio.

succeed v llwyddo.

success n llwyddiant m.

successful adj llwyddiannus.

succession n olyniaeth f.

successive adj olynol.

successor n olynydd m.

succinct adj cryno, byr.

succumb v ildio.

such adj cyfryw, y fath.

suck v sugno.

suckle v sugno.

sudden adj annisgwyl, dirybudd.

suddenness n sydynrwydd m.

sue v erlyn, siwio.

suffer v dioddef.

suffering n dioddefaint m.

suffice v bod yn ddigon, digoni.

sufficient adj digon.

suffocate v mogi, mygu.

suffocation n mogfa f.

sugar n siwgwr m.

sugary adj siwgwraidd.

suggest v awgrymu.

suggestion n awgrym m.

suicidal *adj* hunanddinistriol.

suicide *n* hunanladdiad *m*.

suit *n* siwt *f*. • *v* addasu, bod yn addas.

suitable *adj* addas, cymwys.

suitcase *n* cês dillad *m*.

sulky *adj* pwdlyd.

sullen *adj* sarrug, swrth.

sultry *adj* mwll.

sum *n* cyfanswm *m*. • *v*: **to ~ up** crynhoi.

summary *n* crynodeb *m*.

summer *n* haf *m*.

summit *n* copa *f/m*.

summon *v* gwysio.

summons *n* gwŷs *f*.

sumptuous *adj* moethus.

sun *n* haul *m*.

sunbathe *v* bolaheulo, torheulo.

sunburn *n* llosg haul *m*.

Sunday *n* dydd Sul *m*.

sundry *adj* amryw, amrywiol.

sunflower *n* blodyn yr haul *m*.

sunny *adj* heulog, tesog.

sunrise *n* codiad haul *m*.

sunset *n* machlud haul *m*.

sunshade *n* cysgodlen *f*.

sunshine *n* heulwen *f*, golau haul *m*.

sunstroke *n* twymyn yr haul *f*.

suntan *n* lliw haul *m*.

super *adj* penigamp, rhagorol.

superb *adj* gwych.

supercilious *adj* ffroenuchel.

superficial *adj* arwynebol.

superfluity *n* toreth *f*.

superfluous *adj* dianghenraid.

superior *adj* uwch, uwchradd.

superiority *n* rhagoriaeth *f*.

superlative *adj* rhagorol, eithaf.

supermarket *n* uwchfarchnad *f*.

supernatural *n* goruwchnaturiol *m*.

supersede *v* disodli, cymryd lle.

supersonic *adj* uwchsonig.

superstition *n* ofergoel *f*.

superstitious *adj* ofergoelus.

supervene *v* digwydd, dilyn.

supervise *v* goruchwylio, arolygu.

supervision *n* goruchwyliaeth *f*.

supervisor *n* goruchwyliwr *m*, arolygydd *m*.

supper *n* cinio *m*.

supplant *v* disodli, cymryd lle.

supple *adj* ystwyth, hydwyth.

supplement *n* atodiad, ychwanegiad *m*.

supplementary *adj* atodol, ychwanegol.

suppleness *n* ystwythder, hyblygrwydd *m*.

supplicate *v* erfyn, deisyf.

supplication *n* erfyniad, deisyfiad *m*.

supplier *n* cyflenwr *m*.

supply *v* cyflenwi. • *n* cyflenwad *m*.

support *v* cynnal. • *n* cefnogaeth, cynhaliaeth *f*.

supporter *n* cefnogwr *m*.

suppose *v* tybio, a bwrw.

supposition *n* tybiaeth *f*.

suppress *v* atal, gostegu.

suppression *n* atal, gostegu *vn*.

supremacy *n* goruchafiaeth *f*.

supreme *adj* pennaf, goruchaf.

surcharge *v* codi ychwaneg. • *n* tâl ychwanegol *m*.

sure *adj* sicr.

sureness *n* sicrwydd *m*.

surf *n* ewyn *m*. • *v* beistonna.

surface *n* wyneb *m*. • *v* codi i'r wyneb.

surfboard *n* astell feiston *f*.

surge *n* ymchwydd, dygyfor *m*.

surgeon *n* llawfeddyg *m*.

surgery *n* meddygfa; triniaeth lawfeddygol *f*.

surgical *adj* llawfeddygol.

surly *adj* sarrug, swrth.

surmise *v* dyfalu, tybio.

surmount *v* gorchfygu.

surname *n* cyfenw *m*.

surpass *v* rhagori ar.

surplus *n* gweddill *m*, gwarged *m/f*.

surprise *v* synnu. • *n* peth annisgwyl, syndod *m*.
surrender *v* ildio.
surreptitious *adj* llechwraidd.
surrogate *adj* dirprwyol.
surround *v* amgylchynu.
survey *v* gwneud arolwg. • *n* arolwg *m*.
survive *v* goroesi.
survivor *n* goroeswr *m*.
susceptibility *n* chwanogrwydd; teimlad *m*.
susceptible *adj* tueddol, chwannog.
suspect *v* drwgdybio. • *n* rhywun dan amheuaeth *m*.
suspend *v* hongian; diarddel.
suspense *n* gwewyr meddwl *m*.
suspicion *n* amheuaeth, drwgdybiaeth *f*.
suspicious *adj* amheus, drwgdybus.
sustain *v* cynnal.
sustenance *n* cynhaliaeth *f*.
swagger *v* rhodresa, torsythu.
swallow *v* llyncu.
swamp *n* cors, mignen *f*.
swap *v* cyfnewid, ffeirio.
swarm *n* haid *f*. • *v* heidio.
swath *n* ystod *f*.
sway *v* gwegian, siglo.
swear *v* tyngu, rhegi.
sweat *n* chwys *m*. • *v* chwysu.
sweep *v* ysgubo.
sweet *adj* melys. • *n* losin, da-da, fferins *m/pl*.
sweeten *v* melysu.
sweetener *n* melysydd *m*.
sweetness *n* melyster, melystra *m*.
swell *v* chwyddo.
swelling *n* chwydd, ymchwydd *m*.
swerve *v* gwyro.

swift *adj* cyflym, buan.
swiftness *n* cyflymder, cyflymdra *m*.
swim *v* nofio. • *n* nofiad *m*.
swimming pool *n* pwll nofio *m*.
swimsuit *n* gwisg nofio *f*.
swindle *v* twyllo.
swing *v* siglo. • *n* siglen *f*.
swirl *n* chwyrlïad *m*.
switch *n* swits *m*. • *v* newid; **to ~ off** diffodd; **to ~ on** troi ymlaen.
swivel *v* troi ar ei echel.
swoon *v* llesmeirio. • *n* llesmair *m*.
swoop *v* disgyn.
sword *n* cleddyf *m*.
sycophant *n* cynffonnwr *m*.
syllabic *adj* sillafog.
syllable *n* sillaf *f*.
syllabus *n* maes llafur *m*.
symbol *n* symbol *m*.
symbolic(al) *adj* symbolaidd.
symbolise *v* symboleiddio.
symmetrical *adj* cymesur.
symmetry *n* cymesuredd *m*.
sympathetic *adj* llawn cydymdeimlad.
sympathise *v* cydymdeimlo.
sympathy *n* cydymdeimlad *m*.
symphony *n* symffoni *f*.
symptom *n* arwydd, symptom *m*.
synagogue *n* synagog *f*.
syndrome *n* syndrom *m*.
synonym *n* cyfystyr *m*.
synonymous *adj* cyfystyr.
synopsis *n* crynodeb *m*.
syntax *n* cystrawen *f*.
synthesis *n* cyfuniad, cyfosodiad *m*.
syringe *n* chwistrell *f*.
system *n* cyfundrefn, system *f*.
systematic *adj* trwyadl, systematig.

table   237   temper

T

table n bwrdd m, bord f.
tablecloth n lliain bwrdd m.
tablet n tabled f.
tacit adj dealledig.
taciturn adj tawedog, di-ddweud.
tack n tac f/m. • v tacio.
tackle n gêr, tacl m.
tact n tact, pwyll m.
tactics n tacteg f.
tag n tag, tocyn m.
tail n cynffon, cwt f.
tailor n teiliwr m.
taint v llygru, halogi.
tainted adj llygredig, drwg.
take v cymryd.
takeoff n esgyniad m.
takeover n cymryd drosodd, cipio
  grym vn.
takings n derbyniadau pl.
talc n talc m.
talent n dawn, talent f.
talented adj dawnus, talentog.
talk v siarad. • n sgwrs f.
talkative adj siaradus.
tall adj tal.
tally v cyfateb.
tame adj dof. • v dofi, hyweddu.
tamper v ymyrryd â.
tan v cael lliw haul. • n lliw haul m.
tangible adj diriaethol, go iawn.
tangle v drysu.
tank n tanc m.
tanker n tancer m/f.
tantrum n strancio vn.
tap v tapio. • n tap m.
tape n tâp m. • v tapio.
tape recorder n recordydd tâp m.
target n targed m.
tariff n toll f.
tarnish v pylu.
tart n tarten f.
task n gorchwyl m/f, gwaith m.
taste n blas m, chwaeth f. • v blasu.

tasteful adj chwaethus.
tasty adj blasus.
tattoo n tatŵ m.
taunt v edliw, dannod. • n edliwiad m.
taut adj tyn.
tawdry adj tsiêp.
tax n treth f. • v trethu.
taxable adj trethadwy.
taxation n treth f, trethiad m.
taxi n tacsi m.
taxpayer n trethdalwr m.
tea n te m.
teach v dysgu, addysgu.
teacher n athro m, athrawes f.
teaching n dysgeidiaeth f.
team n tîm m.
teapot n tebot m.
tear[1] v rhwygo.
tear[2] n rhwyg; deigryn m.
tearful adj dagreuol.
tease v poeni, pryfocio.
teaspoon n llwy de f.
technical adj technegol.
technician n technegydd m.
technique n techneg f.
technological adj technolegol.
technology n technoleg f.
tedious adj diflas.
tedium n diflastod, undonedd m.
teenage adj yn eich arddegau. • ~r n
  glaslanc m.
teethe v torri dannedd.
telepathy n telepathi m.
telephone n ffôn m.
telephone directory n llyfr ffôn m.
telephone number n rhif ffôn m.
telescope n telesgop m.
telescopic adj telesgopig.
televise v teledu.
television n teledu m.
television set n set deledu f.
tell v dweud, adrodd.
temper v tymheru. • n tymer f.

temperament *n* anian *f*.
temperate *adj* cymedrol.
temperature *n* tymheredd *m*.
tempest *n* tymestl *f*.
temple *n* teml; arlais *f*.
temporary *adj* dros dro.
tempt *v* temtio.
temptation *n* temtasiwn *m/f*.
ten *num* deg.
tenacious *adj* cyndyn.
tenacity *n* dycnwch *m*.
tenant *n* deiliad, tenant *m*.
tend *v* gogwyddo; tendio.
tendency *n* tuedd *f*.
tender *adj* tyner, brau.
tendon *n* gewyn, giewyn *m*.
tennis *n* tennis *m*.
tenor *n* tenor *m*.
tense *adj* tyn. • *n* amser *m*.
tension *n* tyndra *m*.
tent *n* pabell *f*.
tentative *adj* petrus.
tenth *adj* degfed.
tenuous *adj* tenau.
tepid *adj* claear, llugoer.
term *n* tymor *m*.
terminal *adj* terfynol. • *n* terfynell *f*.
terminate *v* terfynu, dibennu.
termination *n* terfyniad *m*.
terrace *n* teras *m/f*.
terrain *n* tir *m*.
terrestrial *adj* daearol.
terrible *adj* ofnadwy.
terrific *adj* aruthrol.
terrify *v* dychryn, brawychu.
territorial *adj* tiriogaethol.
territory *n* tiriogaeth *f*.
terror *n* arswyd, braw *m*.
terrorise *v* brawychu, dychryn.
terrorist *n* terfysgwr *m*.
terse *adj* byr, cryno.
test *n* prawf *m*. • *v* rhoi prawf ar, profi.
test tube *n* tiwb prawf *m*.
testify *v* tystio.
testimony *n* tystiolaeth *f*.

tether *n* tennyn *m*.
text *n* testun *m*.
textual *adj* testunol.
texture *n* gwead *m*.
than *adv* na, nag.
thank *v* diolch.
thankful *adj* diolchgar.
thanks *n* diolchiadau *pl*.
that *pron* hwnnw, honno, hynny. • *conj* mai.
thatch *n* gwellt *m*.
thaw *v* dadmer, meirioli.
the *art* y, yr, 'r.
theatre *n* theatr *f*.
theatrical *adj* theatraidd.
theft *n* lladrad *m*.
theirs *poss pron* eiddynt hwy.
them *pron* hwy, nhw.
theme *n* thema *f*.
themselves *pron* eu hunain.
then *adv*, *conj* yna.
theological *adj* diwinyddol.
theology *n* diwinyddiaeth *f*.
theorem *n* theorem *f*.
theoretic(al) *adj* damcaniaethol.
theory *n* damcaniaeth *f*.
therapist *n* therapydd *m*.
therapy *n* triniaeth *f*, therapi *m*.
there *adv* acw, yna.
thereafter *adv* wedyn, wedi hynny.
therefore *adv* felly.
thermal *adj* thermol.
thermometer *n* thermomedr *m*.
these *pron* y rhai hyn, rhain.
thesis *n* traethawd *m*.
they *pron* hwy, nhw.
thick *adj* trwchus, tew.
thicken *v* tewychu.
thickness *n* trwch, tewdra *m*.
thickset *adj* cydnerth.
thief *n* lleidr *m*.
thigh *n* clun, morddwyd *f*.
thin *adj* tenau, main.
thing *n* peth *m*.
think *v* meddwl.

thinker *n* meddyliwr *m*.
third *adj* trydydd *m*, trydedd *f*.
thirst *n* syched *m*.
thirsty *adj* sychedig.
thirteen *num* tri ar ddeg *m*, tair ~*f*.
thirteenth *adj* trydydd ar ddeg *m*, trydedd ~ *f*.
thirtieth *adj* degfed ar hugain.
thirty *num* deg ar hugain, tri deg.
this *adj, pron* hwn, hon, hyn.
thistle *n* ysgallen *f*.
thorn *n* draenen *f*.
thorough *adj* trylwyr, trwyadl.
thoroughfare *n* ffordd agored *f*.
those *pron, adj* y rhai hynny.
though *conj* er, pe, ped.
thought *n* meddwl *m*.
thoughtful *adj* meddylgar.
thoughtless *adj* difeddwl, anystyriol.
thousand *num* mil.
thousandth *adj* milfed.
thrash *v* dyrnu, colbio.
thread *n* edau *f*, edefyn *m*.
threat *n* bygythiad *m*.
threaten *v* bygwth.
three *num* tri *m*, tair *f*.
threshold *n* trothwy *m*.
thrifty *adj* cynnil, darbodus.
thrill *v* gwefreiddio. • *n* gwefr, ias *f*.
thrive *v* ffynnu.
throat *n* gwddf *m*.
throb *v* gwynio; dyrnu.
throne *n* gorsedd *f*.
throng *n* torf, tyrfa *f*.
throttle *n* sbardun *m/f*. • *v* tagu, llindagu.
through *prep* trwy, drwy.
throughout *prep* ledled, trwy gydol.
throw *v* taflu. • *n* tafliad *m*.
thrust *v* gwthio. • *n* gwthiad *m*.
thug *n* llabwst, dihiryn *m*.
thumb *n* bawd *f*.
thump *n* ergyd, cur *m/f*. • *v* colbio, taro.
thunder *n* taranau, tyrfau *pl*. • *v* taranu.
thunderclap *n* taraniad *m*.

thunderstorm *n* storm o fellt a tharanau.
Thursday *n* dydd Iau *m*.
thus *adv* felly.
thwart *v* atal, llesteirio.
tic *n* tic *m*.
tick *n* tipiad *m*. • *v* tipian.
ticket *n* tocyn *m*.
ticket office *n* swyddfa docynnau *f*.
tickle *v* gogleisio, cosi.
tidal wave *n* ton lanw *f*.
tide *n* llanw *m*.
tidy *adj* taclus, trefnus.
tie *v* clymu. • *n* tei *m/f*.
tier *n* rhes *f*.
tiger *n* teigr *m*.
tight *adj* tyn.
tighten *v* tynhau.
tile *n* teilsen *f*.
till *v* trin, braenaru.
tilt *v* gogwyddo, gwyro.
timber *n* coed, pren *m*.
time *n* amser *m*. • *v* amseru.
time lag *n* oedi *vn*.
time zone *n* cylchfa amser *f*.
timeless *adj* digyfnewid.
timely *adj* amserol.
timid *adj* swil, ofnus.
timidity *n* swildod, diffyg hyder *m*.
tin *n* alcam, tun *m*.
tinge *n* arlliw *m*.
tingle *v* gyrru ias trwy.
tinkle *v* tincial.
tint *n* arlliw *m*, gwawr *f*. • *v* lliwio.
tinted *adj* wedi'i lliwio.
tiny *adj* bychan, pitw.
tip *n* blaen; cildwrn; tip *m*. • *v* tipio; cynnig cildwrn.
tirade *n* pregeth *f*.
tire *v* blino, diffygio.
tireless *adj* diflino.
tiresome *adj* diflas, syrffedus.
tissue *n* meinwe *f*.
titbit *n* tamaid blasus *m*.
titillate *v* goglais.

title *n* teitl *m.*
titular *adj* mewn enw.
titular saint *n* nawddsant *m.*
to *prep* i, at, wrth.
toad *n* llyffant *m.*
toast *v* crasu; cynnig llwncdestun. • *n* tost; llwncdestun *m.*
toaster *n* tostiwr *m.*
tobacco *n* tybaco *m.*
toboggan *n* sled *f.*
today *adv* heddiw.
toe *n* bys troed *m.*
together *adv* gyda'ch gilydd, ynghyd.
toil *v* llafurio.
toilet *n* tŷ bach, toiled *m.*
toilet paper *n* papur tŷ bach *m.*
toiletries *n* pethau ymolchi *pl.*
token *n* arwydd; tocyn *m.*
tolerable *adj* goddefadwy, gweddol.
tolerant *adj* goddefgar.
tolerate *v* goddef.
toll *n* toll *f.* • *v* canu cnul.
tomato *n* tomato *m.*
tomb *n* bedd *m.*
tombstone *n* carreg fedd *f.*
tomorrow *adv* yfory.
ton *n* tunnell *f.*
tone *n* tôn; gwawr *f.*
tongs *n* gefel *f.*
tongue *n* tafod *m.*
tonight *adv* heno.
too *adv* rhy.
tool *n* arf, erfyn *m.*
tooth *n* dant *m.*
toothache *n* y ddannoedd *f.*
toothbrush *n* brws dannedd *m.*
toothpaste *n* past dannedd *m.*
top *n* pen, brig *m.*
topic *n* pwnc, testun *m.*
topical *adj* amserol.
topmost *adj* uchaf.
topographic(al) *adj* topograffaidd.
topography *n* topograffeg *f.*
topple *v* cwympo, disgyn.
torch *n* fflachlamp *f.*

torment *v* poenydio. • *n* artaith *f,* cystudd *m.*
tornado *n* corwynt *m.*
torrent *n* cenllif, llifeiriant *m.*
tortuous *adj* troellog, trofaus.
torture *n* artaith *f.* • *v* arteithio.
toss *v* taflu.
total *adj* holl, cyfan, llwyr.
totality *n* cyfanrwydd *m.*
totter *v* gwegian, simsanu.
touch *v* cyffwrdd. • *n* cyffyrddiad *m.*
touchdown *n* glaniad *m.*
touching *adj* teimladwy.
tough *adj* gwydn, caled.
toughen *v* caledu, cryfhau.
tour *n* cylchdaith *f,* tro *m.*
tourism *n* twristiaeth *f.*
tourist *n* ymwelydd *m.*
tournament *n* twrnamaint *m.*
tow *v* halio, tynnu.
toward(s) *prep* tua, tuag.
towel *n* lliain *m.*
tower *n* tŵr *m.*
town *n* tref *f.*
town hall *n* neuadd y dref *f.*
towrope *n* rhaff halio *f.*
toy *n* tegan *m.*
trace *n* ôl, arlliw *m.* • *v* olrhain, amlinellu.
track *n* trywydd *m.*
tract *n* ehangder; pamffledyn *m.*
traction *n* tyniant *m.*
trade *n* masnach; crefft *f.* • *v* masnachu.
trademark *n* nod masnach *m.*
trader *n* masnachwr *m.*
trade(s) union *n* undeb llafur *m.*
trade unionist *n* undebwr *m.*
trading *adj* masnachol.
tradition *n* traddodiad *m.*
traditional *adj* traddodiadol.
traffic *n* trafnidiaeth *f,* traffig *m.*
traffic jam *n* tagfa *f.*
tragedy *n* trasiedi *f.*
tragic *adj* alaethus, trist.

trail n ôl, trywydd m.

train v hyfforddi, ymarfer. • n trên m.

trainer n hyfforddwr m.

training n hyfforddiant m.

trait n nodwedd f.

traitor n bradwr m.

tramp n sŵn traed m. • v cerdded yn drwm.

trance n llesmair m.

tranquil adj tawel, llonydd.

transact v trafod, trin.

transactions n trafodion pl.

transcend v codi uwchlaw.

transcription n adysgrif f.

transfer v trosglwyddo, adleoli. • n trosglwyddiad, adleoliad m.

transform v gweddnewid, trawsnewid.

transfusion n trallwyso vn.

transition n trawsnewidiad m.

transitional adj trawsnewidiol.

translate v cyfieithu.

translation n cyfieithiad m.

translator n cyfieithydd m.

transmission n trosglwyddo vn.

transmit v anfon, trosglwyddo.

transparency n tryloywder m.

transparent adj tryloyw.

transplant v trawsblannu.

transport v cludo. • n cludiant m.

trap n magl f, trap m. • v maglu, dal.

travel v teithio. • n taith f.

traveller n teithiwr, trafaelwr m.

traveller's cheque n siec deithio f.

travesty n parodi m.

tray n hambwrdd m.

treacherous adj bradwrus, dichellgar.

treachery n brad m, bradwriaeth f.

tread v camu, troedio.

treason n bradwriaeth, teyrnfradwriaeth f.

treasure n trysor m.

treasurer n trysorydd m.

treat v trin, trafod. • n peth amheuthun m.

treatment n triniaeth f.

treaty n cytundeb m.

treble v treblu.

tree n coeden f.

trek n ymdaith f.

tremble v crynu.

tremendous adj aruthrol.

trend n tuedd f, cyfeiriad m.

trespass v tresmasu.

trial n achos llys, treial m.

triangle n triongl m.

tribal adj llwythol.

tribe n llwyth m.

tribunal n tribiwnlys m.

tributary n llednant f.

trick n ystryw m/f, tric m. • v twyllo.

tricky adj cyfrwys; anodd.

trifle n peth dibwys; treiffl m.

trifling adj dibwys, pitw.

trigger n clicied f.

trim adj trwsiadus, testlus. • v tocio, twtio.

trip v baglu. • n gwibdaith f.

triple adj triphlyg. • v treblu.

trite adj ystrydebol.

triumph n buddugoliaeth f. • v ennill buddugoliaeth.

triumphant adj buddugoliaethus.

trivia n pethau dibwys pl.

trivial adj pitw, dibwys.

triviality n dinodedd, distadledd m.

troop n mintai f, criw m.

tropical adj trofannol.

trouble v poeni. • n pryder, gofid m.

troublesome adj trafferthus.

trousers n trywser, trywsus m.

trout n brithyll m.

truck n tryc m.

truck driver n gyrrwr lorri m.

truculent adj ffyrnig, mileinig.

true adj gwir, cywir.

trump n trwmp m.

trumpet n trwmped m.

trunk n boncyff, trwnc m.

trust n ymddiriedaeth; ymddiriedolaeth f. • v ymddiried.

trustworthy *adj* dibynadwy.
trusty *adj* ffyddlon, dibynadwy.
truth *n* gwir, gwirionedd *m*.
truthful *adj* geirwir, gonest.
truthfulness *n* gwirionedd, geirwiredd *m*.
try *v* profi, ceisio. • *n* cais *m*, ymgais *m/f*.
tub *n* twb, twba *m*.
tube *n* tiwb *m*.
tuck *n* twc *m*. • *v* twcio.
Tuesday *n* dydd Mawrth *m*.
tug *v* tynnu, llusgo. • *n* tyniad. plwc *m*.
tuition *n* hyfforddiant *m*.
tulip *n* tiwlip *m*.
tumble *v* syrthio, cael codwm. • *n* codwm *m*.
tumbler *n* gwydryn *m*.
tumultuous *adj* cythryblus.
tune *n* alaw, tôn *f*.
tuneful *adj* persain.
tunnel *n* twnnel *m*.
turbulence *n* cynnwrf *m*.
turbulent *adj* cythryblus, aflonydd.
turf *n* tywarchen *f*.
turkey *n* twrci *m*.
turmoil *n* berw, cynnwrf *m*.
turn *v* troi. • *n* tro, troad *m*.
turning *n* tro *m*.

turnover *n* trosiant *m*.
turnstile *n* giât dro *f*.
turquoise *adj* gwyrddlas.
turtle *n* crwban y môr *m*.
tusk *n* ysgithr *m*.
tutor *n* tiwtor *m*.
tweezers *n* gefel *f*.
twelfth *adj* deuddegfed.
twelve *num* deuddeg.
twentieth *adj* ugeinfed.
twenty *num* ugain.
twice *adv* dwywaith.
twilight *n* cyfnos, gwyll *m*.
twin *n* gefell *m/f*.
twine *v* cordeddu, cyfrodeddu.
twinkle *v* pefrio, serennu.
twirl *v* chwyrlïad *m*.
twist *v* cyfrodeddu.
twitch *n* plwc *m*.
two *num* dau *m*, dwy *f*.
twofold *adj* deublyg.
tycoon *n* teicŵn *m*.
type *n* math; teip *m*. • *v* teipio.
typeface *n* wyneb teip *m*.
typewriter *n* teipiadur *m*.
typical *adj* nodweddiadol.
tyrannical *adj* gormesol.
tyrant *n* teyrn *m*.
tyre *n* teiar *m*.

U

ugliness *n* hagrwch *m*.
ugly *adj* hyll, hagr, salw.
ulcer *n* briw, dolur *m*.
ulterior *adj* cudd.
ultimate *adj* terfynol, olaf.
ultimatum *n* cynnig terfynol, rhybudd olaf *m*.
umbrella *n* ambarél, ymbarél *m/f*.
umpire *n* dyfarnwr *m*.
unable *adj* analluog, methu.
unaccomplished *adj* heb ei gyflawni; di-ddawn.

unaccountable *adj* anesboniadwy.
unaccustomed *adj* anarferol, anghyfarwydd.
unacknowledged *adj* anghydnabyddedig.
unadulterated *adj* pur, digymysg.
unaltered *adj* digyfnewid.
unanimity *n* unfrydedd *m*.
unanimous *adj* unfrydol.
unanswerable *adj* anatebadwy.
unapproachable *adj* anhygyrch, pell.
unarmed *adj* heb arfau, diarfog.

unattached *adj* heb fod ynghlwm, digyswllt.

unattainable *adj* anghyraeddadwy.

unavoidable *adj* anochel.

unaware *adj* anymwybodol.

unbalanced *adj* anghytbwys.

unbearable *adj* annioddefol.

unbelievable *adj* anghredadwy, anhygoel.

unbiased *adj* diduedd, cytbwys.

unbreakable *adj* anhydor, na ellir mo'i dorri.

unbroken *adj* di-dor.

unbutton *v* datod botymau.

unceasing *adj* di-baid, di-drai.

unceremonious *adj* diseremoni, di-lol.

uncertain *adj* ansicr.

uncertainty *n* ansicrwydd, amhendantrwydd *m*.

unchangeable *adj* digyfnewid.

uncharitable *adj* angharedig, didostur.

uncivil *adj* anghwrtais.

uncivilised *adj* anwaraidd.

uncle *n* ewythr *m*.

uncomfortable *adj* anghyfforddus, anghysurus.

uncommon *adj* anghyffredin, anarferol.

uncompromising *adj* digyfaddawd.

unconcern *n* difrawder, dihidrwydd *m*.

unconditional *adj* diamod, diamodol.

unconscious *adj* anymwybodol, diymwybod.

uncork *v* tynnu corcyn.

uncouth *adj* aflednais, anwaraidd.

uncover *v* dinoethi, datguddio.

uncultivated *adj* heb ei drin, anniwylliedig.

undecided *adj* ansicr.

undeniable *adj* anwadadwy, diymwad.

under *prep* tan, dan. • *adv* tanodd, danodd.

underclothing *n* dillad isaf *pl*.

undercover *adj* cudd, cuddiedig.

underdeveloped *adj* heb ei ddatblygu.

underestimate *v* meddwl yn rhy isel am.

undergo *v* cael.

undergraduate *n* myfyriwr *m*.

undergrowth *n* prysgwydd *pl*.

underhand *adj* dichellgar, twyllodrus.

underline *v* tanlinellu.

underneath *adv* oddi tanodd. • *prep* tan, dan.

underpaid *adj* ar gyflog gwael.

underprivileged *adj* difreintiedig.

underside *n* tu isaf *m*, tor *f*.

understand *v* deall, dirnad.

understandable *adj* dealladwy.

understanding *n* dealltwriaeth, dirnadaeth *f*.

undertake *v* ymgymryd.

undertaking *n* menter *f*.

undervalue *v* tanbrisio.

underwater *adj* tanddwr.

underwear *n* dillad isaf *pl*.

underwrite *v* gwarantu.

undeserved *adj* anhaeddiannol.

undetermined *adj* amhenodol, amhendant.

undisciplined *adj* annisgybledig.

undisputed *adj* diameuol, diddadl.

undivided *adj* diwahân.

undo *v* datod, dad-wneud.

undoing *n* diwedd, distryw *m*.

undoubted *adj* diamau, diamheuol.

undress *v* dadwisgo, ymddihatru.

undue *adj* gormodol, afraid.

uneasy *adj* anesmwyth, anniddig.

uneducated *adj* annysgedig.

unemployed *adj* di-waith, segur.

unemployment *n* diweithdra *m*.

unending *adj* diddiwedd, diderfyn.

unequal *adj* anghyfartal.

unequalled *adj* digymar, digyffelyb.

uneven *adj* anwastad.

unexpected *adj* annisgwyl.

unfailing *adj* di-feth, di-ffael.

unfair *adj* anghyfiawn.

unfaithful *adj* anffyddlon.

unfashionable *adj* anffasiynol.

unfasten *v* datod, agor.

unfavourable *adj* anffafriol.

unfeeling *adj* dideimlad, oeraidd.

unfinished *adj* anorffenedig.

unfit *adj* anaddas, anghymwys.

unfold *v* agor; mynd rhaggdo.

unforeseen *adj* annisgwyl.

unforgettable *adj* bythgofiadwy, an-farwol.

unfortunate *adj* anffodus.

unfounded *adj* di-sail.

unfriendly *adj* di-groeso, anghyfeill-gar.

ungrateful *adj* anniolchgar.

unhappiness *n* tristwch, anhapusrwydd *m*.

unhappy *adj* anhapus, trist.

unhealthy *adj* afiach.

unheeding *adj* didaro, dihidio.

unhook *v* dadfachu.

unhurt *adj* dianaf.

uniform *adj* unffurf.

uniformity *n* unffurfiaeth *f*.

unify *v* uno.

unimaginable *adj* anhygoel; y tu hwnt i'r dychymyg.

uninhabitable *adj* yn amhosibl byw ynddo.

uninhabited *adj* anghyfannedd.

uninjured *adj* dianaf.

unintelligible *adj* annealladwy.

unintentional *adj* anfwriadol.

uninterested *adj* difater, di-hid.

uninterrupted *adj* di-dor, di-baid.

union *n* uniad *m*, undeb *f*.

unique *adj* unigryw.

unison *n* unsain *f*.

unit *n* uned *f*.

unite *v* uno.

unity *n* undod *m*.

universal *adv* byd-eang.

universe *n* bydysawd *m*.

university *n* prifysgol *f*.

unjust *adj* anghyfiawn, annheg.

unknown *adj* anadnabyddus, anhysbys.

unlawful *adj* anghyfreithlon.

unlawfulness *n* anghyfreithlondeb *m*.

unleash *v* gollwng, rhyddhau.

unless *conj* oni, onid.

unlicensed *adj* annhrwyddedig.

unlikely *adj* annhebygol.

unlikelihood *n* annhebygolrwydd *m*.

unlimited *adj* diderfyn, di-ben-draw.

unload *v* dadlwytho.

unlucky *adj* anffodus, anlwcus.

unmask *v* dinoethi.

unmerited *adj* anhaeddiannol.

unmistakable *adj* digamsyniol.

unmoved *adj* diysgog, disyflyd.

unnecessary *adj* dianghenraid, afraid.

unnoticed *adj* disylw.

unobserved *adj* heb sylwi arno.

unoccupied *adj* gwag.

unoffending *adj* didramgwydd.

unpack *v* dadbacio.

unparalleled *adj* digyffelyb.

unpleasant *adj* annymunol.

unpopular *adj* amhoblogaidd.

unprecedented *adj* heb gynsail.

unpredictable *adj* anrhagweladwy.

unprejudiced *adj* diragfarn.

unprofitable *adj* dielw, di-fudd.

unpublished *adj* anghyhoeddedig.

unqualified *adj* anghymwys.

unquestionable *adj* diamheuol.

unreal *adj* afreal.

unreasonable *adv* afresymol.

unrelated *adj* digyswllt.

unrelenting *adj* diarbed, di-idio.

unreserved *adj* heb ei gadw.

unrest *n* aflonyddwch *m*.

unripe *adj* anaeddfed.

unroll *v* dadrolio.

unsafe *adj* anniogel, peryglus.

unsatisfactory *adj* anfoddhaol.

unscrew *v* dadsgriwio.

unseasonable *adj* annhymhorol.

unseemly *adj* anweddus.

unsettled *adj* ansefydlog.

unsociable adj anghymdeithasol.
unspeakable adj anhraethol.
unstable adj ansefydlog.
unsteady adj simsan.
untamed adj anystywallt, gwyllt.
untapped adj dihysbydd.
untenable adj anghynaladwy.
unthinkable adj y tu hwnt i amgyffred.
untidiness n annibendod, llanast m.
untidy adj anniben.
untie v datod.
until prep, conj hyd, nes, tan.
untimely adj annhymig, cynamserol.
untouched adj heb ei gyffrwdd.
untroubled adj digyffro.
untrue adj anghywir.
untrustworthy adj annibynadwy.
unused adj heb ei ddefnyddio.
unusual adj anarferol, anghyffredin.
unveil v dadlennu, dadorchuddio.
unwelcoming adj digroeso.
unwell adj gwael, anhwylus.
unwilling adj amharod, anfodlon.
unwind v dadweindio, datod.
unwise adj annoeth.
unwitting adj diarwybod.
unworkable adj anymarferol.
unworthy adj annheilwng.
up adv, prep i fyny, lan, i lan.
upbringing n magwraeth f.
update v diweddaru.
upheaval n cyffro, terfysg m.
uphold v cynnal, ategu.
upholstery n clustogwaith m.
upkeep n cynhaliaeth f.
upon prep ar, ar warthaf.
upper adj uwch, uchaf.

uppermost adj uchaf.
upright adj union, unionsyth.
uprising n terfysg, gwrthryfel m.
uproar n trwst, twrw m.
uproot v dadwreiddio.
upset v troi, dymchwelyd, gofidio.
upshot n canlyniad m.
upside-down adv wyneb i waered.
upstairs adv lan lofft, i fyny'r staer.
up-to-date adj hollol gyfoes.
upturn n ar i fyny.
urban adj trefol, dinesig.
urbane adj hynaws, moesgar.
urchin n crwt m.
urge v annog, cymell. • n cymhelliad, cynhyrfiad m.
urgency n brys m.
urgent adj o frys.
urinate v gwneud dŵr, pisio.
urn n wrn m.
us pron ni, ninnau.
usage n defnydd m, triniaeth f.
use v defnyddio.
useful adj defnyddiol.
usefulness n defnyddioldeb m.
useless adj da i ddim.
uselessness n anfuddioldeb m.
usher n tywysydd m.
usual adj arferol.
usurp v camfeddiannu.
utensil n llestr m.
uterus n croth f.
utility n defnyddioldeb m.
utmost adj eithaf, mwyaf.
utter adj llwyr, hollol. • v yngan, ynganu.
utterly adv yn llwyr.

V

vacancy n swydd wag f.
vacant adj gwag.
vacate v gadael.
vacation n gwyliau pl.
vaccinate v brechu.

vacuum n gwactod m.
vague adj annelwig, amhendant.
vain adj balch, ofer.
valiant adj dewr.
valid adj dilys.

valley *n* dyffryn, cwm, glyn *m*.
valuable *adj* gwerthfawr.
value *n* gwerth *m*. • *v* prisio.
valve *n* falf *f*.
van *n* fan *f*.
vandalise *v* fandaleiddio.
vanish *v* diflannu.
vanity *n* gwagedd, balchder *m*.
vanquish *v* gorchfygu, trechu.
vantage point *n* llecyn manteisiol *m*.
vapour *n* tarth *m*.
variable *adj* amrywiol, cyfnewidiol.
variation *n* amrywiad *m*.
variety *n* amrywiaeth *f*.
various *adj* gwahanol, amryfal.
vary *v* amrywio.
vase *n* llestr blodau *m*.
vast *adj* anferth, aruthrol.
vault *n* cromen *f*. • *v* neidio.
vegetable *adj* llysieuol. • *n* llysieuyn *m*.
vegetarian *n* llysieuwr, llysieuydd *m*.
vegetate *v* pydru byw.
vegetation *n* llystyfiant *m*.
vehemence *n* taerineb, angerdd *m*.
vehement *adj* chwyrn, angerddol.
vehicle *n* cerbyd *m*.
veil *n* llen *f*.
vein *n* gwythïen *f*.
velocity *n* cyflymder, cyflymdra *m*.
velvet *n* melfed *m*.
vendor *n* gwerthwr *m*.
venerate *v* parchu, anrhydeddu.
veneration *n* parch *m*.
vengeance *n* dial, dialedd *m*.
venom *n* gwenwyn *m*.
venomous *adj* gwenwynig.
ventilate *v* awyru, gwyntyllu.
ventilation *n* awyru *vn*.
venture *n* menter *f*. • *v* mentro.
verb *n* berf *f*.
verbal *adj* llafar.
verb-noun *n* berfenw *m*.
verification *n* gwiriad *m*.
verify *v* gwirio, cadarnhau.

versatile *adj* amryddawn.
verse *n* adnod *f*; pennill *m*.
version *n* fersiwn *m/f*.
versus *prep* yn erbyn.
vertical *adj* unionsyth, fertigol.
vertigo *n* y bendro *f*.
very *adv* iawn, dros ben.
vessel *n* llestr *m*; llong *f*, cwch *m*.
veteran *adj* profiadol.
veterinarian *n* milfeddyg *m*.
veterinary *adj* milfeddygol.
veto *n* pleidlais atal *f*.
vex *v* digio, codi gwrychyn; becsio.
vexed *adj* dadleuol.
via *prep* trwy law.
viaduct *n* traphont *f*.
vibrate *v* dirgrynu, crynu.
vibration *n* dirgryniad, crynod *m*.
vice *n* drygioni *m*, llygredigaeth *f*.
vicinity *n* cyffiniau *pl*.
vicious *adj* mileinig, milain.
victim *n* ysglyfaeth *f*.
victor *n* buddugwr, gorchfygwr *m*.
victory *n* buddugoliaeth, gorchuchafiaeth *f*.
video *n* fideo *m/f*.
viewer *n* gwyliwr *m*.
vie *v* cystadlu, ymgiprys.
view *n* golygfa, golwg *f*. • *v* gwylio, bwrw golwg.
vigil *n* gwylnos *f*.
vigilance *n* gwyliadwriaeth *f*.
vigilant *adj* gwyliadwrus, effro.
vigour *n* egni, grym *m*.
vigorous *adj* egnïol, heini.
vile *adj* ffiaidd, brwnt.
village *n* pentref *m*.
vindicate *v* cyfiawnhau, achub cam.
vindication *n* cyfiawnhad *m*.
vindictive *adj* dialgar.
vine *n* gwinwydden *f*.
vinegar *n* finegr *m*.
vineyard *n* gwinllan *f*.
violate *v* treisio.
violation *n* toriad, trais *m*.

violence n trais, ffyrnigrwydd m.
violent adj treisgar, treisiol.
violin n feiolin, ffidl f.
virgin n gwyryf, morwyn f.
virile adj egnïol.
virility n gwrywdod; egni m.
virtual adj i bob pwrpas; dichonadwy.
virtue n rhinwedd m/f.
virtuous adj rhinweddol.
virulent adj gwenwynig; milain.
visa n fisa f.
vis-a-vis prep ynglŷn â.
visibility n amlygrwydd m, natur we-ladwy f.
visible adj gweladwy, gweledig.
vision n golwg m.
visit v ymweld â. • n ymweliad m.
visitor n ymwelydd m.
visual adj gweledol.
visualise v dychmygu.
vital adj hanfodol.
vitality n bywiogrwydd, bywyd m.
vitamin n fitamin m.
vivacious adj hoenus, nwyfus, llawn bywyd.
vivid adj llachar, tanbaid.

vocabulary n geirfa f.
vocal adj llafar, lleisiol.
vocation n galwedigaeth f.
voice n llais m. • v lleisio.
void n gwagle, gwacter m.
volatile adj gwamal, anwadal.
volcano n llosgfynydd, folcano m.
volition n ewyllys, gwirfodd m.
voltage n foltedd m.
voluble adj huawdl, siaradus.
volume n uchder; cyfaint m; cyfrol f.
voluntary adj gwirfoddol.
volunteer n gwirfoddolwr m.
voluptuous adj synhwyrus, nwydus.
vomit v cyfogi, chwydu.
voracious adj gwancus, barus.
vote n pleidlais f. • v pleidleisio.
voter n pleidleisiwr m, pleidleiswraig f.
voucher n taleb f, tocyn m.
vow n adduned f. • v addunedu.
voyage n mordaith f.
vulgar adj di-chwaeth; cyffredin.
vulnerable adj hawdd eich clwyfo, bregus.

W

wade v cerdded trwy ddŵr, bracso.
wafer n waffer; afrlladen f.
wag v siglo, ysgwyd.
wage n cyflog m.
wager n bet f/m. • v codi bet, betio.
wages n cyflog m.
wagon n wagen f.
wail n llef f. • v nadu, llefain.
waist n gwasg m/f.
wait v aros. • n arhosiad m.
waiter n gweinydd, gwas m.
waive v hepgor.
wake v dihuno, deffro.
walk v cerdded. • n tro m.
walker n cerddwr m, cerddwraig f.
walking stick n ffon f.

wall n mur m.
wallet n waled f.
wallow v ymdrochi, ymdrybaeddu.
wallpaper n papur wal m.
walnuts n cnau Ffrengig pl.
wander v crwydro.
wane v cilio.
want n eisiau m. • v ymofyn.
wanton adj trythyll, anllad.
war n rhyfel m.
wardrobe n cwpwrdd dillad m.
warehouse n warws m/f.
wariness n pwyll m, gwyliadwriaeth f.
warm adj cynnes, twym. • v cynhesu, twymo.

warm-hearted *adj* twymgalon.
warmth *n* gwres, cynhesrwydd *m*.
warn *v* rhybuddio.
warning *n* rhybudd *m*.
warp *v* camu, ystumio.
warrant *n* gwarant *f*.
warrior *n* rhyfelwr *m*.
wary *adj* gwyliadwrus, gochelgar.
wash *v* ymolchi, golchi.
washbowl *n* basn ymolchi *m*, powlen ymolchi *f*.
washing *n* golch, golchiad *m*.
washing machine *n* peiriant golchi *m*.
washing-up *n* golchi llestri *vn*.
wasps *n* cacwn, piffgwn *pl*.
wastage *n* gwastraff *m*.
waste *v* gwastraffu.
wasteful *adj* gwastraffus.
watch *n* oriawr; gwyliadwriaeth *f*. • *v* gwylio.
watchful *adj* gwyliadwrus.
water *n* dŵr *m*. • *v* dyfrhau, dyfrio.
water closet *n* tŷ bach *m*.
watercolour *n* dyfrlliw *m*.
waterfall *n* rhaeadr *f*.
watering-can *n* can dyfrio *m*.
watermark *n* dyfrnod *m*.
watershed *n* cefndeuddwr *m*.
watertight *adj* dwrglos.
wave *n* ton *f*. • *v* chwifio, codi llaw.
waver *v* gwamalu, simsanu.
wavy *adj* tonnog.
wax *n* cwyr, gwêr *m*.
way *n* ffordd *f*.
wayward *adj* anwadal; gwrthnysig.
we *pron* ni, ninnau.
weak *adj* gwan, eiddil.
weaken *v* gwanhau.
weakness *n* gwendid *m*.
wealth *n* cyfoeth *m*.
wealthy *adj* cyfoethog.
weapon *n* arf *m*.
wear *v* gwisgo, treulio. • *n* traul *f*.
weariness *n* blinder, diflastod *m*.
weary *adj* blinedig, wedi blino.

weather *n* tywydd *m*; ~ **forecast** *n* rhagolygon y tywydd *pl*.
weave *v* gwau, gweu; gwehyddu.
web *n* gwe *f*.
wed *v* priodi.
wedding *n* priodas *f*.
wedding ring *n* modrwy briodas *f*.
wedge *n* lletem *f*.
Wednesday *n* dydd Mercher *m*.
weed *n* chwyn *pl*. • *v* chwynnu.
week *n* wythnos *f*.
weekday *n* dydd/diwrnod gwaith *m*.
weekend *n* penwythnos; fwrw'r Sul *m*.
weekly *adj* wythnosol.
weep *v* wylo.
weigh *v* pwyso.
weight *n* pwysau *m/pl*.
weighty *adj* trwm, o bwys.
welcome *n* croeso *m*. • *v* croesawu.
welfare *n* lles, budd *m*.
well *n* ffynnon *f*. • *adj* da.
well-being *n* lles *m*.
well-bred *adj* o dras.
well-deserved *adj* haeddiannol.
well-known *adj* adnabyddus.
well-off *adj* cefnog.
west *n* gorllewin.
westerly, western *adj* gorllewinol.
wet *adj* gwlyb. • *n* gwlybaniaeth *m*. • *v* gwlychu.
whale *n* morfil *m*.
wharf *n* cei *m*, glanfa *f*.
what *pron* beth, pa beth.
whatever *pron* beth bynnag.
wheat *n* gwenith *m*.
wheel *n* olwyn, rhod *f*.
wheelbarrow *n* berfa, whilber *f*.
wheelchair *n* cadair olwyn(ion) *f*.
when *adv conj* pryd, pan.
whenever *adv* bob tro, pa bryd bynnag.
where *adv* ym mha le; lle.
whereas *conj* tra.
whereby *pron* trwy'r hwn/hon/hyn.
whereupon *conj* gyda hyn/hynny.

wherever *adv* pa le bynnag.
whet *v* hogi.
whether *conj* a; p'un ai.
which *pron adj* pa.
while *n* ysbaid *m.* • *conj* tra.
whim *n* mympwy *m.*
whimsical *adj* mympwyol.
whip *n* chwip *f.* • *v* chwipio.
whirl *v* chwylïo, troelli.
whirlpool *n* trobwll *m.*
whirlwind *n* corwynt *m.*
whisper *v* sibrwd, sisial. • *n* sibrwd *m.*
whistle *v* chwibanu. • *n* chwiban *m/f.*
white *adj* gwyn.
whiten *v* gwynnu.
whiteness *n* gwynder *m.*
who *pron* pwy; a.
whoever *pron* pwy bynnag.
whole *adj* cyfan, holl.
wholesale *n* cyfanwerthu *vn.*
wholesome *adj* iachus, iachusol.
wholly *adv* yn llwyr.
whom *pron* a.
why *adv* paham, pam.
wicked *adj* drwg, ysgeler.
wickedness *n* drygioni *m.*
wide *adj* llydan.
widen *v* lledu.
widow *n* gweddw, gwraig weddw *f.*
widower *n* gŵr gweddw *m.*
width *n* lled *m.*
wield *v* trin, trafod.
wife *n* gwraig *f.*
wild *adj* gwyllt.
wild life *n* bywyd gwyllt *m.*
wilful *adj* ystyfnig.
wilfulness *n* ystyfnigrwydd *m.*
will *n* ewyllys *f* (document), *m* (spirit).
willing *adj* parod.
willpower *n* grym ewyllys *m.*
wily *adj* cyfrwys, castiog.
win *v* ennill.
wind *n* gwynt *m.*
wind *v* dolennu, weindio.
windmill *n* melin wynt *f.*

window *n* ffenestr *f.*
window pane *n* gwydr ffenestr *m.*
windpipe *n* pibell wynt *f.*
windscreen *n* ffenestr flaen *f.*
windy *adj* gwyntog.
wine *n* gwin *m.*
wine cellar *n* seler win *f.*
wing *n* adain, asgell *f.*
wink *n* amrantiad, chwinciad *m.*
winner *n* enillydd, buddugwr *m.*
winter *n* gaeaf *m.* • *v* hendrefu, gaeafu.
wintry *adj* gaeafol.
wipe *v* sychu.
wire *n* gwifr, gwifren *f.*
wisdom *n* doethineb *m.*
wise *adj* doeth.
wish *v* dymuno. • *n* awydd, dymuniad *m.*
wit *n* ffraethineb, arabedd *m.*
witch *n* gwrach *f.*
with *prep* â, ag, gyd, gydag, gan.
withdraw *v* tynnu yn ôl; encilio.
wither *v* gwywo, crino.
withhold *v* dal yn ôl, celu.
within *prep, adv* i mewn, o fewn.
without *prep* heb.
withstand *v* gwrthsefyll.
witness *n* tyst *m.* • *v* tystio.
wittingly *adv* yn fwriadol.
witty *adj* ffraeth.
woe *n* gwae *m/f*, trallod *m.*
woeful *adj* trist, athrist.
wolf *n* blaidd *m.*
woman *n* menyw, gwraig *f.*
womanly *adj* benywaidd.
womb *n* croth *f.*
wonder *n* rhyfeddod *m.* • *v* rhyfeddu.
wonderful *adj* rhagorol, rhyfeddol.
woo *v* canlyn.
wood *n* pren, coed *m*; coedwig *f.*
wooden *adj* pren, o bren.
woodwork *n* gwaith coed *m.*
wool *n* gwlân *m.*
woollen *adj* gwlanog.
word *n* gair *m.* • *v* geirio.

word processing *n* prosesu geiriau *vn*.
wording *n* geiriad *m*.
work *v* gweithio. • *n* gwaith *m*.
worker *n* gweithiwr *m*.
workforce *n* gweithlu *m*.
workshop *n* gweithdy *m*.
world *n* byd *m*.
worldly *adj* bydol.
worldwide *adj* byd-eang.
worn-out *adj* wedi treulio.
worry *v* pryderu, gofidio. • *n* pryder, gofid *m*.
worrying *adj* pryderus, gofidus.
worse *adj* gwaeth.
worship *n* addoliad *m*. • *v* addoli.
worst *adj* gwaethaf.
worth *n* gwerth *m*.
worthily *adv* yn deilwng.
worthless *adj* diwerth, da i ddim.
worthy *adj* teilwng.

wound *n* anaf, clwyf *m*. • *v* clwyfo, anafu.
wrap *v* lapio.
wreath *n* torch *f*.
wreck *n* llong wedi'i dryllio. • *v* dryllio, malu.
wrench *v* rhwygo.
wrestle *v* ymaflyd codwm.
wretched *adj* truenus.
wrinkle *n* crych *m*. • *v* crychu.
wrist *n* arddwrn *m*.
write *v* ysgrifennu.
writer *n* ysgrifennwr, awdur *m*.
writing *n* ysgrifen *f*.
wrong *adj* anghywir. • *n* cam *m*. • *v* gwneud cam â.
wrongful *adj* ar gam, anghyfiawn.
wrongly *adv* ar gam.
wry *adj* mingam.

XYZ

xenophobe *n* un sy'n casáu estroniaid.
xenophobic *adj* senoffobic, drwgdybus o estroniaid.
X-ray *n* pelydr X *m*.
xylophone *n* seiloffon *m*.
yacht *n* cwch hwylio *m*, llong bleser *f*.
yawn *v* dylyfu gên, ymagor. • *n* dylyfiad gên *m*.
year *n* blwyddyn *f*.
yearbook *n* blwyddlyfr *m*.
yearly *adj* blynyddol.
yearn *v* dyheu, hiraethu.
yeast *n* burum *m*.
yell *v* gweiddi, bloeddio. • *n* bloedd, gwaedd *f*.
yellow *adj* melyn (*m*), melen (*f*).
yes *adv* do, ie, ydwyf.
yesterday *adv* ddoe, doe.
yet *conj*, *adv* eto, er hynny.
yield *v* ildio; cynhyrchu. • *n* cynnyrch *m*.

yoghurt *n* iogwrt *m*.
you *pron* chi, chwi, ti, di.
young *adj* ifanc, ieuanc.
youngster *n* plentyn, person ifanc *m*.
your *pron* eich, dy.
yours *pron* eiddoch chi, eiddot ti.
yourself *pron* eich hunain, dy hun.
youth *n* ieuenctid *m*.
zeal *n* brwdfrydedd *m*, sêl *f*.
zealous *adj* brwdfrydig, selog.
zenith *n* anterth, entrych *m*.
zero *n* sero, dim *m*.
zest *n* afiaith, arddeliad *m*.
zigzag *adj* igam-ogam.
zip *n* sip *m*.
zodiac *n* sidydd *m*.
zone *n* cylch *m*, cylchfa *f*.
zoo *n* sw *m*.
zoologist *n* sŵolegydd *m*.
zoology *n* sŵoleg *f*.

Appendix

Some of the more frequently encountered Welsh irregular verbs

bod to be

present tense

	singular	plural
1	wyf, ydwyf	ŷm, ydym
2	wyt, ydwyt	ych, ydych
3	mae, yw, oes	ŷnt, ydynt

impersonal ydys

future tense

	singular	plural
1	byddaf	byddwn
2	byddi	byddwch
3	bydd	byddant

impersonal byddir

past tense

	singular	plural
1	bûm	buom
2	buost	buoch
3	bu	buonr

impersonal buwyd

imperfect tense

	singular	plural
1	oeddwn	oeddem
2	oeddit	oeddech
3	oedd	oeddynt

impersonal oeddid

habitual imperfect

	singular	plural
1	byddwn	byddem
2	byddet	byddech
3	byddai	byddent

impersonal byddid

conditional imperfect

	singular	plural
1	bawn	baem
2	bait	baech
3	bai	baent

impersonal bid, byddid

cael to have

present tense

	singular	plural
1	caf	cawn
2	cei	cewch
3	caiff	cânt

impersonal ceir

past tense

	singular	plural
1	cefais	cawsom
2	cefaist	cawsoch
3	cafodd	cawsant

impersonal cafwyd

imperfect tense

	singular	plural
1	cawn	caem
2	caet	caech
3	câi	caent

impersonal ceid

imperative

	singular	plural
1	–	–
2	–	–
3	caffed	caffent

impersonal caffer

Appendix

dod to come

present tense

singular	plural
1 dof	down
2 doi	dewch
3 daw	dônt

impersonal deuir

past tense

singular	plural
1 deuthum	daethom
2 daethost	daethoch
3 daeth	daethant

impersonal doed

imperfect tense

singular	plural
1 deuwn/down	deuem
2 deuet	deuech
3 deuai/dôi	deuent

impersonal doid

imperative

singular	plural
1 –	down
2 dere/tyrd	dewch
3 doed/deled	delent

impersonal deuer/deler

gwneud to do

present tense

singular	plural
1 gwnaf	gwnawn
2 gwnei	gwnewch
3 gwna	gwnânt

impersonal gwneir

past tense

singular	plural
1 gwneuthum	gwnaethom
2 gwnaethost	gwnaethoch
3 gwnaeth	gwnaethant

impersonal gwnaed, gwnaethpwyd

imperfect tense

singular	plural
1 gwnawn	gwnaem
2 gwnaet	gwnaech
3 gwnâi	gwnaent

impersonal gwneid

imperative

singular	plural
1 –	gwnawn
2 gwna	gwnewch
3 gwnaed	gwanaent

impersonal gwneler

mynd to go

present tense

singular	plural
1 af	awn
2 ei	ewch
3 â	ânt

impersonal eir

past tense

singular	plural
1 euthum	aethom
2 aethost	aethoch
3 aeth	aethant

impersonal aed

imperfect tense

singular	plural
1 awn	aem
2 aet	aech
3 âi	aent

impersonal eid

imperative

singular	plural
1 –	awn
2 dos, cer	ewch
3 aed	aent

impersonal eler